UBER CUBA

Orlando Luis Pardo Lazo (La Habana, 1971). Escritor y fotógrafo de La Habana. En Cuba, publicó los libros *Collage Karaoke* (2001), *Empezar de cero* (2001), *Ipatrías* (2005) y *Mi nombre es William Saroyan* (2006). En el exilio, ha sido profesor en Brown University y en Washington University de Saint Louis. Es autor del libro de relatos *Boring Home* (2014), la antología de narrativa *Cuba in Splinters* (2014) y el fotolibro digital *La Habana abandonada* (2014). En Hypermedia ha publicado los volúmenes de crónicas *Del clarín escuchad el silencio* (2016) y *Espantado de todo me refugio en Trump* (2018).

Orlando Luis Pardo Lazo

UBER CUBA

De la presente edición, 2021

Editorial Hypermedia
www.editorialhypermedia.com
www.hypermediamagazine.com
hypermedia@editorialhypermedia.com

Edición y corrección: Ladislao Aguado
Diseño de colección y portada: Herman Vega Vogeler
Diseño interior y maquetación: Editorial Hypermedia

ISBN: 978-1-948517-66-9

En la novela de Edmundo Desnoes Memorias del subdesarrollo, *Sergio, su protagonista, disecciona a través del lente de un catalejo, y desde su balcón en La Habana, la realidad cubana, ese progresivo tránsito del batistato al castrismo.*

En Uber Cuba, *un cubano exiliado en Saint Louis abre en canal el cuerpo de la realidad, ese tránsito personal del castrismo al trumpismo. Y lo perpetra a través del espejo retrovisor, a la postre cristal «aberrado» más que «corregido», de un automóvil-catalejo devenido escenario de múltiples encuentros.*

Burgueses, militantes, activistas sociales y políticos, académicos, nínfulas, actores, músicos. Mujeres, hombres, negros, blancos, jóvenes, viejos, heteros, gays. Personajes anónimos o personalidades mediáticas que, amplificadas por el catalejo o invertidas en el retrovisor, destacan fugazmente en una masa mediática o anónima, para luego ser narrados así en La Habana como en Saint Louis.

Ahmel Echevarría Peré
La Habana, viernes 13 de agosto 2021.

Cuando cuentas con movilidad en tu ciudad, todo es posible. Las oportunidades que se te presentan, de pronto, están más a tu alcance. Con la ayuda de nuestra tecnología, algo tan sencillo como tocar un botón para pedir un viaje se ha transformado en miles de millones de interacciones entre personas por todo el mundo para llegar a donde quieren.

Uber Technologies, Inc.

1.

Desde que salí al exilio he cogido por lo menos mil novecientos cincuenta y nueve Ubers.

«Uber», por cierto, es una palabra que ni siquiera existía en Cuba. Ni existe. No cupo en el diccionario de nuestra marxista modernidad. Al parecer, el castrismo sigue y seguirá siendo radicalmente incompatible con el híper-civil concepto de Uber.

Nuestro entrañable totalitarismo insular no tolera ni siquiera a una ciudadanía-taxi. Por eso Cuba es un fenómeno tan arqueológico, una grosería geográfica que no pertenece del todo a la actualidad. Y por eso el sujeto castrista no tuvo, no tiene, ni nunca podrá tener contemporáneos. Nos hemos quedado muy solos, atrozmente solos, los cubanos con los cubanos. Crónicamente anacrónicos, como la cubanía misma es un concepto a la desbandada.

Uber Cuba es una sección escrita a la carrera: minutos antes, minutos durante, o minutos después de una de las mil novecientas cincuenta y nueve carreras que he dado o cogido en los taxis Uber del exilio cubano.

El exilio cubano es, por supuesto, una manera de decir. Ya no existe tal espejismo. Los cubanos somos aparecidos, espectros, fantasmas de la fidelidad.

Esta será, pues, la historia de la Revolución Cubana contada capítulo a capítulo por los taxistas y pasajeros de Uber, desde un siglo XXI que en Cuba aún no llegó, con nadie y para el bien de nadie.

Bendiciones literáridas de la barbarie: decir lo que nos venga en ganas decir. Para algo perdimos la guerra contra los totalitarios, para algo no pudimos evitar que nos destimbalaran antes de tiempo. Para contar ahora la historia como nos salga de los timbales. Para hacernos intolerables, intolerantes. Atravesados, como un miércoles de mierda, en la garganta del progresismo planetario.

Vade retro, Revolución. Esperamos el próximo Uber para soñarte.

2.

El taxista me miró por el espejo retrovisor. Tenía cara de pocos amigos. Tenía cara de haber detectado en el asiento de atrás de su Toyota a un pequeño Donald J. Trump. Y con razón. Porque yo era Orlando Luis Pardo Lazo, el autor anti-autista de *Espantado de todo me refugio en Trump*. El genio degenerado de mi generación.

Malditos norteamericanos. Maldita democracia.

Ya me quería ir de los Estados Unidos de América. Ya quería no haber venido nunca a este desproporcionado país. Desde hacía dos o tres años todo me sabía a maldad, a maldición, a maledicencia. En libertad, no se puede ni hablar. Pero, especialmente en los taxis Uber, la situación se me tornaba intolerablemente insoslayable.

—*So if you are a Cuban from Miami, you must hate Cubans in Cuba, huh?* —dijo el hijo de puta de pelo blanco y cuello rosado.

En el retrovisor, sus ojos brillaban demoniacamente azules. El muy cabrón era un ario absoluto. Es decir, un supremacista socialista.

¿Qué decir, cómo responder a una pregunta así?

Primero, pensé en degollarlo. ¡Zas!

Como no tenía una navaja conmigo, se me ocurrió cortarle el cuello con mi carnet de identidad cubano, perfectamente plastificado todavía por un funcionario de la Oficoda de Lawton. Que la muerte le supiera a gloria. A borbotones.

Pensé, después de condonar su sentencia a muerte, en escupir en su carro sin que el muy cabrón lo notara.

Y hasta pensé en tirarme yo de su taxi, en pleno movimiento por la 64 Interestatal: matarme para incriminarlo y, de paso, librarme del tedio terminal norteamericano, siempre tan dialoguero y argumenticio de taxi en taxi.

Al final, decidí dejarle un recuerdo amable. Darle la razón, en sus funciones de delator a sueldo de la compañía Uber para el bienestar de la humanidad.

—*Sure, hillbilly: we Cubans from Miami fucking hate all Cubans in Cuba, yeah...*

El taxista dejó de mirarme por el espejo retrovisor. Sus ojillos parecieron incluso apagarse. Iba como a meter un frenazo de odio y meterme un tiro. O, mejor, una ráfaga de AR-15. Pero, de pronto, lo que resplandecía en su albina cara era la plena satisfacción.

El tipo ya contaba con su plusvalía política del día. No había comenzado la pandemia y él ya me había desenmascarado. Donald Trump apenas había ganado las elecciones y él ya estaba exponiendo en su taxi la naturaleza tiránica y criminal de los trumpistas.

De aquí, directico a la insurrección. Con tarros y pieles de Buffalo Bill, cargando de contrabando con la *laptop* de Pocahontas en el Capitolio.

Benditos norteamericanos. Bendita democracia.

Ya me quería ir a Cuba. Ya quería no haber salido nunca de aquel desproporcionado país. La libertad es un látigo con cascabeles en la punta, supongo que para que pique más.

Mejor lo dejamos aquí. Si no te es molestia, bájate de este libro ahora. Por si no me entiendes: para ya de leer.

3.

No hay un taxi Uber en que no me terminen hablando bien de Cuba, de Fidel, de la Revolución. El exilio es una desgracia.

Todos quieren saber de todo. Son así de entusiastas.

Que si ya se puede viajar a Cuba, a pesar del dictador Donald Trump (quien, por cierto, no ha hecho nada para desmentir el legado lamebotas de su archienemigo presidente antecesor).

Que si en la Isla odian a los norteamericanos (si los choferes supieran a qué clase de cliente están transportando, les daría un infarto antes de coger la siguiente curva recomendada por Google Maps).

Que si deben apurarse a viajar para ver el comunismo antes de que Cuba cambie (nunca dicen antes de que Castro caiga).

Y que si es bueno el gobierno recién electo de Miguel Díaz-Canel, a quien ni uno solo de los taxistas Uber sabe nombrar, pero igual todos están convencidos y recontraconvencidos de que se trata del primer presidente no Castro (así se los dijo la CNN en *hez*pañol y en ing*less*).

En los Uber del exilio me he sentido más solo que en ninguna otra parte del mundo. Más que solo, abandonado. Más que abandonado, un fantasma.

En efecto, mientras la compañía Uber va chupando milla tras milla nuestras tarjetas de banco, sus choferes conversacionalistas nos demuestran que Fidel Castro siempre tuvo la razón, toda la razón, y nada más que la razón.

En su momento de mayor apogeo, el comandante nos lo advirtió bien clarito a los cubanos:

—Compañeros y compañeras, no se vayan a ninguna parte. Dense cuenta de una buena vez: el castrismo comienza allí donde terminan los Castro.

Pero, claro, los cubanos no supimos prestar la debida atención a la advertencia del comandante. Somos un pueblo malagradecido. Con suerte, mal nacido.

El castrismo de verdad comenzaba donde terminaron los Castro. Geogramática elemental: el castrismo no tiene afuera. Es inmanencia pura. Y es, por supuesto, el primero y el único derecho natural.

No viene al caso ponerse bravo. Mucho menos conmigo, que soy solo el vocero de la verdad: un evangelista de los Uber-Castro.

Resignémonos: es la Ley de la Vida. Mucho más ahora, que los Castros se fueron muriendo, a la vertiginosa velocidad de un suicidio por año.

La compañía Uber tampoco es responsable. Uber es apenas la consecuencia, un síntoma de la sinceridad primordial del proceso revolucionario cubano.

No hay tiranía externa. Tengamos el valor de reconocerlo. Aunque sea lo último sincero que hagamos. En cada una de estas carreras de taxis, los cubanos apenas estamos recogiendo lo que nosotros mismos durante décadas hemos sembrado.

Ahora solo es cuestión de disfrutarlo. No dejemos las cosas aquí. Aunque te moleste, *fellow* cubano, pégate al libro. O, por si no me entiendes de nuevo: no pares ya de leer.

4.

Con las mujeres en Uber, jamás me siento detrás. Es peor.

Se ponen nerviositas conmigo. Y con toda la razón. Soy un exiliado. Es decir, en principio soy un tipo acosado con tendencia a devenir, en venganza, un acosador.

Ese es el precio de la inmigración legal e ilegal. Los Estados Unidos tendrán que pagar un alto precio en términos de desesperación. ¿Qué se pensaban? ¿Que de la dictadura cubana iban a venir los más calmaditos aquí?

No, gracias. Toda vez lumpen, uno es lumpen para siempre. Incluso ilustrado. La escoria es la escoria y sin escoria no hay escoria. Y no hay más vuelta que darle. Somos la tara tétrica de un Estado-Escoliosis.

La última vez que me le senté detrás a una taxista de Uber, estaba más que justificado de mi parte. Era cerca de la medianoche. Todo Saint Louis estaba borracho. El 4 de Julio terminaba en el Medio Oeste con un jolgorio de cerveza y semen multicultural.

Los negros, sus negros rabazos. Los blancos, sus rabitos blancos.

Y, para homenaje del poeta no tan adúltero como adulterado Nicolás Guillén, me tocó al timón un tronco de morena Missouri que estaba para chuparse los dedos. Mejor, para enchumbarse los dedos en los meandros del Mississippi de su pipi con melanina a millón.

Perdónenme, pero ustedes me entienden. Menos mal. Porque lo que fui yo, lo cierto es que esa noche patriotera no me pude aguantar.

Me corrí para el asiento de atrás de la diva de ébano, intentando por todos los medios esquivar sus ojos de águila ávida en el espejo retrovisor. Sé que llego ahora al punto más fálico de mi relato. Y, en efecto, como era de esperar, me saqué el miembro copulador en pleno Hyundai propiedad de la compañía Uber.

Lo siento, Travis Kalanick. Por favor, Garrett Camp, en el nombre del pueblo cubano te pido disculpas, pero...

Si alguna vez paso por el 455 de la Market Street en San Francisco, les prometo que les llevo una flor a cada uno. Pero no pude evitarlo ese 4 de Julio. La patria hala. La patria es pedestal y ara. Y me hundí en mis deseos despóticos de reventar de placer sobre el terciopelo corporativo de aquella mulatona *mizzou*.

Me iba a ir enseguida. Ven, ir. Era cuestión de segundos. Así sería mi nivel de locura y excitación.

Ah, pero la mujerona se lo olía. Literalmente, se lo olía. Como correspondía a su porte y talla XXXL, la afronorteamericana era toda una experta extraclase en ese tipo de operaciones clandestinas a sus espaldas.

Me dio un parón del carajo. De haberlo querido, bien hubiera podido llamar al 911 o denunciarme a la mismísima Asia Argento en persona (es decir, vía Mensaje Directo en Twitter). Pero decidió darme una lección que me dura hasta el día de hoy.

—*Mah boy* —me dijo: yo me estaba masturbando a solo centímetros de su nuca en la madrugada sin Cuba, pero igual mi chofer de Uber me infantilizaba soberanamente con ese *mah boy* tan suyo, tan salvífico—: *whah your doin' back ther it ain't pleases the Lord, Jesus Christ our Savior, ya know?*

Mejor no sigo. Ya lo he dicho. Me dio un parón del carajo, que me dura hasta el día de hoy. Pero al menos permítaseme añadir en mi defensa que jamás he vuelto a sentarme en el asiento de atrás de una mujer taxista. Ni en taxi, ni en tren, ni en avión, ni en ninguna parte. Ni cristiana, ni judía, ni islámica. Mucho menos atea.

Mi Uber predicadora estuvo hablándome y bendiciéndome hasta que me dejó en la puerta de mi casa. En efecto, se bajó de su carro y me acompañó hasta que yo entré, para evitar cualquier equívoco o recaída de mis gónadas hipertrofiadas. Su conversación fue una verdadera Uber-conversión.

Puedo asegurarles que, lo que era libidinosidad loca de un sujeto desamparado y desaparecido como yo, terminó siendo la epifanía y el consuelo de que sí existe un cielo, compañeros. Y, muy a pesar de las burlas barbáricas de Nicolás Guillén (antes de estirar la pata que le cortaron los cirujanos del castrismo), en esa Cuba celestial cada uno de los cubanos contará por fin con su propio asiento, sin trauma y sin tara, en el taxi contranatura de nuestra nación.

Viajaremos entonces, por fin, en paz póstuma. Sin necesidad de violarnos los unos a los otros en cada cabina o asiento de atrás.

Cubansummatum est.

5.

Una vez el chofer del Uber se viró hacia mí.

Esto fue en Miami. Doblábamos del Palmeto al 836, a toda velocidad por esa curva cósmica que se inventa el capitalismo para tenernos entretenidos doblando y volviendo a doblar. El exilio es eso, un doblaje.

El chofer del Uber era un negrito flaco, esquelético. Un cubano, como es de suponer. Y me enseñó la guantera del carro, que era un Mercedes Benz o un BMW, porque eso nunca se sabe muy bien. En cualquier caso, era un carro negro como el propio negrito que lo embalaba.

En la guantera había un revólver. Descomunal. Una Glock o Magnum o algo así, si es que todavía se fabrican.

Yo nunca había visto un artefacto tan amenazador. Ni en las películas norteamericanas del sábado por la noche. Parecía un cañón, una nave espacial, una cosa de otro planeta. Pero igual un objeto letal.

El chofer del Uber me dijo:

—¿Ves eso?

Yo asentí, apendejado de la cabeza a los pies. Con los cubanos nunca se sabe.

—Ya no aguanto más —dijo con una calma escalofriante—. Mira, ahora cuando te bajes, me voy a meter un balazo. Aquí.

Y señaló con el dedo índice a su sien derecha.

—Aquí, cojones, aquí, para que no haya casualidad —dijo, con las falanges apretadas a la tapa de sus sesos. Mientras seguía dándole vueltas al timón con el índice de su mano izquierda, como si fuera una ruleta revolucionaria.

No lo denuncié. Ni a Uber, ni al 911.

Cubano. Exiliado. Negro. Cansado de aguantar y aguantar. Qué pinga. Mi compatriota ya se merecía un respiro.

Como el resto de todos nosotros, compañeros. Que se matara. Que fuera libre después de mi viaje con él.

Lo miré sin compasión. Es decir, con corazón. Sin decirle nada. Basta de sermones socialistas. Y traté de que él sintiera que había encontrado en mí a un compatriota de verdad. Al primero y al último de los compatriotas que él se iba a topar en toda su vida.

Esta tragedia no tenía nada que ver con él. El blanco es el que cuenta la historia. Y si me estaba ocurriendo a mí, era precisamente para que yo la pusiera en palabras. Para que tradujera el balazo de aquel negro pingú, probablemente empingado.

Tinta negra sobre celulosa blanca. Descansa en anónima paz, acaso abatido ahora por la brisa bárbara de los *expressways* apátridas. Tú, mito y mártir. Brillando como el diamante loco que nunca dejó de ser de carbón.

6.

Era fundador de Uber, me dijo, pero en realidad quería ser escritor. Un escritor etíope. En este caso, un escritor etíope exiliado. Un poco como yo.

Había venido huyendo de la guerra. De una de las tantas guerras. De hecho, ni siquiera era un etíope original, sino de alguna nación cercana que los occidentales no sabemos distinguir de la Etiopía original. En fin, no sigo para que no me acusen de racista antes de serlo.

En cualquier caso, en Washington D.C., lo había sorprendido otra guerra. Casi también a muerte. Pero ese «casi» marcaba una diferencia abismal con respecto al África.

Al principio, me dijo, mi chofer de Uber tuvo que hacer de todo para sobrevivir. Y al final, en efecto, sobrevivió. En Etiopía, hubiera hecho lo que hubiera hecho el guerrero del timón, ahora estaría muerto y enterrado. Olvidado y sin historia. Y sin nunca haberse montado y mucho menos manejado en un taxi.

Nada más que por esta pequeña victoria personal, los Estados Unidos de América se merecen lo mejor de lo mejor. Son el último país habitable de La Tierra. El único. El resto es socialismo disimulado. O socialismo al descaro.

Ahora mi chofer de Uber tenía hasta familia. Dos hijas y una exmujer. También un coche Honda color azul prusia, como su piel. Y me tenía sentado a mí a su lado, un cubano de copiloto.

Me iba a contar de las guerras de Fidel Castro en su país. Casi me iba a contar de los justicieros soldados cubanos que él conoció de niño, en aquellas batallas perdidas en algún punto sin leyes entre Etiopía y Eritrea y la década del setenta. Seguro que ya estaba a punto de soltarme su perorata en su laberíntico lenguaje amárico de castrista nativo.

Lo vi venir todo clarito, clarito. Como Haile que se mata. Como un Selassie que se manda a narrar la epopeya de las katiuskas rusas en manos de los Kunta Kinte cubanos. Por favor. Por eso me le adelanté para cortarlo de cuajo. Abajo y de un solo tajo, ahórrame tu inspiración. Si quería ser escritor, que escribiera y que no jodiera más a su pasajero insular.

—Soy dominicano, tigre —le dije en inglés del desierto (no me pregunten por la traducción exacta, algo así como: *I'm Dominican, dude*). Y entonces el gallardo rastafari perdió inmediatamente todo su interés en mí en tanto lector.

¿Salaciones de Haile Selassie, conmigo? ¡Ja! De lo que se trata es de *épater l'éthiopien*.

La dominicanidad es una verdadera bendición: agüita bendita contra el memorialismo castrista de un Uber tras otro Uber. Grábense este consejo, de corazón, y se ahorrarán eso que ahora llaman *continuidad del castrismo por otros medios*.

Es muy simple, cortante como un aforismo: «A donde fueres, haz como si cubano no fueres». *Kaputt, Koniek*.

7.

Me apuesto lo que tú quieras a que nunca has montado un Uber con *wi-fi*.

Después de años de Uberidad, conferenciando en contra de Cuba en casi todos los estados de los Estados Unidos, finalmente me tocó uno a mí. Tenía que ser yo. Me toca vivir para contarla. A falta de una vida real en Cuba, tenemos que inventarnos algo parecido a una biografía sin Cuba.

Fue en Sedona, Arizona. En la primavera apátrida de 2016.

El taxista, mitad latino y mitad *red-neck*, me llevaba desde el aeropuerto de Phoenix hasta la finca del senador republicano John McCain, cuyo *staff* me había invitado a un evento internacional sobre derechos humanos y democracia.

No daré detalles de aquel *Sedona Forum* ahora. Ni siquiera entraré aquí en especificaciones sobre el servicio *wi-fi* que se me ofreció dentro de aquel Uber excepcional. No sé si sea legal contarlo. Y tampoco quiero comprometer al chofer: un panameño de Coco Solo, me dijo, como coincidentemente también lo era John McCain, pues el yanqui había nacido casi en pleno Canal de Panamá.

Sabemos que McCain recién falleció, pero esa es ya otra historia. El tocayo de Trump murió blasfemando antitrumpismos atroces, entre los contraataques televisados del presidente Donald John Trump y los paradójicos aplausos de la izquierda más intolerante, que de pronto apoyaban a su antiguo enemigo a muerte McCain.

Yo solo quería contarles esto. Y callarme sin dar más detalles por el momento. Como manejábamos en el fin del mundo, entre las montañas rojas rocosas, el chofer del Uber había innovado e implementado un sistema de *wi-fi* en su *jeep*, de manera que los pasajeros pudieran viajar conectados a través del desierto. La mayoría, supongo, chateando *Yikes* o contando *Likes*, que es para lo que se usa internet en la libertad.

Tal vez, y con esto me callo, fuera algún truco satelital con su iPhone, que parecía un pistolón. Acaso mi chofer fuera medio pariente del judío-obamashkenazi llamado Alan Gross, ¿se acuerdan? El que iba a liberar a Cuba con un BGAN. No sé. Lo cierto es que en el techo de su Grand Cherokee giraba una parabólica enorme, con ínfulas de radiotelescopio espacial. Al estilo de un cazador de UFOs o un detector de meteoritos planeticidas.

En fin, ya lo dicho está dicho. *Quod scripsi is crisis.* Repito: me apuesto lo que tú quieras a que nunca has montado en un Uber con *wi-fi*.

Ni lo intentes, por cierto. Acéptalo, porque es ya un hecho: todas las historias del mundo me toca contarlas a mí. El resto de los cubanos que cojan calma y me escuchen. Punto final.

8.

No me gustan los Uber Pool. Y Miami está lleno de esa mierda colectivista.

Para mí, montarse en un taxi compartido es un invento castrista. De los más rancios. Otro ejemplo de una izquierda ideologizada hasta la idiotez, dentro del concepto ya de por sí bastante castrista de la compañía Uber, donde cada viaje queda registrado desde ahora hasta la eternidad. Uber es el nuevo Gran Hermano.

Con Uber en Cuba, la Seguridad del Estado ya tendría todo el trabajo hecho antes de hacerlo ellos. Monitoreo de masas, al por mayor. Y también de élite. Pero los Castros siempre han sido demasiado criminales para aceptar competencia. En fin, otro día les explico más. Si les interesa.

Lo cierto es que me monté en un Uber Pool de esos que pululan por toda Miami. La bachata, el cubaneo, la comemierdad. Continuidad del castrismo con el capitalismo, comunismo consumista de dos por tres y rebaja de día feriado o fin de mes.

Como siempre pasa, enseguida un pasajero me reconoció. Obviamente, no por gusto soy Orlando Luis

Pardo Lazo. Él me había visto la noche anterior en cámara, fajándome en vivo con Jaime Bayly en MegaTV. El periodista peruano, siempre perverso, al parecer se había enamorado de mí a la hora de entrevistarme. Como yo siempre lo he estado de él, por cierto, a la hora de dejarme entrevistar por el polisexual que antes no se lo decía a nadie, y ahora se lo dice a todos.

Finalmente nos presentamos, el primero de los pasajeros y yo. Y, cuando pronuncié en voz alta mi nombre por pura formalidad: «Orlando Luis Pardo Lazo», una tercera pasajera abrió sus ojos hasta la conmoción. Incluidas sus glándulas lagrimales, activadas en acción y reacción.

Era obvio que ella me conocía de atrás. Donde «atrás» significa «Cuba». Y, también, «atrapamiento». El atraso, lo atroz.

Era ya una señora muy mayor: una «viejita», como vulgarmente se dice. Pero cuando me dijo quién había sido ella en mi vida, para mí volvió a ser enseguida la misma. La joven, la jovial. La tierna y eterna maestra de Pre-Escolar que me salvó de mi pánico infantil a permanecer sin padres en un aula. El mismo pánico de adulto que todavía, de vez en cuando, me asalta en público.

Tampoco revelaré mucho más. Mejor dejo esta Uber-historia así, incompleta, tal como ocurrió en un *expressway* de Miami.

Basta saber que su nombre es Clara, que su nombre es Mirta, que su nombre es Elia, que su nombre es Magaly, que su nombre es Pilar. Entre tantas y tantas maestricas de escuela primaria que me defendieron en tiempo y forma del resto de la humanidad, que por entonces significaba defenderme de la Revolución Cubana.

Basta saber, para que así conste de mi puño y letra, que, en plena posesión de mis facultades mentales, a todas y cada una de ellas las amé como a nadie. Y que todavía hoy las amo. Y las amaré hasta mi tumba sin suelo patrio.

Las adoro y deseo desde niño. Las nostalgio y melancolio desde que dejé de serlo. Es más, siendo el mejor escritor vivo de Cuba, puedo decir con confianza que ninguna de mis palabras ha sido escrita por mí, sino por la pobre y magnificente Clara, por la pobre y magnificente Mirta, por la pobre y magnificente Elia, por la pobre y magnificente Magaly, y por la pobre y magnificente Pilar.

Mi corazón es un cementerio de huesos calcinados. Ceniza de tizas rayando el cartabón a ras de cada pizarra. Crayolas con olor a coronas de cadáver descubanizado.

9.

Pocas veces uno tiene la suerte de encontrarse en un Uber con una celebridad. Mucho menos, manejando. Pero a mí me pasó. Como me pasan todas las cosas: vivir para contarla.

Fue el año pasado, en el otoño de 2017. Yo estaba durante esa temporada en Nueva York, Nueva York.

La izquierda infantilizada se la pasaba llorando en las calles, como de costumbre. En Union Square, en Washington Square, en todas las plazas y Torres Trump. Para colmo, ahora acusaban al pobre Donald de asesinar bebés en la frontera mexicana. Una idea que, por cierto, me parece literariamente genial: un presidente caníbal chupándose hasta los huesitos lácteos en la Casa Blanca.

Era el día 22 (lo recuerdo bien, por otros motivos), y yo me topé en Manhattan con una mujer despampanante al timón. Pelo suelto y tetas sin sostén, paradas como Hollywood manda. Era, y Dios me perdone si me equivoco, Scarlett Johansson en persona. Oronda, fresca, sonriente, confiada de su desbordante feminidad. Una fresa a punto de hacer explosión. Orgullosa de su empleo *part-time* en Uber y acaso ya lista para el próximo plano de la siguiente filmación. Una hembra de película. Literalmente, de películas.

Me le senté al ladito sin hacer demasiado aspaviento. Tranquilo, Landy. No me atreví a preguntarle el nombre de primera y pata. No quería aparentar lo que en realidad soy, un amante amateur. Discretamente busqué en mi aplicación del teléfono, y vi que Uber la identificaba solamente como «Ingrid». Pero Ingrid es también un nombre sueco, supongo, como su apellido: Scarlett, la hija de Johann. Ah, vikingas viles que jamás debieron de pasar impunes por el Servicio de Ciudadanía e Inmigración: *a wall against walkirias*.

Manejaba, por cierto, un Tesla negro que parecía ser el modelo no de ese año, sino de todos los años que le quedaban a la humanidad. Con o sin cambio climático. Por los Ubers de los Ubers hasta el fin del capitalismo esquizo-rizomático.

En su pecho exhaustivamente escotado, Ingrid mostraba sin ningún pudor esa caverna tan típica entre las colinas colgantes de Scarlett. Sus dientes eran descomunales, blanquísimos. Como imagino los de la actriz. Y olía toda ella a bebida cara, muy cara, cada vez que hacía ese gesto tan suyo de chasquear esos labios reminiscentes de una escena romántica honda, húmeda. Oculta, de culto.

Casi me tenía que quedar ya. Era una carrera muy corta. De la West 4 Street hasta no muy lejos de la Penn Station, donde yo tomaría un bus Megabus hacia Filadelfia. Y aún no me decidía a hacer la pregunta tonta:

—Ingrid, ¿por casualidad tú eres Scarlett?

Pero al final fue ella quien me lo aclaró, sin necesidad de yo preguntarle nada.

—*I love road trips, I love driving* —me dijo—. *I just find beauty in unusual things, like hanging out my head out of the window. Like this...*

Y, en efecto, así mismito lo hacía. El Tesla no tenía puesto el aire acondicionado (tampoco era necesario a finales del dulce noviembre), y la chofer manejaba con medio brazo izquierdo por fuera de la carrocería, con su pelo lacio saliéndosele a borbotones por la ventanilla del Uber eléctrico.

No manejaba muy bien que digamos, esa es la verdad. En el último semáforo antes de dejarme, Ingrid Scarlett casi se lleva por delante a un flaquito woodyalienígena que se nos cruzó como un etcétera sobre la cebra.

Pensé que este hubiera sido un excelente final de vanguardia: el personaje extradiegético que aniquila a su autor. Pero no pasó, por suerte. Serían demasiadas esdrújulas pedantes para viajar en Uber por la latinizada Nueva York. Igual me quedé con ganas de preguntarle si la podía besar en la boca por una buena propina.

10.

Tenía un tatuaje en el bollo y un tumor en la cabeza, me dijo sin quitar la vista del *expressway*.

Tenía, también, unas ganas enormes de matarse en la próxima curva cósmica de la carretera. Y ganas de llevarse a alguien lindo con ella. Y noble. No una de esas alimañas humanas de las que tanto abundan por los exilios cubanos. Sobre todo, en el exilio de Miami.

Morirse solo es una especie de maldición sobre la maldición de haber nacidos solos en este mundo. De suerte que ella quería morirse junto alguien que fuera lindo y noble, repetía, alguien que mereciera la pena, si no de seguir vivo, al menos sí de morir juntos.

Bajo el semáforo de Leyún y la Calle 8, me miró muy seriamente. Entonces me preguntó si por casualidad esa persona perfecta no podría por un momento ser yo. O sea, quería genuinamente saber si yo estaba dispuesto a morirme con ella.

Estuve tentado a decirle que sí. Dale, princesa, pisa de una puta vez el acelerador. Métele hasta el fondo tus pies preciosos y vámonos de cabeza bajo el tráiler de un buen rastrón. ¡Chas, chas! Decapitados los dos de pronto sin saber qué pasó, como insectos fototrópicos. Sin dolor y sin tener que pasar por el trance traumatizante de decir y que nos digan adiós.

Lo cierto fue que no le respondí nada. Si acaso, una sonrisita nerviosa. Pendeja, apendejada. Típica de un intelectual.

Pensé en tirarme del taxi a tiempo, ahora que el Uber estaba parado bajo la luz roja y el sol radiactivo de Miami. Agosto ardía.

Como todo sobreviviente, yo también le demostré ser un cobarde por estar vivo y no saber hasta cuándo.

Me miró con verdadera compasión. Se daba cuenta de que yo estaba mucho peor que ella. Mi destino era indescriptible: yo tendría que vivir casi cien años así. En cadenas y oprobio sumido. Ver el fin de todo y de todos. Habitar en una época donde nunca habrá ocurrido la Revolución Cubana, por ejemplo. Y adaptarme amargamente a la idea de que Fidel Castro fue apenas un sueño de siesta individual, ni siquiera una pesadillesca alucinación colectiva. Ver, en fin, lo que es habitar en el desamor, mientras la biología te traiciona a mansalva.

Me di lástima yo mismo, iluminado bajo su mirada de mujer que ha mirado larga y largamente de frente a la muerte, sin ningún tipo de macho-mariconada filosófica ni conceptual.

Le pedí perdón:

—Perdóname —le pedí.

Y me dejó en mi *efficiency* de alquiler un poco más abajo. En la avenida Madeira, la callecita cuqui que conozco bien desde Cuba, porque ahí radica el cuartel general de *CubaNet*. Y porque desde ahí escribe sus queridas lluvias una muchacha cubana que yo amé (de hecho, fui muchas noches el padre putativo de su bebé).

Nunca le vi tumor alguno en la cabeza a la taxista del Uber. Lo tendría escondido por dentro, no sé. Clavado en su cerebelo tan *sexy*. El tatuaje del bollo, sin embargo, sí que me lo enseñó cuando me iba a bajar del carro. Al menos la parte de arriba, no completo. Era una palabra en forma de bóveda o vitral, sobre la espada vulvácea de su sonrisa verticalísima.

Me pidió que no se la revelara a nadie. Era una palabra escrita solo para ella y para mí, su cubano cobarde.

—A nadie significa a nadie —me repitió.

Y si hay una mujer en el mundo a la que nunca voy a traicionar, es a ella. Te lo juro. También a ella se lo juré.

Ojalá ya estés muerta y no lo sepas, mi amor. La palabra pintada en tu pelvis la llevo tatuada ahora yo, como un escudo contra la barbarie, protegida donde más me duele bajo mi esternón.

11.

Uber nos permite hacer campaña política, a pesar de Uber.

Y no lo digo por la conversación con el chofer, por supuesto. Porque la mayoría ya están jodidos antes de empezar. Apenas abren la boca y ya te están metiendo una arenga en contra del capitalismo norteamericano (incluido un odio patogénico más que patético hacia Donald J. Trump), a la par que profesan abiertamente su amor a la Revolución Cubana y a favor de la herencia heroica de los Castros y su clan.

Eso es un hecho. Uber, como la calle, pertenece completamente a los revolucionarios. Pero lo dicho está dicho y lo reitero ahora: Uber nos permite hacer campaña política, a pesar de Uber.

¿Cómo? Muy simple: en los comentarios que se les dejan junto a las 5 estrellitas a cada chofer, justo después de bajarnos del carro. Es ahí donde los cubanos no podemos fallar. Es en ese par de líneas donde tenemos que decir todo lo que en los taxis del totalitarismo no podemos ni pronunciar. Ni siquiera pensar.

No tengan miedo. No sean, si me perdonan la palabrota, tan pendejos. No pasa nada: despierten, que ya no estamos en Cuba, sino en tierras de locura y libertad. Es decir, de lenguaje sin límites.

De hecho, yo lo hago todo el tiempo. Escribo en la aplicación Uber lo que primero que me venga a la cabeza. Así en parte me divierto. Y en parte así me libero de mi frustración tras tantos años de fidelidad. Y décadas de felicidad.

Con suerte, al hacerlo soy al menos un poquito más útil para los cubanos que vendrán. Además, es excitante escribir lo que se nos antoje en un App. Se trata de dejar un comentario de cara a la posteridad, pues ni el chofer de Uber ni sus *webmasters* en la compañía Uber pueden borrar nuestra opinión. Se la tienen que comer con papitas-*tip*.

Por favor, llenemos los servidores y las redes de Uber con un buen grito de: «Libertad para Cuba ahora». Tecleemos, por ejemplo: «¡Cuba sin Castro ya!». O pidamos un «Plebiscito para que Cuba por fin decida después de 60 años». O un «Plebiscito CubaDecide.org para que cese la dictadura y por fin comience la vida en la verdad».

Lo que quieran. Póngase patéticos y propagandísticos. Escriban por escribir. Si no lo haces, es porque no quieres. Porque no te conviene, en medio de tu cómoda complicidad. Si no lo haces, compatriota, es porque no quieres vivir como un exiliado, como es evidente, sino en el descaro diario de los cubanos sin Cuba, pero con Castro en su corazón. Incluido yo.

Así que lo que te propongo es una suerte de autoterapia. No digo más. Haz lo que te parezca, cubano. A mí me basta con hacerlo yo solo. Toda escritura libre es un acto atroz de iluminada soledad. Y lo seguiré ejecutando sin consultarlo con nadie. Sin convocar a nadie tampoco. Lo hago por mí. Porque cada vez que me monto en un Uber, se me alegra el corazón con que vivo. Pues ahora cada carrerita de mierda significa ya no solo gastar cinco o seis dólares decadentes, sino explayarme en una catarsis de liberación, tecleando y tecleando en los comentarios o en los *compliments* que le dejo en venganza a cada chofer.

Por ejemplo:

«No Castro, no *problem*». «Los cubanos no somos menos que los puertorriqueños: ¡Democracia para Cuba!». «Somos más: cada cubano en Uber hoy es un cubano sin Castro mañana». Y también, en los días de debilidad o desesperación: «Fuck Castro» y «Castro coño de tu madre», o «Uno, dos y tres, Castro qué pinga es».

Por supuesto, el riesgo aquí es que Uber nos declare como «taxi-terroristas» y nos bloquee de montar en Uber de por vida, por violar las reglas de la comunidad. *#WeToo.*

Total. Tanto lío con escapar de Cuba y ahora los cubanos nos la pasamos sentaditos dentro del carro sin decir ni ji, tal como Dios y el Estado mandan. Mucho menos escribir ni pío. Supongo que seamos los pasajeros más disciplinados de todo el planeta. Damos, compañeras y compañeros, pena propia, no ajena. Siendo el pueblo más culto del cabrón mundo, somos, sin duda, excelsos analfabetos de alma.

Escriban «Díaz-Canel singao». O, si no encuentran el guioncito en el App, escriban entonces «Díaz Canel singao». O al menos pongan un «Patria y Vida», porque eso es justo lo que ustedes nunca tendrán.

12.

No hablaba inglés, por supuesto. Por eso había venido a los Estados Unidos: porque no hablaba inglés, ni tampoco le interesaba aprenderlo. Hoy por hoy, donde único es posible prosperar sin hablar inglés es precisamente en los Estados Unidos.

Me pareció entender que era rumana, esa raza de rubias que te chupan hasta la última gota de sangre de solo mirarte. Valquirias vampiras. Hasta la última gota de savia. Dejemos los sinónimos seminales ahí.

Se llamaba Elena, eso fue lo único que le entendí. En realidad, leí su nombre en el App de Uber. Porque ni siquiera la palabra «elena» la pronunciaba bien del todo, pues se tragaba las sílabas después de remezclarlas con su propia saliva. Hablaba como si se le fuera a acabar el aire. Y con la boca medio entreabierta o medio entrecerrada, eso depende de los deseos del interlocutor (en este caso, yo: lector de libidinosidades y labios).

Diríase que Elena le restaba importancia a lo poco que ella se decidía a decir. Típico de las mujeres que ya saben todo lo que hay que saber de la vida, y por eso les cansa tener que duplicar la realidad usando las palabras.

Elena silente, sensual. Elena muda, mutante. Transilvania, trans.

Desde que la vi supe que era un hombre, fuera rumano o no. Igual lucía muy espigada ante el timón, muy encajada sobre los pedales, muy ansiosa de miradas por el espejo retrovisor.

Me gustó. Aunque esto jamás se lo dije, en lo que bajábamos del Alto al Bajo New York. Soy homófobico, ya lo saben, orgullosamente homofóbico. Esa es mi verdadera identidad de género y/o/u orientación sexual: primero, homofóbico; después, seudosexual.

Pero me gustó. Todavía estoy asustado. Fue hace ya dos o tres años, por suerte. Una cosa del pasado, que va quedándose en el pasado. Algo que aún no entiendo por qué pasó, pero pasó. En cualquier caso, esa ha sido la única vez en mi vida en que la presencia próxima de un pene de mujer no me ha parecido un pecado, sino una vocación de violación. Volátil invocación. Ocasión en el ocaso de la sexualidad. Porque, calculo, en un par de administraciones más, todo sexo será punible en los Estados Unidos. De hecho, el consenso mismo será un delito federal.

No sé. Ojalá que Uber no obre el milagro de mi conversión gonadal. A estas alturas del exilio, no quisiera perder mi estatus de cubanía aborigen. Nuestra condición de cubanos se caracteriza por continuar castristamente en el closet. Y hasta la vagina siempre, compañeros.

Que ningún ciudadano se salga de ese estado estequiométrico de chealdad.

13.

El chofer me lo soltó a la cara, pero sin mirarme ni por un momento a la cara:

—Ni tú mismo sabes en lo que estás metido. Mira —me dijo, siempre sin mirarme—, tú y todos los que andan metidos en lo mismo que tú, están locos pa'l carajo.

Era Miami, inevitablemente. Y el chofer del Uber era, inevitablemente, un cubano.

Un filósofo, claro. Y, con suerte, de la corriente de los existencialistas escépticos. Es decir, un inocente cómplice del castrismo. Otro cubano que cree y quiere hacernos creer que no se puede hacer nada respecto a la Revolución Cubana. Así, como siempre me encanta escribirla: con mayúsculas mayestáticas.

Ya los conozco, desde Cuba. De hecho, así son la mayoría de los intelectuales cubanos, si no todos. Patéticos en su victimismo ilustrado, son unos tipos geniales en la argumentación de su cobardía personal (anecdótica hasta el aburrimiento). Son también deslumbrantes para criticar la evidente mediocridad de la disidencia cubana (es muy fácil cogerla contra los negros y no contra los mayorales), así como son muy lúcidos a la hora de denigrar la labor histórica del exilio (esos dinosaurios devenidos trogloditas devenidos tutankamones), y encima culpar al pueblo rehén en la Isla (esos carneros encarcelados por masoquismo marxista).

Los conozco como si los hubiera parido, a esa especie endémica que prolifera en las tiranías totalitarias. Sería el equivalente criollo de un negador del holocausto. En este caso, del holo*castro*. Pero nunca había tenido a uno tan cerca. Ahí, al alcance de su otra mejilla.

—¿Cómo tú te llamas, bróder? —le pregunté por preguntar, pues su nombre estaba anunciado de antemano en mi Uber App.

—Fulanito de Tal —me dijo.

—Tienes toda la razón, Fulanito de Tal —le dije—. Pero, mira, mi hermano, no te me pongas bravo, pero tú tienes que saber que yo me estoy cagando en el recontracorazón calvo de tu madre.

Desde que salí de Cuba, el martes 5 de marzo de 2013, a las 4:44 de la tarde, esta ha sido la única noche en que tuve que dormir en una estación policial. Tenía que ser en Miami, por supuesto.

Ahora solo espero que eso no vaya a afectar mis trámites de ciudadanía. Sería el colmo no haber tenido antecedentes penales en la Cuba de Castro y venir a tenerlos en Mierdami.

Bueno, pero si los afecta, no me importa demasiado tampoco. Basta con haber sido cubano alguna vez, para seguir siendo cubanos todas las veces. Es una fatalidad. Es imposible naturalizarnos.

Igual me queda el consuelo de que, al menos por una noche, gracias a mi vocabulario y a mis seis-pies-dos-pulgadas, el filósofo escéptico-existencialista Fulanito de Tal quedó mucho peor parado que yo. Perdónenme, pero le puse lo que le puse. *Bajanda.*

14.

En efecto, como me lo pronosticara el chofer cubano del Uber 13, me volví loco pa'l carajo.

Así que llamé a un Uber taxi interprovincial y me fui de Saint Louis al pueblito de Springfield, Missouri, donde se iba a organizar un *rally* masivo, nada más y nada menos que con Donald J. Trump. El Presidente en persona. El 45, mi edad.

Para que tengan una idea de lo que el taxi Uber me costó: Springfield queda a unas 200 millas de donde yo vivo en Saint Louis. Así que calculen por ustedes mismos. Con tarifa preferencial inter-ciudades y todo, fueron mil y picón largo de dólares: exactamente, mil novecientos dólares con 59 centavos, ya con taxes y la propina incluida.

Cuando estábamos llegando al parqueo de la John Q. Hammons Arena, donde a las 6:30 p.m. hora de Cuba tendría lugar el magno evento, un viernes 21 de septiembre de 2018 (porque hubo muchos otros viernes 21 de septiembre de 2018: por ejemplo, la mediocre fecha que viviste tú), la conductora de mi Inter-City Uber me miró de arriba a abajo como a un gusano. O sea, como lo que era. O sea, como lo que somos, todos y cada uno de los cubanos, comunistas o anticomunistas, desde que Fidel Castro nos rebautizó con razón. Gusanos. Que en inglés se traduciría, un poco al estilo de la *N-word*, como la *G2-word*.

—*Hey, dude: you ain't no comin' to this motha-fucka Trump fuckin' shit, huh?*

Medía como seis pies la mujer de melaza. Tenía cara de armas tomar. Estaban en Guerra Civil desde noviembre de 2016. Y por ningún motivo en el mundo yo me hubiera atrevido a ejercer ahora mi correspondiente porción de supremacismo blanco. Ni loco. A veces hay que someterse. Abajo la Primera Enmienda.

—*No, madam, of course not* —le mentí, apendejado más que apenado—. *I'm visiting Springfield because my mom is at the hospital here, dying. Would you say a prayer for her, please?*

Y por si acaso, para que la Uber-choferesa de aquel carrito Rambler acabara de quitar el seguro de la puerta de atrás, donde me mantenía secuestrado, y me dejara bajarme en paz, a marchar por las grandes alamedas del trumpismo interestatal, añadí:

—*I voted Bernie, you know.*

15.

El chofer del taxi Uber se llamaba Orlando, como yo. Y, como yo, también era cubano. Pero lucía ya bastante mayor.

—Sobrino de un famoso escritor de La Habana —me dijo, y no tuvo que decirme mucho más.

Asumí que debía de tratarse de aquel mismo «Orlandito» al que tanto recuerda con cariño José Lezama Lima en sus cartas pre-póstumas, aquella correspondencia agónica a su hermana exiliada Eloísa, mientras coincidíamos él y yo en la primera mitad de los sofocantes setenta de la Isla revolucionaria.

Una década de la que José Lezama Lima no podía salir vivo por ningún motivo. Y de la que no salió vivo, gracias a la salud médica cubana. La misma década pordiosera en la que llegué yo a La Habana bastante tarde, recién nacido en la barrida barriada de Lawton, feliz junto a mis padres, en un país en estampida, entre miles de prisioneros políticos y el eco cadavérico de otros miles de fusilados.

Entonces yo también era «Orlandito». Ya no. Ni tampoco mi chofer.

Pensé en la tragicomedia de que por fin los dos estuviéramos reunidos aquí, en un taxi onomástico de apellido Uber. Es decir, en ninguna parte. En un no-lugar donde todavía nos hacemos llamar como nos llamaban en Cuba, cuando éramos otros, pero con el mismo nombre. Ahora ambos somos fantasmas conectados por la inmaterialidad de un App y por la realidad residual de un carro rodando mudo por las calles de Coral Gables. Traducción: el corral de Gables.

Pensé que mejor no le diría nada a Orlandito de quién era yo en realidad. Entre otras cosas, porque, ¿quién era yo en realidad?

El siglo XXI ya no está para los Orlanditos de aquí, ni de allá. Es un tema no solo fuera de moda, sino fuera del tiempo como tal. Habitar en el futuro de pronto nos hace a los cubanos puntualmente anacrónicos. Ya no estamos aquí, aunque sea aquí donde seguimos estando. ¿Qué querían? ¿Qué nos desapareciéramos después de que Cuba nos desapareció? No me jodan.

Pensándolo de nuevo, eso hubiera sido mucho mejor. Saber desaparecer. El mantra de Martí. Y, de paso, le hubiéramos ahorrado toneladas de tiempo a los cubanos del próximo siglo, el de la esperanza simétrica: el siglo XXII.

Por cierto, no le dejé propina a mi tocayo Orlandito. En el año dos mil diecitanto, podían irse él y José Lezama Lima para la mismísima mierda.

Para mi generación, leer fue un atraso atroz, antológico. Arqueológico. Nos empantanamos en la belleza, a falta de realidad. La cultura cubana nos comió por una pata, a exceso de patria en Revolución. Mira que comimos mierda con La Habana ni La Habana ni La Habana. Mira que rimamos versitos reumáticos. Y ahora los Orlanditos ya no sabemos dónde nos vamos a meter.

16.

Me monté en el taxi Uber.

No le dije nada al chofer. Él o ella o ambos o ninguno o ambas o ninguna, tampoco me dijeron nada a mí. Con los pronombres impersonales de la corrección apolítica en los Estados Unidos de América nunca se sabe: lo mismo puede ser «las Estadas Unidos de América» que «los Estados Unidas de Américo».

Me bajé del taxi Uber.

Simplemente instalé otra aplicación. Pero no para taxis. Se llama Grammarly.com y es de descarga gratuita. Y, lo mejor, no te deja caer en desgracia en este culo sintáctico que es la democracia.

17.

Pedí y pedí un taxi Uber, usando la aplicación de mi móvil. Como de costumbre.

No había señal de internet, parece. O la recepción del GPS con el satélite estaba muy pobre, no sé. Pasa a veces, cuando los cielos de Estados Unidos están muy nublados. Aunque Estados Unidos sea un país sin cielo.

Volví a intentarlo otra vez, muchas veces. Pero la respuesta de la aplicación siempre era religiosamente igual: no se detecta ningún taxi Uber a tu alrededor / *There is no Uber near you.*

Maldije la causa del inoportuno error. Odié a la AT&T y a Google Maps. Seguí intentándolo, entre la fe y la frustración.

Como a la hora de estar doblado sobre mi móvil, sentí de pronto como un escalofrío en el pecho. También en la sien. Sudor helado, dificultad para respirar. Me temblaban un poco las manos.

Toda vez fuera de Cuba, la idea de vivir sin Uber taxis se me había hecho ya inconcebible. Y heme ahora aquí, en una de esas ciudades norteamericanas horribles, que son todas, rodeado de una soledad sin sinónimos. Abandonado en una esquina de este tercermundista Primer Mundo, como todos y cada uno de los cubanos. Incapaz de llegar a ninguna parte. Inmóvil, inválido. Pánico impávido.

Juro que ha sido la única vez en que la idea del suicidio no me sonó escalofriante. Juro que, si no hubiera aparecido un taxi Uber salido como de la nada, yo no sé si hubiera llegado sano y salvo a pedir el Uber taxi de mañana.

18.

El Uber avanzaba lentísimo en mi App. Se movía, se paraba, daba una vuelta en redondo en el mapita de mi teléfono móvil, y otra vez echaba a rodar hacia mí, solo que un poco más lento que al principio, de ser eso posible. A ese ritmo nunca iba a llegar al punto exacto desde donde yo lo llamé.

Me desesperé con el inmigrante. Al carajo. Y le di «cancelar» al BMW Sedán negro del cabrón Muhammad. Debí haberlo reportado a la compañía. Esa es la moda aquí: quejarse por todo y de todos, todo el tiempo. Ser una víctima del capitalismo. Ofenderse por lo que hizo o no hizo el otro, y, sobre todo, por lo que dijo o dejó de decir. Bueno, ahora yo también podía declararme un «sobreviviente», gracias a la demora traumatizante del musulmán Muhammad. ¿Qué me van a decir? ¿Islamofóbico? Y bien, gracias.

Con esa tardanza, por lo demás, ya él estaba afectando de hecho mi rendimiento académico en Washington University de Saint Louis. Lo que a su vez me iba a limitar en los posibles puestos de trabajo a los que yo pudiera aplicar, cuando me graduase del doctorado. O sea, tendría una mala evaluación en el PhD y terminaría desempleado por culpa de aquel incapaz de Alá.

Lo menos que yo debía hacer ahora era demandar al árabe, y lo digo sin ningún prejuicio, por perjuicios económicos en mi contra y en contra de la estabilidad síquica y la integridad moral de mi familia dejada allá atrás, allá abajo, allá lejos, allá dónde pero cómo, cuándo. Es decir, en Cuba.

En fin, que el tipo del turbante era demasiado lento para vivir en el Oeste. En este caso, en el Medio Oeste. Una zona de los Estados Unidos antiguamente llamada el Cinturón de la Biblia, que pronto será rebautizada, supongo, como el Cinturón del Corán. Rebautizada, no: remahomizada.

Mejor así. Tanto lío con la Primera Enmienda y la libertad de culto y, total, para qué. ¿Para practicar el oscurantismo? En fin, lo repito, los tiquitiquis y los tacatacas de los Estados Unidos no son en absoluto mi maletín. Que se jodan los americanos: U.S. o'Akbar.

Pedí otro taxi Uber en mi App. Me respondió de nuevo el mismo Muhammad con su BMW Sedán negro. Esta vez el iconito del carro venía que jodía en el mapa de mi teléfono celular. El inmigrante islámico manejaba que se mataba hacia el punto exacto desde donde yo lo llamaba por segunda vez. Lo imaginé rabioso, más que raudo. Un ave nocturna rapaz. Capaz de cualquier cosa conmigo.

Juro que sentí miedo, sentí espanto. Ganas de pedirle perdón pagano al pobre creyente. Pero lo que hice fue echar a correr, lo digo sin jodederas, a correr internándome en las veredas de bicicletas y *scooters* que escoltan los parqueos del Forest Park. ¡Venir de Cuba para seguir siendo un perseguido perpetuo! El karma es el karma, camaradas.

En cualquier caso, esta vez ni siquiera le di «cancelar» en mi App al taxi del Uber-vengador. No valía la pena, igual ya él me tendría localizado y bien localizadito. Colimado como a un rascacielos doble ante el doble impacto de un par de aviones.

Así que desinstalé a lo loco el App de Uber y apagué mi puto teléfono, quitándole las baterías y botándolas en el estanque de Forest Park. Entonces me dije:

—*Run, Forrest, run* —hasta sentirme seguro, caminando al azar bien lejos de allí, desde el Zoológico al Jardín Botánico.

Moraleja de Muhammads: Uber avisado no mata a cubano infiel.

19.

Yo sabía que tarde o temprano era a mí a quien me iba a pasar. Fue a inicios de este año (el 2018, por si no lo recuerdas), en el *downtown* desértico de Miami.

Me monté en un Uber Pool con destino a Coral Gables o uno de esos corrales por el estilo. Era bastante tarde, sobre las dos de la madrugada, creo. Y yo todavía tratando de ahorrar unos pocos quilos. Como quien dice: cambiando tiempo de exilio por dinero.

Dentro del Uber Pool iba Luis. No voy a decir Luis quién. No hace falta. Digamos solamente que Luis, el que desintegró a la delegación deportiva del avión de Barbados.

No era octubre, ni era 1976. Luis iba ahora viejísimo, en pleno siglo XXI. Con su piel de papel cebolla, de periódico con polillas a punto de hacerse ya polvo. Pero su cara era inconfundible. Igualita, aunque irreconocible. Se parecía a aquellas últimas fotografías de Fidel Castro viejísimo, también con la piel de papel cebolla, de periódico con polillas a punto de hacerse ya polvo.

Luis era, como Fidel, un rey cadáver. La cabeza ya sin corona, caída a lo comoquiera hacia un lado, como si él fuera ahora otro monarca decapitado, cuya carencia de cabeza se le hundía hasta la mitad de la cara sobre el hombro de la mujer a su lado, una tipa tan anciana como él.

Una mujer que no parecía ser su mujer. Tal vez fuera una hija huérfana o suicida, pensé. O tal vez era solo una de las sobrevivientes del avión de Barbados. Para eso no tenía que ser octubre, ni tenía que ser 1976. ¿Qué mejor mausoleo para que converjan las víctimas y los victimarios que un Uber Pool de Miami a Miami?

Pensé en el perdón imposible entre los cubanos. Debo advertir que yo estaba medio borracho: había bebido como un bobo en una taberna de corte remotamente irlandés. Cubanos que beben solos, cubanos que se quedaron solos. Que nos hicimos quedar solos.

Hacía rato que los Estados Unidos me deprimían hasta la médula, tras cinco años de haber llegado aquí hecho todo ternura e ilusión.

Qué perdón de qué pinga, pensé, mirando a Luis posado sobre el hombro de aquella hembra. Esa es la peor palabra que se pueda pronunciar entre dos cubanos. No «pinga», por supuesto, que es una preciosidad al lado de la palabra prohibida: «perdón».

Me pareció que el luctuoso Luis iba dormido. Casi seguro, soñando con los angelitos. O, siendo él también un pintor, acaso soñando con los peces de colores. Tenía la sonrisa más triste del mundo. Y deseé que ojalá ya nadie lo despertase. Ni dentro, ni fuera del Uber Pool. Deseé que ojalá nadie lo hubiera despertado, al menos no antes de aquel miércoles de octubre de 1976, y que Luis estuviera todavía rendido en su empresita de Servicios Exterminadores y Fumigadores de Insectos, fundada en Cienfuegos en 1956.

Luis, los insectos que exterminaste y tú tienen una cita póstuma pendiente. Tenemos.

20.

El chofer del Uber era un reportero antisemita de Radio y TV Martí. El tipo era probablemente un negador del holocausto y todo. Muy buen conversador, como corresponde.

Me encantó el *performance* de la suástica que le había colgado en el cuello a la Virgencita de la Caridad, junto al espejo retrovisor. Se la quise comprar, la suástica con virgen y todo. Como simple curiosidad. Y el chofer del Uber nacional-socialista se microofendió. Yo diría mejor, se megaofendió.

Echaba chispas fascistas por sus ojos de capirro ario. Casi me bota a gritos del taxi. Lo vi buscar algo en la guantera del carro (un VW, por supuesto), pero por suerte parece que se arrepintió. Mientras yo le pedía y le pedía perdón en el asiento de atrás. Tenía razón mi compatriota: una Virgen de la Caridad con una suástica en lugar del bebé Cristo cubano, en verdad no es algo que se deba comercializar. El capitalismo tiene sus límites, no crean.

El chofer-reportero me hizo jurarle y perjurarle que yo no era un judío de esos de los pagados por George

Soros. Se lo juré y perjuré sin pensarlo ni media vez. Un juramento de ateo bautizado en el convento de Lawton, pero legitimado por mi santa madre católica, apostólica, y romana.

Solo entonces el chofer del Uber se calmó un poco. Sonrió incluso, creo. Me perdonó. Pero igual me mandó a bajar de su VW.

—No te voy a cobrar ni un quilo por esta carrera, pero quédate aquí —me dijo—. Estoy contra el tiempo y voy a virar para la emisora a terminar un reportaje antisemita que se me acaba de ocurrir. Tú verás quién soy yo, carajo: ese judío millonario se va a acordar por el resto de su puñetera vida de mí.

Me bajé. Entonces me la tiró en la cara, por la ventanilla:

—Quédate con la suástica, como amuleto. Pero te advierto que ni siquiera es original.

21.

Manejaba el Rambler una mujer.

Negra. Vieja. Cubana. Parecía como de 106 años. La mujer de Esteban Montejo, vaya. O una cosa por el estilo.

Y, en efecto, lo era: todo un icono literario al volante de mi taxi Uber, pisando el acelerador la muy pata caliente por la Okeechobee.

—¿Qué edad tú me echas, blanquito? —me preguntó, tan pronto como supo que yo era de La Habana también.

No quise ser descortés con la señora. Por muy negra, vieja y cubana que fuera, al fin y al cabo no era más que mi Uber-chofera de turno. Y todas las mujeres son cagaítas entre sí, a la hora de estimarles la edad. Cualquier respuesta fuera de pico que uno les dé, puede constituir hasta un caso de «acoso» o, peor, de «misoginia» en una corte federal.

—Mi pura —le dije con un tin de diplomacia y otro de poesía—: joven ha de ser quien lo quiera ser…

—Oye, blanquito, coño —me cortó—, déjate de comer pinga conmigo que hace mucho rato que yo puedo ser tu tatarabuela.

Y entonces rompió a reír. Con esa risa contagiosa de los hombres sin pene, esa raza matriarcal de las grandes vaginas de la historia de la humanidad.

Noté que aquella más que centenaria cabrona al volante del taxi Uber lucía absolutamente todos sus dientes. Y absolutamente todos parecían naturales. Blanquísimos. Sin halitosis. Dientes de caballona mambí. En sus tiempos, la abuela debió de ser la candela. Una hembra de armas tomar. Una Quintín Bandera de las papayas, vaya: *remix* de Evarista Estenoz y Pedra Ivonnet, con un retoque trans del poeta oficialista que se hace llamar El Ambia.

De verdad que los chinos y los negros cubanos jamás envejecen, pensé. Miren a Eduardo Heras León.

—Mira, blanquito —volvió ella a la carga—: hoy mismo estoy cumpliendo mis primeros 106 años, y mira tú cómo estoy de bien paraíta. No necesito ni un chapisteo.

Y allá fue ella a carcajearse otra vez. Y a carajearme la carrera en su carro.

Pero su secreto era aún más sensacional que su lengua soez:

—Mira, te voy a confesar una cosa a ti porque me caíste bien. Todos los días del año yo cumplo los mismos 106.

—Desde el 61, estoy cumpliendo 106 cada año.

—Y no me mires así, tú, con esa cara de carnero degollado. ¿No me crees?

—De mí ha hablado incluso hasta mi padre, Fidel. Lee para que no te quedes bruto, blanquito, que tú eres joven todavía. Lee a tu padre Fidel y déjate de boberías. Despierta, que no estamos en Cuba.

—Lee sus *Palabras a los Intelectuales* en la Biblioteca Nacional. En el verano del 61. Yo era casi una niña y ya tenía cumplidos mis 106. Allí estoy, allí sigo, en sus palabras de blanco para los blancos.

—Busca, busca y verás que yo no estoy loca.

—Al final de su discurso, que duró como 106 horas, aquel blancón con barba de profeta se encasquetó de nuevo su pistolón en la cintura, una Browning de 15 tiros, y entonces le soltó a aquella sarta de mariconcitos asustados: «creo que esta vieja puede escribir una cosa tan interesante como ninguno de nosotros podríamos escribirla».

—¡Ja! Bendito sea, así mismito mi padre Fidel se los dijo a todos esos escritores.

—Y dijo más: «es posible que en un año se alfabetice y además escriba un libro a los 106 años».

—¡Ja! Partió el bate, blanquito, ¿quién se hubiera atrevido en 1961 a contradecir a ese cacho de cabrón?

—Y mírame ahora aquí, tal como Fidel lo profetizó desde entonces. Mírame manejando en el exilio, para ahorrar alguito, y por fin poder autopublicarme el libro que le prometí al finado, pobrecito. Con los mismos 106 años en mis costillas todavía. Y siempre lista para seguir dándole contracandela a toda esa partida de escritores cubanos.

Retórica de Rambler. Ni por un instante consideré el feminicidio. Mucho menos una limpieza étnica. Hay que respetar a la vejez, así en la Isla como en el Exilio cubano. Para los viejos trabajamos, porque los viejos son los que saben querer, porque los viejos son la esperanza de la Revolución.

22.

Le dije a la chofer del Uber que yo era cubano. Craso error. Ya casi nunca les digo la verdad cuando me preguntan de dónde es mi acento, tan lindo, tan sensual —*so cute*—, con tal de que no empiecen enseguida otra vez con la resingueta de Cuba, Castro y las conquistas de la Revolución.

Bien, pues. Pero se lo dije. Soy cubano de Cuba. Porque esta chofer de Uber en particular era una rubia muy al estilo de la inmarcesible Monica Lewinsky (aka, Lingüinsky), quien, aunque no sea rubia, igual me sigue excitando más que a Bill Clinton en su Oficina Oval (i.e., Ovárica), cada vez que la veo con esa cara de caballuna y sus belfos de bebedora de semen presidencial en alguna entrevista perdida por ahí, lo mismo en *Vimeo* que en *YouTube*.

Yo también tengo mis aspiraciones presidenciales en Cuba, no crean. Pero eso, por suerte, no se lo llegué a decir. O la rubia de rabia me hubiera acusado de asalto sexual. Directico contra los abogados de Title IX de mi universidad —o, mejor, Title MCMLIX—, los que, por cierto, ya me tienen identificado como un virtual violador, pues no les hace falta probarlo, ya que la culpa se demuestra desde la propia acusación. Ave Obama.

—Viví más de cuarenta años encerrado en la Isla de la Libertad —ironicé un poquito en inglés—. Hasta que inmigré a América el martes 5 de marzo de 2013.

—How come America? —me dijo la jeba—. *The U.S. is not America: America is more than the U.S.!*

Oh, oh, pensé. Otra tipa traumatizadita por décadas y décadas de educación demócrata geoliberal.

—Inmigrant, you mean? —siguió con su pataleta—. *But Cubans are not immigrants!* —parecía que se iba a venir, pero de anorgasmia—: *Immigrants do not vote for that son of the bitch!*

Y sin más ni más trató de sonarme una bofetada. ¿Cómo? ¡Comiendo! La muy loca de mierda.

Le esquivé su mano de masturbar presidentes y le retorcí la muñeca, mientras el Uber iba a tope de velocidad por la calle 16 del Northwest, casi a la altura de la embajada cubana en Washington D.C., no muy lejos de la paja clintoniana original, con vestidito azul incluido. Casi nos vamos de cabeza contra las rejas de la embajada. Y tuve tiempo de notar que, incluso a esa hora, había una cola del carajo en la acera, no tengo ni idea de para qué. Los cubanos sin cepo no son cubanos de corazón.

La chofer del Uber no paraba de pugilatear, con sus interjecciones iracundas de izquierda. Se cagó en mi madre en inglés. Vale. Yo me cagué en la mía en español, por mi mala suerte de republicano sin derecho a votar.

Todas las mujeres norteamericanas parecen haber enloquecido, desde la elección del presidente hijo de puta en el 2016. Sentí un empingue que no veía. Ganas de ponerla a actuar la escenita excelsa de la White House, a finales del siglo y milenio pasado.

Pero simplemente le cogí la mano y se la puse encima de.

(Por respeto a la integridad moral de la editorial Hypermedia, así como para evitar demandas judiciales que en nada contribuirían a la causa de la cultura en una Cuba sin castrismos ni Castros, el autor, en plena cesión de sus facultades mentales, y sin la más mínima coerción por parte de los editores e impresores, ha decidido truncar este Uber 22, a pesar de tratarse de una anécdota que, como todas las del presente libro, están estrictamente trucadas, por ser la pura verdad. Muchas gracias por su comprensión).

23.

Una de las cosas que más me ha dolido en mis cinco años de exilio de mentiritas es haber perdido en un taxi Uber la novela *Espero la noche para soñarte, Revolución*: ese libro ilegible donde Nivaria Tejera hace gala de sus silencios y sueños sobre la utopía perdida en la Isla de la Libertad.

«La Habana le aparece siempre en sueños vacía, sin gente. Todos se han ido no se sabe dónde. Estos sueños, como una transición, la dejan sin ganas de ver a nadie». Pobre Nivaria, perdida entre estos bosques. «Imposible reconocerse en el lenguaje de hoy». Y nada puedo hacer para ayudarla, entre lo afelpado de una Francia socialista y el terciopelo contrarrevolucionario de su ataúd.

Fue en enero de 2016, un Día de Reyes. Y de Reinas. Murió Nivaria un poquito antes de Fidel. Es decir, nunca conoció otro universo en cuyo centro no gravitara un Fidel. Eso de por sí merece toda nuestra compasión de compatriotas sin patria, pero todavía con amos.

Nivaria escapó de Cuba apenas para no escapar de «esta Cuba acuartelada» y terminó, como todo ser humano antes y después de Cuba, «solo con su tragedia», «frente a ese gran horror que es la verdad de cuanto vive». Flotando entre «los fantasmas que nos pueblan» y «la locura». Haciendo de la memoria un mamotreto llamado Novela, monumento de la incongruencia de estar vivos, y encima aspirar a dejarlo por escrito para los cubanos del futuro que, total, tampoco nos van a leer. O que tal vez sí nos van a leer, pero como síntomas siniestros de una enfermedad ridículamente ya rebasada por la Historia. Oh, Revolución, divino tesoro, ya te vas para no volver...

Nivaria acaso también le «pregunta a las estrellas por el futuro», como el rey del que ella misma cuenta que «se cubre de mármoles» y «se viste de púrpura en las grandes procesiones» y «duerme bajo una techumbre de obsidiana». Nivaria, presa del pánico y la paz, atrapada por «el azar de esos vaivenes al que obliga la inestabilidad permanente del exiliado», se resiste a «la indiferencia metódica del exilio» que «acucia la indisciplina». O, mejor aún, ella hace de esa «indisciplina-semental» una inercia de rebeldía para su creatividad sin credo. Increíble.

Muchacha muerta que «se adentra a estar libre en ese laberinto de multitud descentrada, obsesiva, salvaje, a su imagen y semejanza». Mujer muerta a estas alturas tan distintiva como indistinguible, en esa «indisciplinada multitud libre, sin metas, en la que el éxtasis, el sueño, la comunicación, la ambición del pequeño negocio, la necesidad imperiosa de respirar de otro modo y de confundirse con los objetos herrumbrosos, escapan a cualquier disciplina impuesta y es capaz de suplir todos los regímenes del mundo».

Nivaria de las ristras de párrafos en ráfagas, donde al final ni tú misma sabes lo que nos dijiste, por suerte, porque lo importante era no dejar de decirnos algo, mi amor, para cuando llegara la noche de hoy, en que ya te es imposible decirnos nada. «La Historia es una hartura». Por eso, «hay que ponerse a ser la hoja de ese árbol que va siempre a otra parte».

Es así, qué le vamos a hacer. Eso es lo que recuerdo de su novela mía *Espero la Revolución para soñarte, noche*. Una obra olvidada en uno de esos taxis Uber que hoy son la columna vertebral de nuestro exilio cubano sin cubanos exiliados.

Nivaria lo sabía en su carne: «en el exilio todo da vueltas, estar estuve estoy...» y por eso «la mente de un exiliado obedece a contradicciones inesperadas, incontroladas, que de pronto lo devuelven al lugar del que fue expelido». Esa es nuestra bendita maldición: «cada paso real conlleva un retroceso en la memoria y un diálogo disperso entre dos inencontrables, entre dos transfigurados», un estar sin ser (por lo demás, toda identidad es castrismo), donde «todo se ha ido desplomando: cada vez que te reclama es como si tuvieras polvo en la cabeza». Una existencia con demasiadas experiencias, pero «sin bases específicas, sin raigambre en ninguna parte. Es algo así como tener sueño bajo la piel».

Mira que me gustaste, Nivaria. Mira que te hubiera hecho hacerme el amor, incluso en el asiento trasero de un taxi digital, como ahora, siendo tú una niña de 86 años con Cuba y yo un cubano virgen que sobrevive sin Cuba, al margen de nuestra era y edad.

Devuélveme al menos tu libro perdido, anda. Hazlo aparecer en otro taxi Uber cualquiera, para que el azar se erija como la prueba definitiva de que tu muerte no ha sido verdad.

24.

El chofer del Uber me dijo en chileno:

—Tócame aquí, cubano. Mira qué duro tengo el hígado: se llama cirrosis hepática.

Hablaba como un chileno exiliado. Y lo era. Porque estábamos en San Francisco. En el barrio de las lesbianas, maricones y demás trans del Castro.

El chofer del Uber hablaba como el Pato Donald. Como Neftalí Neruda en su Isla de las intrigas. Como Alejandra de la muerte. Como Enrique Lihn, en una miniatura de imitación interpretada por Roberto Bolaño, que no era chileno ni exiliado, pero igual fue un héroe hepático.

—Lo siento —le dije—. ¿No te cubre el seguro?

Se echó a reír.

—Los cubanos lo resuelven todo con la seguridad —me dijo.

Hicimos silencio. No era cómico. Creo. Los chilenos siempre se burlan de las víctimas de la dictadura cubana. Los cubanos, por su parte, no creen que las víctimas de la dictadura chilena fueran víctimas. Para nada.

—Mejor así —me dijo—. Ya quiero irme donde La Pata. Hace rato debí estar con ella y mírame aquí, manejando para un fantasma, como tú.

Hice silencio. Tampoco era cómico. Pero, en fin. O, como dicen ellos: *po*.

—Salvador Allende era un hijo de puta —me sorprendió entonces.

—Los muertos de Pinochet son los muertos de Allende —añadió entre dientes, sin mirarme de nuevo, como avergonzado.

—Y ambos son los muertos de Fidel Castro —sentenció—. Pobrecita La Pata. Tanto lío con la democracia y, total, para qué. Me la mataron y no supe hacer nada.

Hablaba ahora sin rabia. Sin odios ni resentimientos de clase. Sin chilenismos de chilenito exiliado.

Mi mano permanecía en el aire, junto a su hígado hinchado. No me atrevía a tocarle su supuesta cirrosis hepática, como él me lo había pedido apenas un diálogo atrás. Tal vez yo tenía miedo del contagio. De dictadura a dictadura, es muy fácil terminar siendo un hipocondríaco. La paranoia es histocompatible, camaradas.

Pensé en la pobrecita Pata. En cómo se la mataron y él no supo hacer nada. Tenía razón mi chofer de Uber taxi internacional. Lo mejor era que él se fuera ya donde su Pata. Hacía mucho rato que El Pato debía de estar con ella y no aquí, manejando sin alma para otro espectro del proletariado.

Éramos los protagonistas perfectos para la balada de los Uber fantasmas.

25.

Normalmente, voy en bus a mi universidad. Es muy fácil hacerlo aquí en Saint Louis, Missouri, en pleno Midwest americano. La ruta 1, por ejemplo, me recoge prácticamente frente a mi casa y me deja casi dentro del aula, en el Danforth Campus de Washington University. Pero hoy es noviembre y amaneció nevando.

Así que llamé a un taxi Uber. *Click, clack*. Tarifa doble, OK, por la justificación de la nevada. El capitalismo es oferta y demanda: copos, significan enseguida más y más capital.

Mientras la nieve caía al otro lado de la ventanilla del taxi (el Uber era un Sedán), no sé por qué yo pensaba y pensaba en la Torre Ostánkino del Moscú comunista, en el restaurant giratorio que esa torre emblemática del totalitarismo tiene o tenía en su tope, allí donde los personajes provincianos de la novela *Las palabras perdidas*, de Jesús Díaz, entrecruzan precisamente sus palabras perdidas.

Literalmente perdidas, porque esa novela no la va a leer de nuevo ningún nuevo cubano. Y si lo hace, le va a parecer prehistoria indescifrable.

Pobre Jesús Díaz, pensaba que vivía en un mundo material, consistente, creíble, donde hasta los cuestionamientos y críticas al sistema socialista gozaban de algún tipo de posteridad. Pobre autor, confiado en la trascendencia de su obra en tanto novelista mimado y luego novelista maldito de una misma Revolución.

En el 2021, al único al que le importan *Las iniciales de la tierra* es a mí. Nadie quiere más a la literatura cubana que yo.

A Jesús Díaz, nadie lo dude, lo asesinó la Seguridad del Estado cubana, en un apartamento de Madrid. Lo mataron como matan los agentes del castrismo: cuando estaba solo en su casa. De ahí el terror de los cubanos en esta guerrita incivil que no termina desde 1959: tu vida vale solo mientras la valore el Estado.

En el caso de Jesús Díaz, se la tenían jurada. Una jugada cantada desde hacía años. De hecho, se lo habían prometido por escrito, por Judas, por traidor al evangelio insular.

Y es verdad que Jesús Díaz lo era: un testarudo traidor a la tiranía que él mismo instituyó. Era el más de izquierda internacional de los intelectuales locales. Y, también, el más presidenciable. Por eso mismo lo aniquilaron, a inicios de mayo de 2002. Acaso como homenaje por los cien años de la República. Justo cuando tenía 60 años, Jesús Díaz: la misma edad que tenía Oswaldo Payá cuando también lo eliminaron, pero en 2012.

La nieve caía y yo recordaba el poema «Réquiem» que aparece en *Las palabras perdidas*, y que al inicio se iba a llamar «Fiesta» (el poema, no la novela). Mientras el Uber se acercaba a mis mediocres clases muertas, en una tan prestigiosa universidad privada, busqué el poema en internet. No apareció. Hasta que recordé que en otra vida yo lo había publicado en la revista digital *Voces*, que edité en Cuba junto a Yoani Sánchez y Reinaldo Escobar.

Le di *copy-and-paste*, que es la mejor manera de escribir algo original hoy por hoy. Y helo ahora aquí. Como si fuera nuevo. Y lo es. Porque ninguno de los lectores de *Uber Cuba* lo había leído antes de mi *copy-and-paste*.

Por favor, y no olviden chivatearme por los canales correspondientes, para que puedan demandarme democráticamente los herederos de Jesús Díaz. Por mi parte, me limito a eximir de toda responsabilidad a la editorial que publicó esta página, pensando que se trataba de un poema apócrifo mío.

Esta ciudad nació de la sal del puerto
y allí creció caliente, deschavada,
el sexo abierto al mar,
el clítoris guiando a los marinos
como un faro de luz en la bahía.
Y dentro el Barrio Chino, Tropicana,
Floridita, Alí Bar, Los Aires Libres,
orquestas de mujeres musicando
un chachachá bailado por marcianos.

Hablaba, bozalona,
en una turbia mezcla de yoruba y castilla,
de calé y catalán, de bable y congo,
y todo ese patois, ese creole,
ese rico esperanto entreverado
de algarabías moras, cháchacaras cantonesas,
jerosolimitanas jergas de judíos,
bárbaro spanglish de bares y bayuses.

Atarantada, confundía libaneses con turcos,
asturianos y vascos con gallegos,
israelitas de Ucrania con polacos,
y todos juntos y a la vez gritando
en mesas de manteles de mal gusto
cubiertos con tamales amarillos,
grises cangrejos, rojos camarones,
blanquísimos arroces machihembrados
públicamente con frijoles negros,
plátanos como vergas y, de postre,
una papaya abierta como un reto,
un gran habano y un buche de café,
infusión preferida de Satán, negra y humeante.

Experta en contrabandos se vestía
con brandys, sedas chinas,
o bien andaba en rones o en harapos
y rezaba el domingo de mañana
en iglesias de un gótico mendaz,
falso románico, columnatas barrocas
sosteniendo el tramposo art nouveau de las mansiones.

Acomplejada, impúdica, ridícula,
disfrutaba de un oscuro placer
impersonando a putas más famosas:
en su bahía un Cristo gris,
contaminado por los lentos vapores de la fiesta.

Allá, en el vientre, un Prado de juguete,
un vacuo Capitolio y rascacielos
que no tocaron nunca el culo de las nubes.
Pavorreal del trópico extasiado

en los vitrales y ocelos de su cola reflejada en el mar,
graznaba a prima su profundo dolor
radioescuchando novelones,
serpientes de la desesperanza inventada por ella
que recorrían el mundo proclamando
la maldad insaciable de los hombres.

Luego, en las noches,
sacaba los colmillos de vampira
para elevar un himno a las trucidaciones
con letra y música de La Guantanamera.
Y ya en las madrugadas
se jugaba a la suerte hasta las nalgas,
que solía perder con gran contento.

Se entregaba a gozar y a raros ritos
y amanecía bailando, la cabrona,
boleros, mambos, rumbas,
en bembés, cocktail parties y saraos,
saturnales del diablo, su ángel más venerado.

Nada la conmovía, ni siquiera
la sangre que sus hijos ofrendaron
asaltando el Palacio del Tirano.
Siguió carnavaleando, se diría
que nadie hubiera podido enamorarla,
apagarle la música y dejarla
como una esposa fiel, tan tranquilita.

Poco después bajaron los guerreros
recitando ¿qué décimas,
qué epitalamios, silvas, madrigales,
para hacerla olvidar siglos de rumba?
¿Con qué wemba lograron hechizarla?

Se enamoró de la virtud como una puta.
Pidió perdón hincada de rodillas
para expiar sus múltiples pecados.
Sacrificó sus congas, sus mentiras,
sus jabones de olor, sus fruslerías,
sus lujurias, pasiones, arrebatos.
Comió en mesa frugal un par de huevos.
Gritó pura y feliz hasta quedarse ronca.
Hizo una cola larga, interminable,
y solo a su pesar, algunas veces,
metida con un santo o con un macho
sufrió las delirantes nostalgias del bembé.

No bastó aquella entrega.
Los hijos de la puta, nosotros, sus bastardos,
la negamos tres veces. Ya no tuvo
pinturita de uñas, ni siquiera
un buchito de alcohol de reverbero
que llevarse a la boca en sus delirios.
Y si gritó de sed, no la escuchamos.
Andábamos clamando por el mundo
como una llamarada de pureza.

Casi murió de lepra, las legañas
nos la dejaron ciega, el gran silencio
le produjo sordera, el desamor
le descarnó los labios, la demencia
le arrancó los cabellos, la tristeza
le fue secando el sexo. Una mañana
la fealdad la asesinó del todo.

Queda tan solo un triste simulacro:
este fantasma de una vieja puta

o de una virgen tuerta y sin altar,
estos, Fabios, ¡ay dolor!, que ves agora,
campos de soledad, mustio collado,
pasto para turistas
que recorren las ruinas murmurando:
«Dice que fue candela,
que encendía el rumbón con la cintura,
que alguna vez, la pobre,
estuvo viva».

26.

Ricardo Piglia, que en prosa descanse, creía que «la ficción se define por la fórmula *el que habla no existe*». Al menos eso creía el domingo 27 de septiembre de 1970 en su diario *Los diarios de Emilio Renzi: los años felices*, poco más de un año antes de nacer yo, en Lawton, La Habana, el viernes 10 de diciembre de 1971.

La ciudad allá afuera del taxi Uber ahora de pronto es Princeton, Nueva Jersey. Ya casi llegamos. Vengo nada más y nada menos que a la súper Universidad de Princeton, que atesora la papelería no solo de Piglia, sino de los grandes escritores malditos cubanos, exiliados todos, como Dios y el Estado mandan.

Me invita a Princeton una profesora norteamericana que conocí en Cuba como por el año 2010, la cual, tras las elecciones presidenciales del 2016, dirá que en los Estados Unidos yo me he convertido penosamente en un *neocon* supremacista reaccionario. Para colmo, blanco. En todos los casos, con toda la razón de su parte.

Tan linda, tan lúcida, y tan pésima lectora de Orlando Luis Pardo Lazo.

Por cierto, si alguien puede acusarme de algo, enseguida yo quiero convertirme en ese objeto concreto de su acusación. No hay ñao. Sería una descortesía entrar en un debate democrático con tu acusador. Lo acepto todo. *Neocon* y más. Supremacista y a mucha honra. Blanco, mi privilegio. Reaccionario, un honor. No hay miedo, compay, no hay miedo: ante el enemigo del pueblo, hay que devenir El Enemigo del Pueblo.

Si no tuve miedo en las fauces mismas de la policía política del castrismo en la Isla, mucho menos voy a tenerlo ahora con estas cosquillas de la corrección despótica en las universidades castroamericanas, con sus patéticos censores del pensamiento y hasta de la gestualidad humana. No me jodan, compay, no me jodan. Hay que joderse conmigo, gracias a la *Cuban Adjustment Act.*

Piglia anota en su diario de Emilio Renzi, el martes 2 de marzo de 1971: «Como se sabe, estoy cada vez menos de acuerdo con la política cultural de los cubanos, y todo se ha enfriado para mí después del apoyo de Fidel Castro a la invasión soviética en Checoslovaquia». Afuera del taxi Uber, que me lleva a Princeton desde la estación de buses y trenes de Filadelfia, anochece sin prisa pero sin pausa, como dirían los cubanos. Reparen en la tercera persona del plural: dirían, ellos, los cubanos. No yo.

La chofer del Uber es una mujer argentina ya entradita en años. Y en carnes. Por suerte, una argentina que no habla. Con suerte, la guerra de las Malvinas le comió la lengua. Tal vez sea hasta una desaparecida que apareció por aquí. Su mudez de ojitos caídos en el espejo retrovisor me garantiza que hay riesgos de que esta argentina en particular pueda simpatizar con su compatriota Ernesto Che Guevara, tan pronto como averigüe que yo soy cubano.

Por el momento, viajamos de incógnitos los dos, como amantes anónimos, híper profesionales, un hombre y una mujer que envejecen por azar dentro del mismo taxi, donde podrían hasta hacer el amor sin intercambiar ni una sola palabra. Piglia concluye al respecto, otro martes de otro año, el 14 de noviembre de 1972, que «en estos tiempos difíciles es más fácil dar la vida que el corazón».

Un martes sin fecha de 1973, *Los diarios de Emilio Renzi*, que son los diarios de Ricardo Piglia, dicen «que las grandes novelas son como las ciudades: lugares cotidianos donde suceden hechos extraordinarios. Todas las vidas posibles se superponen y se entrecruzan en sus calles, y una ciudad es también un tejido de relatos».

Eso mismo es el panal de *Uber Cuba* de este libro de la editorial Hypermedia, escrito por un tal Orlando Luis Pardo Lazo que encarna a otro Orlando Luis Pardo Lazo. *Uber Cuba* es un tejido sin histología, un habla sin amalgama. Exclusivamente, una experiencia que exprime esta o aquella lectura, en tanto alícuotas absolutas de alguna verdad. Y, el martes 10 de septiembre de 1974, Piglia anuncia que como escritor «cada vez tengo menos que decir, por eso ahora puedo escribir: el que escribe no se puede contar a sí mismo lo que ya sabe».

Espero que en la Universidad de Princeton me sigan leyendo las académicas con la misma fruición de cuando yo escribía mis cositas desde la Cuba de Castro. Era una época épica. Por entonces, cualquier bobería que yo posteara en mi blog *Lunes de Post-Revolución* se convertía ipso facto en canon curricular para las féminas ilustradas.

Espero que, en silencio solemne pero sensual, todavía nadie se haya olvidado de mí en esas cátedras sobresaturadas de mujeres solitarias que nunca escribirán sus diarios de Emilias Renzi en la Revolución Cubana, porque, de hacerlo con sinceridad, todas sus espectaculares entradas tendrían que estar signadas por Orlando Luis Pardo Lazo.

Trigger Warming: una errata en esta última línea sería fatal.

27.

Rumanía es un país de brujas. Pero, durante los años iluminadamente ateos de la Unión Soviética, el comunismo convirtió a todas esas magníficas hechiceras en profesoras pasmadas de Marxismo-Leninismo en alguna universidad estatal. Es más: las elevó al estatus de jefas de cátedra, dictadoras de conceptos científicos sobre la base material y la superestructura de la justicia social.

En fin, que la URSS puso toda esa energía vaginal vampiresca en función de los medios de producción y la dialéctica de la construcción de la Uber Utopía en La Tierra. Ah, pero después de la caída de los Ceausescu todo se fue a la mierda. Y las elenitas chupadoras de sangre humana volvieron a sus orígenes transilvánicos de avidez genital y de sed de semen post-socialista. Es decir, la mayoría de ellas se metió a manejar taxis Uber en un exilio de terciopelo llamado Nueva York. O, más exactamente, Manhattucarest. Y, dentro de ese juego de roles, ejercían la prostitución discretamente, sin necesidad de chulos ni de sindicatos.

Iba yo en uno de esos taxis Uber por la Lexington Avenida.

La tipa se viró para mí y me dijo:

—*Cubanez? Ești cu adevărat cubanez?*

Supuse que me preguntaba si su presa (es decir, yo) era realmente cubano. Los ojitos le brillaban con fuego gitano. Me temo que me tembló un poquito la voz cuando le contesté:

—*Da, sunt cubanez. Sunt din Cuba.*

Pero la chofer rubia platino no se mostró tan interesada en mí, sino en mi nacionalidad:

—*Este mort Fidel Castro?*

Manda pinga esto, pensé, ya empezamos otra vez con la singá cantaleta de Cuba y la recontracabrona Revolución. Y perdónenme las palabrotas, por favor. Estaba pensando por escrito en voz alta.

Por supuesto, estábamos en noviembre de 2016. Viernes de noche. Raúl Castro acababa de salir en la televisión cubana anunciando la muerte de su hermanito mayor. Y esta bruja del Este europeo, con sus seis pies y dos pulgadas aferrada al volante, ya tenía la primicia del notición.

Me puse serio. Solemne, circunspecto. La miré cara a cara a través del espejo mágico retrovisor. Qué lástima de mujer perdida para la mafia rumana. Qué desperdicio de cuerpo de combate para una buena película de pornopolítica criminal. Qué tristeza constatar cómo el mujerío rumano en el siglo XXI ha vuelto a renunciar a su libidia sin límites, y de pronto se dedica a preocuparse otra vez por los destinos del proletariado mundial.

Pensé que la chofer de mi Uber (conducía un Dacia, por supuesto), durante el día, seguro se ganaba la vida enseñando Estudios Neocoloniales en la *Universitatea din Nou Yorku.*

—Fidel Castro nunca se va a morir —le dije—. Todo tirano es un inmortal, tú sabes, como el compañero Vladimir Drácula.

No sé por qué no le dio risa a la ricura rumanesca. No sé por qué tú tampoco te ríes con ganas. A nadie le dan risa los Uber Cuba de Orlando Luis Pardo Lazo. Se lo toman todo muy a pecho, incluso las chavistas que usan sus sendos chasis de silicona.

Desde que comencé a contar mis aventuras en taxis Uber, he perdido más de la mitad de mis amigos virtuales. «Amigos», por supuesto, es un decir.

Y entonces, antes de dejarme salir de su Dacia para adentrarme en mi destino democrático en la Gran Manzana, la rumanita rumió una maldición de tres pares de ovarios que ni Google Translate pudo desentrañar.

Sfârșit.

28.

Se llamaba Miranda. O al menos eso decía ella en su perfil de Tinder: «Miranda S. Dzhugashvili».

Tenía 20 años, según la aplicación, y se había mudado hacía muy poco a Saint Louis, Missouri, desde Atlanta, Georgia, donde vivía con una famosa familia también de inmigrantes, pero del otro lado del Atlántico: desde la otra Georgia, el país perdido entre los Montes Cárpatos o los Apeninos o los Urales o los Cáucasos o los Balcanes o cualquiera de esas sierras maestras más o menos comunistas y menos o más criminales.

En cualquier caso, después de verle su cuerpecito desnudo en el taxi, después de oler la lluvia tibia que se corría desde su entrepierna tatuada, miel de vísceras todavía sin flora ni fauna bacteriana o viral, y después de sentir la silueta ínfima de sus ovarios desde su mismo interior, yo creo que Miranda S. Dzhugashvili, o como se llamase mi preciosa princesita georgiana, no llegaba ni a los 16 años.

Es decir, en realidad era una menor de edad. Es decir, esta es la historia de una ilegalidad federal, cometida por mí en un taxi Uber en los Estados Unidos de América, en una fecha indeterminada. Un acto punible con silla eléctrica y deportación a Cuba, lo que, a los efectos de nosotros, los desaparecidos cubanos, viene a significar exactamente lo mismo.

Después de chatear un rato en Tinder, me dijo que quería templarme. En inglés. Tecleó la palabra F*%&, sin moralismos ni miedos: FUCK, en mayúsculas totalitarias. Dicho así como así, *fuck*, sin otra ternura que la *fucking* belleza de la *recontrafucking* verdad.

Miranda tenía una amiga que de noche manejaba taxis Uber en la ciudad, me dijo. Y esa amiga, que era bi- o tri- o tetra- o penta- o poli-amorosa, pero siempre con muchachas y nada más que muchachas (no la culpo de su fundamentalismo femenino, porque yo también soy así), tenía la fantasía de ver a Miranda poseída por un macho adulto en su propio taxi. Hoy por hoy, lo sabemos, ya no es fácil encontrar machos en USA, y mucho menos encontrar a algún adulto de punta a punta de la puta unión americana.

Acaso su amiga quería asquearse o excitarse en contra de su propia voluntad, que es la misma reacción neuronal. Y acaso quería babearse de rabia al ver a su Miranda venirse aullando como una desquiciada, mientras ella, en tanto chofer de Uber, seguía pisando el acelerador a tope de velocidad, entre las pistas de carrera de la Inter State 66. O acaso ambas solo pretendían matarse y de paso matarme: un final digno hasta del más barato *road movie*. Así, de templar como dioses locos en un cohete silente (su carro era un Tesla de último modelo), los tres iríamos a caer directico en los titulares de primera plana del periódico *Saint Louis Post-Dispatch*.

«Disidente cubano muerto en accidente de carros con menores de edad». Ambrosía de titular para republicarlo sin pagar *copyright* en las páginas de *Granma*.

Malditas georgianas maravillosas. Las amo.

Y así mismo lo hicimos, una madrugada fría como carajo. Miranda S. Dzhugashvili con su teticas prepúberes lactando dentro de mi boca, mientras me encabritaba pene adentro en su vaginita afeitada hasta la mismísima glotis. Gimoteante, goteante. Todo al testimonio agónico de su anónima amiga, que nos fisgoneaba con odio y libidia por el espejo retrovisor, donde los objetos parecen estar mucho más cerca de lo que en realidad están. Yo, un fantasma fálico. Yo, una fantasía foránea entre dos georgianas de antípodas orígenes transatlánticos.

No daré más detalles. Estoy consciente de que todo lo que diga podrá ser usado en mi contra por los jueces antinorteamericanos del movimiento #MeToo, por los sabuesos paralegales de las oficinas de Title IX y Title MCMLIX, y hasta por abogados proinmigración promiscua del Noveno Circuito Judicial.

En fin, que cuando me dejaron de vuelta en casa, yo estaba flotando sobre mis pies. Llevaba tanto tiempo viviendo sin amor en este exilio de mentiritas que, casi sin darme cuenta, de pronto ya me había enamorado.

Ajá, así como suena. Enamorado de la escena vivida. Enamorado de la vida como tal. Enamorado de mí mismo, como siempre ocurre cuando nos enamoramos de verdad. El otro es apenas una justificación para alimentar nuestro ego.

Pero igual me sentía idealistamente enamorado del perfil tinderishvili de la tal Miranda S. Dzhugashvili, la niña que me viró las gónadas al revés en un taxi Uber, a cien millas por hora. La bebé de bollo tatuado que me cocinó mi cerebrito cadáver de cubano con patria, pero sin amor. La virgen eyaculadora que despertó a mi alma de una manera que ya nunca más podrá conciliar el sueño. La georgianita a la postre tan estalinista que, cuando fui a buscarla enseguida en mi aplicación de Tinder para decirle al menos «gracias» o «მადლობა», en su georgiano original, con una madurez matarife ella ya me había borrado o tal vez incluso bloqueado (o, peor, reportado) con un solo teclazo de su móvil de último modelo.

Se llama *ghosting* en el argot de combate: hacerse o hacerte un fantasma.

Igual te lo digo ahora, en este Día de Acción de Gracias:

—Gracias, amor.

Hasta que otro dulce noviembre nos convoque de cara a nuestros respectivos cadáveres, los que, para entonces, ni tú ni la fantasía de todas las menores del mundo podrán ya fantasmear.

29.

Personajes planos, parrafitos raquíticos, anécdotas huecas. Acción desmotivada, diálogos sin función. Cero descripciones o atmósferas. Esta mierda de los Uber Cuba no parece siquiera ser parte de la literatura cubana. Es decir, no parece ser literatura. Y así es imposible impresionar con estas cagarrutias a un Duanel Díaz, por ejemplo, o a un Rafael Rojas (en cualquier orden de relevancia o rigor intelectual).

Es la hora de parar esta sección sin sentido. A la patada. Me está arruinando mi carrera literaria, que ya era, antes de empezar, la ruina *an sich*, pero al menos perdonable por la bobería de los arrestos en Cuba y el coraje de la contrarrevolución digital, los que me daban un aura de víctima bestial.

Es la hora de desinstalar la aplicación de Uber de mi móvil cubano, el cual arrastro como una tara en este exilio de mentiritas.

Cubanos que me escuchan, si ya cerré mi Facebook y mi Twitter, también me puedo ir al carajo de aquí. Dejar al libro no a medias, sino a tercias. Esto se está acabando, compañeros y compañeras. Es la hora de recoger los bates. El exilio, exhausta. Tanto, como Cuba te calcina hasta el culo y, en particular, la cochiquera de las calles de La Habana se te anquilosa cariñosamente en una esquina albañal el corazón. Almañal.

Por si acaso sigo escribiendo, aprepárense.

30.

Nos pasábamos días y días, y hasta semanas, los dos fajados con una línea cualquiera de alguna canción en inglés. Éramos adolescentes cubanos de los ochenta, oyendo FM de La Florida y grabando lo que podíamos en casetes de cinta: Orwos y TDKs regrabados hasta el infinito, mientras nos hacíamos adultos solitarios en un barrio de las afueras de La Habana llamado Lawton.

Todos se iban, menos Fidel Castro.

Éramos El Chino Alexis y yo. Éramos cubanos analfabetos de mundo. Para nosotros, el inglés significaba la dignidad del afuera. La belleza, lo bueno, la libertad. El inglés en aquella Cuba a punto de la debacle era para nosotros la otra Cuba, la contra Cuba, la no Cuba. ¡Cuánta ingenuidad fonética por culpa de los libros de Leonardo Sorzano Jorrín!

No tengo mucho más que añadir.

Llamé al taxi Uber, con siglos de antelación, como de costumbre cada vez que voy a volar. Hábitos de habanero provinciano que aún no se acostumbra a que el aeropuerto es el sitio más natural de toda La Tierra.

El taxi Uber me recogió en El Palacio de los Jugos de la 87 SW Avenida, en Westchester, rumbo al Aeropuerto Internacional de Miami. Yo iba súper adelantado y, sin embargo, ya tenía siglos de retraso.

Esa mañanita yo debía de volver, hosco y fosco, a mi rincón de alquiler en el Central West End de Saint Louis, Missouri, donde en una universidad privada (de las más caras de los Estados Unidos, por cierto), los castristas de ocasión me machacaban los huevos mucho más que los aggentes del G-2 en La Habana.

O tal vez sí tengo mucho más que decir, pero no tiene ningún sentido que te lo diga ahora a ti. No lo tomes como una agresión personal. Sabes bien que nadie quiere a los cubanos como los quiero yo. Es que tú tampoco entenderías ya nada. Mejor vuelve a lo tuyo y déjame a mí seguir con lo mío: no hay mejor definición para esa cosa llamada la cubanidad.

El taxi Uber lo manejaba El Chino Alexis.

No había envejecido, como le corresponde a su raza ancestral. No nos pusimos contentos de vernos. No nos pusimos nada.

Era como si nunca hubiéramos pasado días y días, y hasta semanas, los dos fajados con una línea cualquiera de alguna canción en inglés. Como si nunca hubiéramos sido adolescentes cubanos de los ochenta, oyendo FM de La Florida y grabando lo que podíamos en casetes de cinta: Orwos y TDKs regrabados hasta el infinito, mientras nos hacíamos adultos solitarios en un barrio de las afueras de La Habana llamado Lawton.

Nunca nadie se fue, tampoco Fidel Castro. Solo en tiranía se está en familia. El castrismo, más que criminal, fue un exceso de confianza.

Nunca habíamos sido El Chino Alexis y Orlando Luis Pardo Lazo de cara a la eternidad cubana. Menos aún fuimos analfabetos de mundo, en un país-prisión donde solo en el inglés encarnaba por entonces la dignidad del afuera. La belleza, lo bueno, la libertad. Nunca hubo para nosotros dos otra Cuba, ni contra Cuba, ni no Cuba. No pudimos ser nunca ni contemporáneos, qué calamidad.

El Chino Alexis y yo, solo eso. En un taxi Uber del exilio cubano con destino a ninguna parte. Del Palacio de los Jugos de Palatino al aeropuerto José Martí de Rancho Boyeros.

31.

A Fina García-Marruz, al subirse a un taxi almendrón del capitalismo cubano —a uno de esos antecesores de Uber que circulaban por La Habana en nuestra Republiqueta de generales y doctores, y también de Fotutos chupando un pirulí para solaz esparcimiento de los señoritos con bombín—, un «pobre hombre», según ella misma lo contaría después, «aprovechando mi previsible distracción», le robó su vistosa cartera de origenista por vía marital, donde la poeta atesoraba, a sus 17 virginales años de edad, un «voluminoso» ensayo «de unas cuarenta páginas» sobre, por supuesto, la poesía cubana.

Décadas después, ya en plena Era Imaginaria de la Revolución castrista —*potens* totémico de la poesía insular—, Fina García-Marruz se lamenta de no haber tenido más dinero dentro de su cartera para poder contribuir mejor con el ladrón. Y entonces nos confiesa, apesadumbrada por su culpa católica y por sus complejos de alta clase social, que «en la bolsa tenía solo cinco centavos», acaso para coger la guagua de vuelta al hogar. Por eso, ella justifica que el caco «tiraría mis papeles a un rincón» con «aborrecimiento», al descubrir aquella «arrogante disertación sobre la poesía». Y por eso, también, la poeta declara que «me sentí maldecida por aquel desconocido que esperaba, sin duda, otra cosa mejor» al abrir el «desolado tesoro» en su «miserable cuartucho».

En Cuba no hacía falta un asesino en serie como el Che Guevara, fusilando al por mayor a los cubanos culpables al estilo de Fina García-Marruz. No, en Cuba se necesitaban por los menos cien mil Che Guevaras. O ninguno, porque, en definitiva, muy pronto en cada intelectual cubano habitaría un Che Guevara interior, solo que más cobarde, por una parte. Y, por la otra, más incapaz. En ambos casos, un guevarita inconsciente mucho peor poeta que el argentino nacido en Cuba, cuyos versos y prosas son superiores a la pacatería edípica de la mayoría de nuestra intelectualidad, incluida la asaltada Fina García-Marruz.

De hecho, el Hombre Nuevo ya había nacido en Cuba muchas veces, mucho antes del jueves primero de enero de 1959. Me atrevería a afirmar, con humildad, que fue Fina García-Marruz quien lo parió constitucionalmente ese día de 1940, de pie, parada sin jabita de lujo y sin ensayo de élite, junto a la portezuela de un Uber republicano, en rapto revolucionario y ya dispuesta, como Dios y el Estado mandan, a «reparar de una vez por todas ese error» de la economía de mercado y de la democracia representativa. Para esto, ella ya se aprestaba, como una pionera poética, a «no defraudar de nuevo esa esperanza» de los ladrones cubanos sin alfabetizar, los que muy pronto serían redimidos por el comunismo irradiante de una Revolución encarnada teleológicamente en Fidel.

En efecto, el totalitarismo insular, según el evangelio de Fina García-Marruz que muy pronto le sería plagiado por su esposo Cintio Vitier, «es lo único que nos daría, a todos, el derecho para volver a hablar de la poesía». Porque poesía ha de ser quien lo quiera ser: «un plato de sopa bien caliente, un colchón nuevo, un abrigo». ¡Y todo esto dicho en la Cuba con amnistías del batistato izquierdista!

(Noten que casi nunca pongo signos de admiración. Pero cuando los pongo, los pongo.)

Con el tiempo y un ganchito, llegarían a la Isla de Fina García-Marruz otras décadas de mayor decadencia, donde ningún poeta cubano podría atesorar cuarenta páginas de papel en blanco. Mucho menos impresas, lo cual ciertamente constituiría un crimen de lesa revolucionaridad. Pero esa es ya otra historia, compay.

Por el momento, pensemos con piedad en la poeta y su ladrón evocado bajo el sol socialistoide de ese mundo moral. Pensemos sin despotismos en ese otro libro perdido de los origenistas (perdieron más palabras de las que jamás publicaron), en ese inédito sobre la poesía cubana ahora ya ilegible de cara a la posteridad, tras aquel encuentro tan fértil como fidelista en la puerta abierta de un Uber almendrón. La cubanía es un compendio de cadáveres exquisitos, sacados como por arte de Marx del morral de Fina García-Marruz.

Y, entonces, toda vez ya en paz en tanto intelectuales cubanos del siglo XXI (muchos de los cuales terminaremos siendo también ladrones, así en la Isla como en el Exilio), repitamos todos a coro conmigo, por favor, sin complejitos de culpa ni resentimientos de clase:

—El Hombre Nuevo soy yo. El Hombre Nuevo soy yo. El Hombre Nuevo soy yo.

32.

Eran las Navidades del 2018. Hacía por lo menos 30 años que el escritor de vanguardia se había ido de Cuba. Técnicamente, lo habían ido. Por perestroiko. Es decir, por defender a un socialismo con rostro humano en la Cuba de 1988.

Debo añadir aquí una intromisión algo incómoda. En este caso específico, estuve, estoy y estaré plenamente de acuerdo con la represión que ejerció el Estado cubano en contra de los intelectuales cubanos. La idea de «un socialismo de rostro humano» no amerita más comentarios de mi parte. Y mucho menos amerita perdón. Que se jodan los escritores de vanguardia. Que sigan boteando en su Uber de mierda hasta el fin de los tiempos, en ese exilio de élite culturosa que pulula en el viejo New York.

Era un sábado 22 de diciembre, Día del Maestro en la Cuba de los antónmakarenkos. No sé si la fecha se conmemora en el resto del mundo. Ni me interesa saberlo. Da igual. Igual los cubanos arrastraremos de por vida nuestra pañoleta de pioneros moncadistas, con su respectiva ristra de infantilismos y efemérides aprendidas frente al mural del aula. De la jaula.

Me monté en su Uber a la altura de la avenida Lexington y la calle no sé qué. Yo estaba demasiado triste, demasiado borracho, demasiado solitario bajo la noche inimaginable de Manhattan. La *paideia* de una diáspora en democracia es tan despótica como la pesadilla del totalitarismo insular. Y por eso ahora este escritor de vanguardia cubano llevaba en su taxi Uber una pegatina que decía, como un aura de odio sobre la cara del entonces presidente norteamericano Donald J. Trump: *Fuck this Fucker.*

Pensé: caballeros, qué clase de comepingá.

Pero no le dije nada. Él también lucía demasiado triste, demasiado abstemio, demasiado solitario al volante de su carrito de cuerda o acaso de fricción. De ficción.

Pensé: pobre escritor, pobre vanguardia, pobres cubanos perdidos por todas partes. Y nada puedo hacer para ayudarlos.

Él, por supuesto, ni siquiera me reconoció. Yo no soy nadie. Nunca lo fui. Ese es mi poder.

De algún modo, él sí seguía confiado de pertenecer a un futuro de renacimiento y reparación, por parte del Ministerio de Cultura cubano. Incluso ya había regresado a la Isla como doce veces. Y hasta lo había contado en su blog a todo bombo y platillo, con esperanza en la resurrección pedagógica de aquel mismo socialismo de rostro humano que a él antes lo había exprimido primero y después expatriado.

Pensé: ojalá que la próxima vez que vaya lo metan preso en Cuba para el recontracoño de su madre.

Pensé: ojalá que el castrismo le robe su existencia entera por otros 30 años.

Pensé: ojalá que este escritor de vanguardia no se muera antes de la reelección en noviembre de 2020 del presidente norteamericano Donald J. Trump.

Pensé: *Fuck this Cuban*.

Pero no le dije nada. No nos dije nada.

Ambos lucíamos demasiado tristes, demasiado borrachos a la par que abstemios, demasiado solitarios dentro de un automóvil silente como un ataúd, cayendo por gravedad hacia el *downtown* de Nueva York, la ciudad que nunca duerme ni habla inglés, y que tampoco le permite despertar a los pobres cubanos perdidos que yo me encuentro y me encuentro por todas partes. Y nada puedo hacer para ayudarlos.

Respecto a las reelecciones de noviembre del 2020, ya saben: cuando el mal es constitucional, no valen dólares dorados.

33.

Hacía 60 años ella había sido feliz, completamente feliz.

De hecho, por entonces casi había enloquecido de felicidad. Y, de tan felices, ambos se habían atrevido a hacer el amor por primera vez, amándose como animalitos en celo en una azotea con vista al cielo a punto de amanecer en La Habana, a lo largo y ancho de toda aquella madrugada del jueves primero de enero de 1959.

Entonces eran ella y su primer amor de 60 años atrás. Una cubana y un cubano que terminarían siendo el único amor por el resto de sus vidas cubanas, hasta la mismísima tarde de hoy, en enero de 2019, cuando ninguno de los dos se sentía tan mayor todavía: apenas septuagenarios a punto de cumplir 80 pero no en este, sino en los próximos años de sus respectivos exilios de 61 y 61 años.

La Revolución había durado seis décadas, sí, eso lo aceptaban como si de un evento prehistórico se tratara. La extinción en masa de su propia raza.

Ignoraban en qué orden, pero los dos sabían que a los dos les llegaría muy pronto la muerte sin volver a

Cuba por última vez. Sin volver a ver a Cuba por primera y única vez: la patria como felicidad fulminante, a ras de una azotea habanera que los enloqueció de amor, el primer jueves de la vida en 1959.

Mejor así. Morirían juntos y jóvenes. En el exilio: esa amable manera de estar en casa. Una cubana y un cubano por cuyo corazón en común nunca había ocurrido del todo la Revolución.

34.

Manejaba y tomaba pastillas. Tomaba pastillas y manejaba.

Me dijo que sufría de depresión. Me dijo que padecía del síndrome de falta de atención y del síndrome de obsesión compulsiva. Me dijo que era neurótica. Me dijo que tenía estrés postraumático. Me dijo que era bipolar. Que en inglés clínico se traduce como *borderline.*

Todo esto en inglés. Una pelirroja. Al volante. En la frontera del deber: es decir, entre los treinta y treinta tantos años. Lindísima. Riquísima. Estaba como un tren. Su locura y su incontinencia verbal solo conseguían hacerla más *sexy*, más objeto vaginal no identificable, más anónima y a la mano. Más vulnerable. Dijo el cuervo: «siempre más».

Me dijo que se llamaba Emmanuelle y que había nacido en 1974. En la aplicación de Uber, su nombre aparecía como Crystal Sylvia. En ambos casos, me parecieron seudónimos. Y no parecía tener 45 años, para nada. Por eso mismo, su edad es probablemente lo único real en esta historia.

Emmanuelle Crystal Sylvia se asombró de que yo fuera cubano y estuviera deportado en Saint Louis.

Pero no me habló bien de la Revolución, por suerte. De hecho, ignoraba que en Cuba hubiera ocurrido una Revolución. Y el nombre de Fidel Castro no le decía nada. Si acaso, un cantante flamenco español.

¿No es maravilloso? Para escapar de la locura histórica cubana hay que ser depresiva con falta de atención y exceso de obsesión compulsiva, además de bipolar neurótica postraumática en la frontera del deber. Y encima manejar un Rolls Royce coincidentemente de 1974, con el App de Uber instalado entre Clayton y el Central West End de Saint Louis.

Al dejarme en mi destino, me preguntó si podía acostarse conmigo esa noche. *This is America*, recordé, como diría el *Childish Gambino* en una canción criminal. Esto es América y olé. De pinga, queridas amiguitas, mamacitas y hasta abuelitas (que de todas y todos los colores las hay en el Tinder del Señor).

Era tarde como carajo. Las tres, o tres y tanto de la madrugada. Yo venía de emborracharme un poquito tras una lectura de poesía en el Venice Café, y de fornicar a medias a otra norteamericana, no menos clínica que la chofer psico-farmacológica de mi Uber. A esa hora, hacía un frío de tres pares de timbales en todo Missouri y en los estados aledaños de la gran unión confederada. La sensación térmica era de -19 grados Celsius a esa hora, según Google God. Y escuetamente le dije que sí:

—*Sure*, sube.

No sería la primera vez que me acostara con dos mujeres en el mismo día. En este caso, en la misma noche. A veces, en la misma hora. Y hasta en la misma cama, con suerte, en contadas ocasiones de las que no viene al caso ahora alardear (siempre en Cuba, país de encontronazos cameros).

Y subimos, seguro.

Vivo en un tercer piso. Tan pronto como abrí la puerta de mi estudio alquilado a The Byron Company, Emmanuelle Crystal Sylvia corrió hasta la cama y se metió bajo mis colchas (una de ellas, eléctrica: de las baraticas, comprada en Walmart a sugerencia de otra mujer).

Me dijo, en francés:

—*Merci, mon chou.*

Fui hasta el baño, a orinar y a enjuagarme con agua fría la pinga. No era necesario. Refulgía, resplandeciente. Higiénica. Pero eso me la pone aún más dura y bien refractaria a eyacular hasta la escena extrema final, anticlimática casi, cuando ya ellas están a punto de desmayo de tanto estallar y restallar solas. *They come alone*, como decía el temita ochentoso de Sting o Cher: *but sooner or later, we all come alone.*

Cerré la pila del lavamanos. Me miré en el espejo del botiquín, esa palabra inexistente en América. Ah, las «boticas» y los «botiquines» cubanos: pura herencia hispana de nuestra Cuba desaparecida por un acto de magia marxista, más toneladas de pésima propaganda primermundista.

Me vi. Era yo. Orlando Luis Pardo Lazo, el último de los grandes escritores cubanos. A estas alturas de la historieta, todavía sin una gran obra de la cual alardear. Por eso mismo era único. Me dije:

—A singar.

Y si no puedes escribir ni una sola palabra, Orlando Luis Pardo Lazo, por lo menos puedes singar mejor que los Pedro Juan Gutiérrez y los Leonardo Padura. Acaso ese sea tu destino literario terrenal. Devenir una Wendy Guerra, una Ena Lucía Portela, una Zoé Valdés (solo las mujeres escritoras cubanas saben singar, los hombres son una debacle en la cama, empezando por Carlos Manuel Álvarez y todo el que crea ser «una nueva voz»).

Voz, la mía.

Tener voz es tener los cojones de quedarse callado.

Apagué la luz del baño y volví a la salita, para ripiarle las vísceras a mi exchofer de Uber taxi.

Sin luz, se hizo de noche otra vez, dentro de la noche incivil de los cubanos apátridas. Como tú y como yo. Al parecer, Emmanuelle Crystal Sylvia había apagado la luz mientras me esperaba desnuda, encamada. Y, al parecer, yo me había demorado más de la cuenta venerando mi cimitarra fálica en el baño (curvatura a la izquierda, ángulo agudo de -19 grados Sexius).

Sin necesidad de dar ni tres tristes trancos, estuve enseguida junto a la cama. Mi estudio es chirriquitico. A mi hembra sacrificial la iluminaba, de espaldas, el neón parpadeante de los negros del edificio de al lado. Me encanta ese familión, con su bullicio de *blues* a perpetuidad.

Mi hembra hambrienta tenía el pelo rojo, en contraluz. *Back-light*, para iluminarla toda por dentro por detrás. De noche, todas las pelirrojas son putas. Tuve ganas de echársela ahí mismo en pleno pelo. De embadurnarle el cráneo de porno-pastillera al volante por la 64 Interestatal, ahora caída en mi cama como un Objeto Venéreo No Identificado.

Entonces algo me llamó la atención. Su inmovilidad, no sé. Su respiración honda, agónica, como de cadáver antes del alba. Entonces me arrodillé a su lado. Sin hacer ruido, como cuidándola de no sé qué. Como si fuera una muñeca de trapo rota, a punto de vomitar sus órganos en lugar de sus orgasmos.

Emmanuelle Crystal Sylvia tenía los ojos cerrados. Estaba, supongo, en otro mundo, en otro país, en cualquier otro estudio de alquiler. Dormía. Dormida. Se durmió. Y tal vez soñaba con una realidad irreal donde, en su aplicación de Uber, por ejemplo, Emmanuelle o Crystal Sylvia o ambas o ninguna pudieran de una vez, todas juntas, o una por una, delicadamente despertar y no darse de cara contra la desesperación, el desasosiego, la desesperanza.

Nunca he amado tanto a una mujer. Nunca he amado tanto a otro ser humano.

Sentí infinita piedad, infinita bondad, infinita humanidad.

Le dije, en silencio:

—De rien, ma petite princesse.

Que en cubano del corazón se traduce como:

—De nada, mi amor.

Y me tiré a dormir sobre la alfombra, como un perro presto para defenderla hasta de mí mismo.

Orlando Luis Pardo Lazo, jau.

35.

En la soledad de la noche. En el silencio de Norteamérica, ese cadáver sin ataúd. En lo *slippery when wet* de las autopistas, cuando se forma el hielo negro, hielo invisible, y la muerte de los adolescentes comienza su zafra de tendones, cartílagos y masa encefálica sobre el asfalto interestatal.

Sirenas. Ulular, aullidos de lobo herido. Flashes, titulares, redes sociales al instante.

Entre estas estatuas del terror, avanzo. Entre estos monumentos de una frontera sin patria. Entre toda esta muerte monumental, inmemorial. Avanzamos, somos los cubanos sin Cuba. Las termitas terminales del totalitarismo tropical.

Así, pedimos nuestros taxis Uber por internet, gracias al servicio de *data-transfer* de las dos o tres compañías de móviles que quedan en USA. Así, esperamos en una esquina del planeta, hasta que aparezca un albanés o un sirio al volante, tart-t-tamudeando su inglés sin pap-p-peles en son de paz. A veces, también, una paquistaní con halitosis de nueces y los aceiticos baratos que le untó su marido musulmán.

Entonces, por fin, llega el taxi Uber de turno a nosotros. Siempre preciso y, sin embargo, siempre demasiado tarde. No le preguntamos nada al chofer. Lo que se sabe, no se pregunta.

Simplemente nos montamos, en medio de la debacle. Solitarios, silentes, resbaladizos como una capa fría de blanco invisible, blanco necrológico, blanco brutal. Irreversible.

Le respondemos a la cortesía del chofer con aún más cortesía de clientes, mientras la vista se nos escapa, ventanilla afuera, a ver si al menos por esta vez recordamos en cuál ciudad estamos hoy, como de costumbre, de regreso a casa. «A casa», es un decir: es decir, decir «a casa» es un decir por decir. Lo decimos solo para no desdecir al resto de la humanidad.

—Cochero, a palacio.

Pero, en la práctica, los cubanos sin Cuba comprendemos que nadie nos lleva ya a ninguna parte, sino al cadalso. Alita de cucaracha llevada hasta el basurero. Así quiero que, en mi muerte, así quiero que, en mi muerte, mis choferes de taxi Uber me lleven al cementerio.

—Pajarito, yo estoy loca: llévame donde él voló.

Damos las gracias en inglés. Dejamos una magra propina de nunca más de 1 dólar. Pero, en cambio, siempre marcamos la quinta estrella en la aplicación de Uber. Somos más que generosos, en definitiva. Iluminamos y matamos. Como la estrella poética del Apóstata de la Libertad cubana.

Así, en el abismo digital de las calles sin norteamericanos de Norteamérica, todavía nos queda cierto atisbo de humanidad. Hacemos el bien por hacer el bien. Somos buenos porque sí. Porque no pudimos ser buenos en otra vida real pasada. Porque ya lo perdimos todo, de tanto mal que hicimos y nos fue hecho en el futuro. Y porque, para hacer el mal, hay que estar mínimamente vivo, mientras que el bien resulta más o menos inercial.

Entonces nos dan como cambio un democratiquísimo «de nada» en inglés. Una bienvenida, incluso a la hora de despedirnos. Los choferes de taxi Uber son más que generosos también, en definitiva. Nos iluminan y matan, con sus buenas noches en dos sílabas doblemente foráneas. Jerigonza de un *gudnait* transatlántico que resuena en nuestros tímpanos como una bofetada, pero abofada.

Entonces subimos a nuestros apartamenticos de alquiler, solos o acompañados por delicados desconocidos que hacen su mejor esfuerzo sentimental y carnal para que no se nos pudra del todo el alma. Y es un esfuerzo conmovedor, por tardío. Tremendamente tardío.

Llegas, amor, demasiado tarde a mi vida. Si el resto del mundo supiera, no se arriesgarían a tanto con los cubanos. Es decir, conmigo: el último de los mohicubanos.

A nadie le decimos: vete de mí. Al contrario: arrastramos a todos y todas al abismo de una habanidad ausente, según nos arrastramos nosotros mismos al abismo de la norteamericanitud decrépita.

Y no hay manera de advertir sobre esto en nuestro perfil automático en Uber App. No hay manera, tampoco, de que los clientes de la América corporativa nos crean. Todavía confían en que Marx cabe en la meritocracia. En fin, el mal.

Es que ellos no saben nada. Es que ellas no han visto las cosas que nosotros, los cubanos, hemos visto vaciarse hasta de vacío.

36.

Lo supe desde que le vi la pinta. El chofer era un singao seguroso, uno de esos hijos de pincho que se van a Hialeah a hacerse los exiliados de última generación, el relevo de los históricos. Uno de esos HP que van y vienen desde La Habana, votando a favor del intercambio cultural y en contra del embargo yanqui: los albertodelgados que no tienen ningún problema con la Revolución. Es decir, con el G-2. Los chivatientes que ni por encima de su cadáver dejarán que Cuba sea nunca un país ni seudodemocrático.

Bíceps tróculos, camisitas a cuadro, celulares de último modelo y relojes de piedras preciosas, importados oficialmente a la Isla por esta o aquella vía ministerial. Los ramfistrujillos del castrismo. Los hijos (y, en ocasiones, los huérfanos) de los asesinos en serie a sueldo del Ministerio del Interior cubano. Víboras de verde oliva en la sangre. Con dos o tres amantes de discotecas y, en sus mansiones a todo meter, una familia feliz. Preñada de nuevos Castros. No hay magnicidio ni genocidio capaz de catalizar una buena limpieza ética en contra de esta nueva clase, casta, calaña de coñosdesusmadres.

El singao seguroso me dijo:

—Coño, hacía rato que así te quería coger, chama: tú erej el tal Orlando Luis Pardo Lazo, ¿veddad?

Me daba igual serlo que no serlo. Estoy cansado, exhausto. Yo lo dije todo, primero que todo el mundo. Fui un adelantado. Ahora el mundo entero es apenas una pésima parodia para mí. Cacareos de yoanisánchez y luismanueloteros. Que se vayan todos para el carajo. Y sin citarme, comemierdas. Orlando Luis Pardo Lazo y bien, pensé decirle. O, mejor: Orlando Luis Pardo Lazo de qué pinga es lo que te pasa.

Pero no le dije nada. Ya lo he dicho antes. Estoy exhausto, no me jodan, estoy hecho un desastre. Un guiñapo humano, una calamidad. Un fantasma que vivió más allá de la fecha en que le tocaba escribir. Amenacé mucho, sí. Publiqué dos o tres bombazos a reacción, es cierto. Y, después, ya no supe callarme a tiempo. Saber desaparecer, como lo soñó Martí: la poesía sabrosa, diría un chofer de guagua lezamiana. Y, por supuesto, hay que joderse, como repite Otaola en sus actos de repudio en vivo de Facebook y YouTube.

—Sí, erej tú mijmito, compadre, así mismo te quería coger —el chofer del Uber siguió con su cantaleta—. Mira, bróder, te voy a decil una cosa, yo los reppetoj a uttedej y todo eso, pero eso que hicitte con la bandera en Cuba se llama mariconá.

—Puede ser —le dije.

—Puede ser no, chamaco: ¿a quién se le ocurre coger la bandera para templársela? ¡Por esa gracia te comen vivo aquí en Miami! Critica todo lo que te dé la gana, pero con la patria no juegues, compadre…

—Para —le dije.

—¿Qué, parar para qué? —me dijo—. Ettamoj en medio del expressway. ¿Te quemajte?

No esperé más. No era necesario esperar más. Para los cubanos sin Cuba, sobraban ya las palabras. Los cubanos sin Cuba carecíamos únicamente de un buen acto. Una acción concreta, crítica, criminal. Como dijera Reinaldo Arenas en un poema, poco antes o poco después de matarse: este era mi momento.

Lo cogí por el cuello (así me habían cogido a mí el viernes 6 de noviembre de 2009, en un Geely de la Seguridad del Estado que acaso el muy singao también manejaba). Se lo apreté. Por Dios que se lo apreté. Las venas se le querían reventar y le salieron petequias por toda la cara (como a mí, en aquella ocasión tan reportada por los medios mercenarios de prensa). Estaba dispuesto a matarlo. Después, veríamos qué pasaba y qué no pasaba con nuestro carro al pairo, y con los carros que venían en cualquier sentido por el Turnpike.

Entonces, el agente del G-2 metió un frenazo de profesional, acaso una maniobra PIT (como la que usaron para matar en el 2012 a Oswaldo Payá), y logró arrimar el carro a ciegas contra la cuneta derecha. Bufaba, el muy burro. No se movía. Solo le salían como unos póstumos estertores de aire. Bajó la frente contra el timón, ofreciéndome la nuca para que lo rematara. Pero yo, como un perro rabioso, no lo soltaba ni para aplicarle la punción de gracia.

Ya era demasiado tarde para defenderse con alguna de esas llaves de asesinar cubanos en silencio, uno por uno, a nombre y sueldo del Estado cubano. Pero entonces me arratoné. Me vi en una corte federal. Me vi en la silla eléctrica, para delicia de ese ejército de rosenbergs que es hoy la prensa y la academia yanqui. Y lo solté. Entonces lo oí inhalar. Un larguísimo ahhh. Y me tiré del carro y comencé a correr, sin tener la más puta idea de adónde me dirigía.

Podía ser a la ciénaga. A los cocodrilos y los caimanes. A lo Quiroga.

Corría como un endemoniado. Y corriendo como un endemoniado y todo, sonreía. Sonreía con una suerte de risita interior, sin mover los labios. A carcajadas del alma.

Me daba curiosidad. ¿Me denunciaría con la policía federal o con su padre en el MinInt de La Habana? ¿Llegaríamos el singao seguroso y Orlando Luis Pardo Lazo a compartir titulares en el exilio?

Tiempo al tiempo.

Por el momento, he aquí mi confesión firmada. Espero por la tuya ahora, Ramirito, Delaguardita, Ochoíta o como repingas te llames, mariconzón de la muerte comunitaria.

37.

Esto va a parecer un ejercicio estéril de estupidez. Y, en más de un sentido, es eso: una hez. Por eso mismo vale la pena hacerlo. Porque los estúpidos son los que saben querer. Porque la estupidez es la esperanza del mundo.

Iba yo montado en un taxi Uber, como siempre. Esta vez desde Boston hasta el pueblito donde vive Paul Hollander, un exexiliado húngaro, autor del mamotreto *Political Pilgrims*. Era un Uber muy largo, por cierto, larguísimo, de los que en Cuba llamaríamos «interprovincial». Más de cien millas, con tarifa fija, pero, así y todo, una tajada carísima de pagar.

Yo había ido a Harvard University a una conferencia de tema cubano. Es decir, a una caricatura académica, que incluyó un concierto por azar del trompetista Arturo Sandoval en el cabaret de nuestro hotel. ¡Venir tan lejos desde Cuba para seguir escuchando los chistes de Carlos Otero en la TV y disfrutar de la trompeta en vivo de Arturo Sandoval!

Mejor me hubiera quedado en casa.

El chofer del Uber era un blanquito *millennial*. Me dijo que quería ser escritor. Técnicamente, me dijo que necesitaba ser escritor. Se llamaba Oliver Barrett VI, y alegó ser pariente cercano del músico, poeta y loco de Pink Floyd, Syd Barrett, muerto de cirrosis pancreática en el verano del 2006 (también en Cambridge, por cierto, pero no en Massachusetts sino en Inglaterra).

Oliver Barrett VI me preguntó si podía ir grabando sus ideas para escribir según manejaba. Así, no se les olvidaban. Tenía mala memoria, como toda su generación. Vivían una vida de interfase gráfica, en 2-D, bits a bits, virtual. Oliver Barrett VI decía sus ocurrencias en voz alta y las iba grabando con el mismo iPhone de su Uber, para después, acaso en sus noches de insomnio y ácido, redactarlas en forma de cuento, poema, crónica post-sicodélica, carta de amor o suicida o ambas.

Le dije que sí. Vale, blanquito. Métele mano. Y en secreto yo también activé la aplicación Titanium de mi smartphone, un miserable Samsung Galaxy S3.

No voy a hacer ningún esfuerzo por traducir las frases que más me gustaron. Simplemente las transcribo ahora aquí, sin *copyright* ni *copyleft* ni un carajo. Tal cual. Palabra por palabra, sin subtitulaje de la televisión cubana. Punto y apártate. Al cubano que en inglés no lea, se le debería azotar por cobarde.

Most American white men are trained to be fags.

The long abiding characterization of the Western artist as usually "queer" does not seem out of place.

Do you understand the softness of the white man, the weakness, and again the estrangement from reality?

The goal of white society is luxury.

Black creation terrifies the white man, because it is strong, ubiquitous.

The liberal white man has always promised the de-testicled black some progress to manhood.

The black man is covered with sex smell, gesture, aura, because, for one reason, the white man has tried to keep the black man hidden the whole time he has been in America.

Trying to strangle a man with his own sex organs, his own manhood: that is what white America has always tried to do to the black man, make him swallow his manhood.

The white man is a primitive, and his sexual understanding is that of a primitive.

The white man is in love with the past, with dead things, and soon he will become one.

Y cositas así. Joyitas para Google Translate.

Ojalá Roberto Zurbano y Víctor Fowler escribieran así. Ojalá al clan poético de los cimarrones cubanos de la oficialidad les hubiera dado por atacar de esa manera al hombre blanco de la Revolución.

Pero, qué va. El Castrico interior de esa raza, reducida ahora a revolucion*aria*, les ha desrizado la pasa y descojonado la prosa. Blanco es más que negro, más que mulato, más que hombre. Pero el castrismo no solo se llevó el *blackface* del teatro bufo, sino que les impuso la mascarilla fúnebre de una negritud juangualbertogomizada, con boberías *Made in Melanina* para viajar al extranjero y congraciarse con los nuevos LeRoi Jones de la Nación Afro del siglo XXI.

Entre otras cositas así. Blanconerías baratas. Joyitas de esclavo insular que mama del mismo marxismo que su mayoral. El sueño del Sur norteamericano se hizo realidad en la retórica de los intelectuales renegridos que nunca renegaron de la Revolución Cubana.

Valga aclarar de nuevo que Oliver Barrett VI era blanco. Técnicamente, lo estoy exponiendo en su racismo sistémico, supongo. Espero que nadie la vaya a coger ahora en contra del racista Orlando Luis Pardo Lazo.

Sería, para empezar, redundante. En los Estados Unidos de América, quien no se someta al lenguaje de los cazadores de racistas, es un racista por *default*. Nunca, en la historia de la esclavitud, tuvimos rancheadores tan estrictamente eficaces.

38.

El Pantera Negra nunca me dijo su nombre, pero sí el nombre de su taxi. Para ser un guerrero de capacidad mortífera en contra de la raza capitalista y del hombre occidental, el anciano le había puesto a su VW, modelo escarabajo, un nombrecito bastante pajarón: Pupu.

El Pantera Negra ya no era el Pantera Negra de antes. Había envejecido. Y, mucho más humillante que la vejez, hacía poco que había renegado de su exilio militante en la Cuba de Castro (ya casi no quedaban Castros, ni Cuba), y ahora estaba de vuelta, sano y salvo, otra vez en sus natales Estados Unidos.

El pobre, pensé. Debe ser una pantera domesticada por la cercanía de su muerte natural. Una fiera herida de tiempo que, a la postre, se rinde y tiende a su redil. Morir en lengua propia. Ya no más pantera ni negra, sino apenas un *bobcat* mulatico de ochenta y tantos activistas años, casi un nonagenario Kunta Kinte al volante de su VW, aquel Pupu histórico que, según me dijo tan pronto supo que yo era cubano, finalmente había conseguido sacar de la Isla (gracias a una gestión personal del escritor negro cubano Alberto Guerra Naranjo, quien transó la transacción con el ministro del MITRANS).

El Pantera Negra lucía acabado. El cáncer se lo estaba comiendo por una pata. Por encima de su talante hecho talco, se notaba todavía que mi chofer de Uber había sido un negro pingú. Pero entonces me soltó un par de cuentos que, por supuesto, no le creí.

Además de pingú, sin duda era también un negrito papití.

Llegó a decirme incluso que, en el verano de 1969, él solito (es decir, él y un juguetico calibre 38 cargado) le había robado un Boeing 707 a la TWA, para llevárselo secuestrado hasta Cuba, con 82 expedicionarios espantados a bordo, más la complicidad de los pilotos blancos, que tenían órdenes del FBI de no resistirse, para así ir saliendo uno a uno de aquel ejército de negros armados con la Segunda Enmienda en la cartuchera.

Me pareció buena persona el chofer. Acaso un tin senil, pero eso era solo medida de la protección mental que Dios le dio, para salvarse de la agonía que se le estaba viniendo encima. Tenía, por cierto, su dentadura intacta. Propio de las panteras.

Antes de despedirme de la carrera, desde la barriada de Castro en San Francisco hasta los suburbios de Oakland (yo había venido desde Cuba solo para ver a la pantera blanca cubana Achy Obejas, que reside por allí), el Pantera Negra me dijo uno de esos detalles narratológicamente no inventables (al estilo de la tortura Hecha en Cuba con que los vietnamitas martirizaron al senador John McCain) que me hizo sospechar que, después de todo, aquel anciano tal vez sí se había robado un avión de verdad. Y que todas sus ostentaciones no eran más que su verdadera biografía.

Me miró a los ojos y me dijo, en cubano callejero, no sin una sonrisa de sabiduría arcaica afroamericana:

—Me metieron preso en Cuba por culpa de aquel avión robado al Imperialismo.

—Doce años. Vaya, de pinga el caso.

—Parte el alma y desfigura el rostro, primo.

Y entonces, después de pedirme que lo evaluara con cinco estrellas en la aplicación de Uber (y que le dejara como *compliment* una de estas dos frases: «*we shall overcome*» o «hasta la victoria siempre»), mi Pantera Negra añadió:

—La Revolución Cubana será eterna y todo lo que tú quieras, blanquito, pero está llena de comemierdas por los cuatro costados.

39.

Hay un momento en el exilio donde el exilio se nos hace consistentemente verdad. En ese momento toda nuestra vida anterior en Cuba adquiere su mejor consistencia de impostura, pesadilla, patraña.

Ocurre, según me han dicho incontables exiliados cubanos, alrededor de los cinco años viviendo afuera. Siempre y cuando, por supuesto, uno no haya viajado de vuelta a la Isla durante ese quinquenio inicial, crítico, definitivo para la metamorfosis de cubano provinciano a cosmopolita cubano.

Ese momento a mí me ocurrió hoy. En un taxi Uber, en Saint Louis. Por la noche. A poco de cumplir seis años fuera de Cuba (mi cumplexilios es el 5 de marzo). Ahora, acabo de bajarme de ese carro mutacional, alquímico. Y vine directo para la *laptop*. A contarlo.

No fue nada sobrenatural. El chofer era un blanconazo norteamericano, afable y con sentido común. La conversación fue sencilla y cortés, ligeramente meteorológica, en inglés sosegado. La música, sonaba perfecta en los *speakers*, si bien irreconocible para mí, como corresponde a la cultura de clase media decente, que está en las antípodas de lo que yo soy.

La carrerita fue corta, de Clayton a Central West End, bordeando la Universidad de Washington y el Forest Park. Pero fue así que ocurrió. Una visión, un fogonazo, casi como un color que habíamos olvidado. Como otra manera de ser que nos definía y que, sabemos, nunca más podremos poner en práctica. Cierta forma de sonreír, de tocar, de hacernos visibles entre otros seres humanos. Algo relacionado vagamente con la edad, pero de manera atemporal. Una como memoria de los muertos jóvenes, a los que no alcanzamos a poner ni una florecita pecosa. Un sonido hueco, sin eco, que es el sonido de la soledad en una ciudad donde, por ubicua, se hace imposible la soledad. La memoria es un martirio multitudinario.

Todo esto y otras cositas que ustedes, los cubanos, jamás creerían.

Pensé que había perdido la cordura. Todavía lo pienso. Por eso escribo esto a la carrera. Por si todavía estoy a tiempo de detener la avalancha de sensaciones incomunicables. Por si todavía no es muy tarde para regresar a la cordura, aunque se trate de una cordura sin cuerda llamada Cuba.

Como el hijo del rey o del pastor, me quedé fuera de Cuba. Como el hijo del pastor o del rey, se ha quedado Cuba sin mí. Juro que nada de esto yo lo sabía antes del taxi Uber que tomé hoy, donde no ocurrió nada extraordinario y, sin embargo, el exilio se me hizo consistentemente verdad, machacando toda mi vida anterior en Cuba a su consistencia de impostura, pesadilla, patraña.

40.

Chucho Valdés en Saint Louis, Missouri. Tenía que pasarme a mí.

Con el destino no se puede, no, como decía aquel gran réquiem por un hijo prodigio de los Van Van, canción del corazón hoy ya olvidada por nuestra mediocridad siglo XXI de cubanos sin Cuba, tanto dentro como fuera de la Isla. Con el destino no se puede, no: una balada con tumbao, compuesta e interpretada con el alma a flor de pecho, en la etapa de oro de los Van Van que al final no fueron ni tampoco irán.

Eran los oprobiosos ochenta.

Nunca debimos de llegar vivos a los noventa. Pero aquí estamos, aquí seguimos: después de los años cero y ya casi en el primer cuarto de siglo del nuevo siglo, ese enemigo cubanicida.

El tiempo, el implacable, el que pasó por pasar, y nosotros todavía sin poder vivir una vida vivible. Todo ha sido hasta ahora máscara, mueca, pantomima de mentiritas. Nosotros, los fantasmas de la fidelidad. Nosotros, los desaparecidos del paraíso. La pesadilla de unas notas improvisadas sin pentagrama.

El maestro Chucho, hijo del maestro Bebo, vino al Ferring Jazz Bistro a tocar dos o tres noches de invierno, un par de veces en cada velada, para una audiencia mínima, de enterados, de enterrados sobrevivientes al febrero glacial. Melómanos enfermos de nostalgia, entre un montón de aplausos y traguitos y bravos y mesas vacías como un memorándum de que, fuera de Cuba, nadie es nadie.

Por lo demás, nunca se pronunció la palabra «Cuba» en voz alta. Tampoco yo la pronuncié. Cuba cansa con cojones.

Chucho, el cosmopolita.

Chucho, el prestidigitador.

Chucho, el signatario número 26 de la criminal *Carta de los 27* en la Primavera Negra de 2003, para sufragar con su firma el fusilamiento semifusa de tres negritos cubanos de La Habana más marginal, ninguno de los cuales había estudiado piano ni trompeta ni timbales, en una de las tantas escuelas de arte gratis de la Revolución. Ninguno de los cuales, tampoco, había comido nunca bacalao-con-pan, aquel plato de pobres devenido después *delicatessen* en Cuba, cuando, al inicio del llamado Periodo Especial de Guerra en Tiempos de Paz, en el año capicúa de 1991, se perdió primero el bacalao y después el pan.

Chucho, compay, carajo. Nos dejaste con el pum, pum, pum del paredón patrio de fusilamiento.

Chucho, coño, a contratiempo de la sorpresa y dolor de los manifiestos calumniosos contra Cuba. Chucho y su conveniente inocencia, insultante al punto de la ignorancia, nacida de la distancia, la desinformación y los traumas de experiencias socialistas fallidas y demás blablablás. Chucho y la gran campaña que pretende aislarnos y preparar el terreno para una agresión militar de los Estados Unidos contra Cuba. Chucho y la superpotencia que pretende imponer una dictadura fascista a escala planetaria.

Ricura y polifonía. Aé la chambelona castrista. Qué paso más chévere el de mi chucho es.

Para defenderse, Cuba se vio obligada entonces a tomar medidas enérgicas que naturalmente no deseaba. Por eso, incluso hoy en la noche niche de Saint Louis, no se le debe juzgar por esas medidas, arrancándolas de su contexto.

Tres negritos muertos son tres negritos muertos son tres negritos muertos. Y pare de contar. La cosa no iba a pasar de ahí. Los blancos, tranquilos. Sin trauma. Disfrutando del jazz batá en los cabarés caros, así en el Exilio como en la Isla. En 3-D, decadencia en *stereo dolby surround*.

Cogí un Uber. Fui al concierto.

Cogí un Uber. Regresé del concierto.

Como Olmo, el homúnculo personaje que nadie tampoco recuerda en la literatura cubana inisecular. Amnesia quiere decir olvido. Compañeras y compañeros, tampoco se le pueden pedir peras al olmo.

Por mi parte, no le pedí siquiera un mísero *selfie* al maestro Valdés insular, hijo del maestro exiliado Valdés.

Hicieron bien en quitar el banderón cubano de la acera, Chucho, porque si hubiera estado el trapo heroico de tu bandera, tú sabes, yo no hubiera podido entrar. Solo que esta vez a nadie le iba a importar en ninguna parte que ya volviera, fosca, a su retórico rincón, mi alma trémula y sola.

Qué gente, compañeros, pero qué gente.

41.

Soñé que iba en un taxi Uber por las calles de La Habana. Como siempre que sueño con Cuba, me despierto con dolor de cabeza y llorando. Y con ganas de mear.

Fui al baño. Todo me daba vueltas. Tenía un ataque de pánico, que se somatizaba como un ataque de vértigo. Y frío, mucho frío. Temblaba hasta los tuétanos. Estaba haciendo un tremendo inviernito en Saint Louis.

Pensé que tenía fiebre. Pensé que iba a vomitar bilis y vino verde. Pensé en lo fácil que sería morirme, así como así, en plena Norteamérica, y que ni uno solo de mis seguidores se enterarían hasta muchos días después, por los titulares *fake news* de la prensa plana antitrumpista. Pensé que esto era la soledad. Y que acaso esto debía de ser también un poco ahora la felicidad, porque no por gusto en Cuba me aterraba morir una muerte entre conocidos de toda la vida.

Morir en anonimato es sinónimo libertad. Quien no tiene nombre, no puede sufrir.

Oriné larga y largamente a la luz de la luna, que se colaba por el vidrio gélido de mi bañito de alquiler.

Quinientos dólares al mes. En el exilio nunca he visto una cucaracha, pensé. Tampoco una hormiga. Eso, aunque parezca no tener mucho sentido, forma parte de la tristeza de soñarse en un taxi Uber, por las calles de mi primera ciudad: aquella Habana con sepsis, encucarachada, hormigable hasta el horror. Quinientos dólares es el precio del ecocidio. ¡Viva el aburrimiento, abajo la biosfera!

Miré la hora en mi celular. Las cuatro y pico de la mañana. Y ya casi era de día. Qué extraño es todo en este mundo de afuera, pensé. ¿Desde cuándo no veía un reloj despertador de cuerda, de los metálicos, hecho en la CCCP?

Vivir fuera de Cuba es estar atrapados en una burbuja de transparencia y cansancio extremo, donde hasta usar el lenguaje nos exhausta, por tratarse de un lenguaje sin conexión ninguna con lo real: una lengua muerta que no significa nada, más allá de su significado vacío, vaciado, viciado. Un argot amable, pero que ya no nos emociona en absoluto, un blablablá de los otros, por los otros, y para los otros, donde nosotros los cubanos ya no pintamos nada. Seres transparentes. Fantasmas de una *Fidel*idad fósil.

Volví a mi cama. Traté de dormir un rato más. Me dolían los pulmones de tanto toser, por el frío. Quinientos coronadólares y una calefaccioncita central de mierda. Me dolían las caderas, supongo que por la mala posición en la cama. En realidad, un canapé. Me dolía el cuello, por el desgaste de los discos desquiciados de mi columna vertebral. Me dolía dormirme y tener que volver a soñar que iba en un taxi Uber por las calles ancestrales de una Habana atroz que era mi amor.

Ciclos. El tiempo es un retrovirus, pero *air-borne*, como la 82 División. Un término que se traduce algo así como «con los huesos al aire». Esto se está acabando, compañeras y compañeros. Algo menos que soñar. Espero al menos llegar hasta mi próximo taxi Uber, aunque sea el de mi cortejo funéreo.

42.

A la altura de la Pequeña Habana, en el Uber Pool se montó Rosa María Payá.

Me fue fácil reconocer su rostro, por los cientos de conferencias en vivo en Facebook y YouTube, sin contar sus otras tantas entrevistas y paneles de debate en las TV del mundo, excepto en Cuba.

Rosa María iba con un señor mayor, algo obeso, blanco, con gafas, que usaba una camisita de cuadros tipo Tiendas Yumurí, y portaba una sonrisa atípica para la mediocridad mimética de Miami. Obviamente, aquel hombre lucía alegremente confiado, como si fuera el dueño de su destino o al menos de alguna visión mesiánica, en medio de la siniestra seriedad sin casa del exilio cubano.

Detrás de Rosa María y del señor sesentón, se subió al taxi, con la gracia de un gato recién deportado de Cuba, un muchacho delgado, joven, alto como una vara de tumbar precisamente gatos, de piel morisca o aindiada o tal vez simplemente demasiado maltratada por el sol cancerígeno del Caribe, en cuya mirada también irradiaba un no sé qué sabio de luminosidad, como rayos de otro planeta, que transmitía una cosa triste, tristísima. Preclara, opaca, como una hoguera sin hogar a punto ya de apagarse.

No quise ni pensar quiénes podían ser sus dos acompañantes de viaje en aquel Uber Pool. Era una tardenoche de finales de julio. Preferí no saludarla a ella tampoco. Pasar por anónimo, por no cubano, por un espía estatal o un criminal en potencia a sueldo de los Castros.

Me arrimé a mi rincón del carro y saqué la cabeza por la ventanilla. Así y todo, no puede evitar chismear una parte de la conversación que se estableció entre los tres. Una conversación imposible de transcribir aquí. Reencuentro o despedida, es igual. La vida de los cubanos bajo el castrismo ha sido eso: siempre nos vamos antes de tiempo a cualquier otra parte. Siempre nos obligan a abandonar a quienes más amamos, justo cuando más los amamos.

Los tres se bajaron en la Ermita de la Caridad, cada cual por su propia puerta. Como si ya no se conocieran. Como si ya nunca se fueran a encontrar otra vez, al menos no por el resto de sus respectivas vidas.

Rosa María Payá entró a la capilla, donde vive la virgencita que alguien trajo de contrabando desde otra playa cubana, Guanabo, muchos siglos atrás. A los otros dos los perdí de vista enseguida, acaso por la bruma veraniega que en julio supura del mar.

Todavía no era de noche, pero ya casi anochecía. El mar de Miami parecía de mármol. Parecía, no. Era de mármol. Como el horizonte, tras el cual yacía enterrada Cuba. Tenía que ser de mármol: ese material de demasiada memoria, el mejor para la amnesia de nuestros demasiados muertos que nunca podrán morirse del todo.

43.

Cuando me monté en el asiento de al lado del chofer, como siempre hago, noté por el espejo retrovisor que en el asiento de atrás del Uber ya venía sentado yo: sí, Orlando Luis Pardo Lazo en persona, yo mismo, pero otro ser, un doble o mi mitad. En ambos casos, con la vista extraviada por la ventanilla hacia afuera, como si no supiera por las calles de qué planeta estuviera viajando el otro yo. Es decir, estuviéramos viajando mis dos yo.

Pobre muchacho, pensé. En un momento determinado, cuando decidió que morirse era lo único que valía la pena en Cuba, un Orlando Luis Pardo Lazo había resucitado gracias al amor. Y entonces se había convertido en una fuerza vital y bella de la naturaleza humana, un sol libérrimo entre las ruinas retrógradas de la Revolución, un cubano bueno y desbordante de espiritualidad en medio de la maldad matérica de la cubanía.

De eso hacía ya más de diez años, como en el 2006 o 2007. Demasiado tiempo, compañeros y compañeras. El niño héroe de entonces había muerto demasiadas veces después.

Sobrevivir a los Castros no es una tarea fácil. Para nadie, de ninguna nacionalidad. Tampoco para este pobre muchacho, pensé. Es como ir saltando de tumba en tumba, sin saber en cuál paso en falso te vas a caer de culo en la tuya. Sin misericordia, sin perdón. Como un títere, cuyo corazón expuesto al aire preso de la Isla y el Exilio se le ha ido convirtiendo en una piedra fría, apátrida, patética, pútrida.

Traté de hacer contacto visual con los ojos color tarde o color tiempo de aquel Orlando Luis Pardo Lazo que viajaba en el asiento de atrás de mi taxi Uber. Misión imposible. Más que estar en fuga, su mirada misma era una línea de fuga. Una serie silente de puntos discontinuos desde su vista vaciada hasta extraviarse en los cielos sin cielo de una ciudad ignota, inconcebible, como de otro planeta, pero, en realidad, como de otra galaxia. Digamos, de la constelación Castro Centauro.

Parece dormido, pensé. Y, en más de un sentido, lo estaba. Es decir, lo estábamos.

Por favor, sean amables ahora, a pesar de que todos ustedes son una partida perversa de cubanos. Les piso, otra vez de favor, en nombre de los dos Orlando Luis Pardo Lazo, que nadie los intente despertar.

Ninguno de los dos Orlando Luis Pardo Lazo merece tanta tortura. Déjenlos ir, sin que ellos sepan que ya se han ido.

44.

El chofer del Uber vio el libro que yo llevaba en la mano. Un libro de cubierta negra, lustrosa. Un objeto recién salido de imprenta, todavía oloroso a tinta, y aterrizado de inmediato en mi buzón de exiliado, gracias al catálogo contrarrevolucionario de la Editorial Hypermedia y al antitrumpismo rampante de Amazon Prime.

El tipo era chicano. Ya-tú-sabe. Es decir, el tipo dominaba como podía los rudimentos del idioma hezpañol.

Por mi parte, yo iba tan feliz, feliz como una lombriz. Tan confiado, tan lector del libro que acababa de publicar, que no me di cuenta de que el chofer espiaba mi título con incredulidad. Lo miraba y lo remiraba de reojo, en lugar de concentrarse en no salirse de su carril en la 64 Interestatal, la arteria de la muerte súbita que cruza el estado de Missouri como una navaja letal.

Cuando el Uber chofer reunió suficiente coraje en castellano, me preguntó si el título de aquel libro negro lustroso era realmente *Espantado de todo me refugio en Trump.*

Pensé en responderle con una palabrota. Pensé en denunciarlo a ICE, a ver si había alguna posibilidad de deportarlo directo, sin pasar por ninguna ciudad santuario. Y pensé acaso en reportarlo por acoso sexual, con un clic a su colectivista compañía de taxis con sede en California. Pero respiré. Hondo, hondo, hondo. Exhalé. Largo, largo, largo. Era un día feliz y ningún lector de reojo me lo iba a joder, así como así.

—No, mano, no —le dije—. Te voy a confesar un secreto, pero, por favor, no se lo comentes a nadie. Se trata de una cubierta para despistar al FBI y la NSA. En realidad, estoy leyendo un libro muy peligroso para este país. Si me coge la Seguridad del Estado de Donald Trump, me deportan de inmediato, sin juicio ni nada. Porque es un libro *do-it-yourself* sobre cómo destruir al sistema capitalista: el título real es *The Revolution for Dummies*, de un autor cubano muy comprometido con el comunismo global. Esto de Trump es un truco. Como los títeres, vaya. ¿Me copias?

No copiaba ni cojones, pero la satisfacción chicanolingüe de su rostro no podría describirla en ninguno de los idiomas del mundo. Sonrió, asintió, no quería ni cobrarme la carrera en su carro. De hecho, yo con gusto no le hubiera pagado ni un quilo prieto partido por la mitad.

«Qué país», pensé, como decían aquellos voluntarios rayadillos en las aventuras hoy ya olvidadas del teniente-coronel del MinInt Elpidio Valdés.

—Quédate con esta copia —le solté en tono confidencial al bajarme, y le extendí mi libro *Espantado de todo me refugio en Trump*—. Distribúyelo con urgencia entre La Raza, paisano, y te prometo que te vas a acordar de mí.

45.

Los otros días, viajando en un Uber largo, desde Saint Louis hasta la prisión federal de un pueblito llamado Pacific, donde les enseño a los presos un Taller de Escritura Creativa, me puse a pensar en las cositas cubanas.

No en las cosas cubanas. Y mucho menos en las cosas de Cuba. No. Sino en las «cositas», esos pequeños objetos mínimos que en su momento componían el cuerpo secreto de la patria y que, ahora, ya casi en el primer cuarto de siglo del siglo XXI, nunca más podrían componer ni descomponer nada. Es decir, me puse a pensar en las cositas desaparecidas cubanas.

De Saint Louis a Pacific es como media hora en taxi. Depende del tráfico. Los choferes por lo general quieren hablarme de Cuba durante todo el santo viaje y, últimamente, por algún concurrente recurso mnemotécnico, todos insisten en preguntarme por la Campaña de Alfabetización. La de 1961, sí. El exilio es una máquina del tiempo.

No es por nada, pero de verdad que se ponen de pinga los norteamericanos estos. Ridículos y racistas como ratas, con sus caritas capitalocompungidas de yo-no-fui, y sobre todo con manitas de yo-voté-por-el-bendito-varón-Bernie-Sanders. Imagínense si fuera al revés. Cuán sardónica no sería la reacción de estos nacidos aquí si alguien como yo, «recién» llegado a los Estados Unidos, les preguntara con esperanza cómo sería estar aún bajo la presidencia de Eisenhower. Como estamos los cubanos.

En fin, el Mall.

En esa media hora de viaje entre Saint Louis y Pacific, logré concentrarme en las cositas cubanas porque, como ya se me va haciendo costumbre, de entrada, le dije al chofer que yo era de República Dominicana. Eso nunca me falla. Un dominicano, en comparación con un cubano, vale menos que un quilo haitiano partido por la mitad. Trujillo es grande, tigre.

Así que yo pensaba y pensaba, dentro de aquel Uber con calefacción, en la objetualia de mi vida tirada por la borda en Cuba, como tiradas por la borda fueron también las vidas de mi generación y de unas cuantas generaciones más. Cositas cubanas, carajo. ¿Y qué son esas cositas cubanas, carajo?, preguntas mientras clavas en mi despotismo tu despotismo azul, rojo y blanco. Las cositas soy yo y las cositas son tú. Me explico enseguida. O, tal vez, no tanto.

Papelitos de Artes Plásticas y Educación Laboral, en nuestras escuelas primarias y secundarias. Evaluaciones y expedientes que nuestras maestras leían con devoción, evaluaban con objetividad ejemplar, y después archivaban como si de una bendición o un anatema a perpetuidad se tratase. Letras, caligrafías, tachados, borrones. Bolígrafos sofisticados como naves espaciales, importados del campo socialista europeo, y que duraban durante todo el año escolar. En aquel entonces todo era lo que parecía. Todo iba a durar hasta el fin de los tiempos. Y, como la Revolución misma era el tiempo, y la Revolución no tenía y no podía tener fin en el tiempo, entonces todo iba a durar una eternidad.

Por eso, los que hemos vivido en un mundo de semejante estabilidad no podemos pertenecer al mundo contemporáneo. Nos quedamos fuera de la realidad. Los cubanos vivimos en un estado de narrativa nativa. Y de ahí ni la muerte nos saca. Y ahí ni la vida nos entra.

Las cositas cubanas eran, también, los incontables documentos de identificación y racionamiento con que contábamos entonces. La memoria hecha crucecitas y palitos. Las libretas cuadriculadas, en particular: ese milagro de las imprentas locales. Los diseños de las cajitas de fósforos, con sus quitrines y consejos cívicos. Los tres tristes juguetes regulados por resolución estatal. Los soldaditos de plomo, hechos a veces de plástico. Las inmarcesibles brujitas inmortales, que crecían en los jardines, sobreviviendo a fuerza de sus pétalos blancos bajo el ciclo criminal de las estaciones (cuando Cuba era un país con estaciones). Una palabra dicha en el irrepetible tono de un regaño o pronunciada con aquel amor que confundía a nuestros cuerpos con el cuerpo de nuestros padres, objetos sagrados. El sacapuntas mecánico, prodigio del movimiento de racionalizadores e innovadores cubanos. La polea de la máquina de coser Singer, maravilla antediluviana que era culpable de haber existido en una Cuba sin Castro y sin Revolución. También, algunas bolitas de los cincuenta, descolgables por el cuello a un árbol de Navidad que nunca llegó a exhibirse en la sala, por puro pudor o pánico político. El olor saludable del hollín de la chimenea y las bostas de las vacas que iban defecándose por las calles, antes de su entrada triunfal al matadero de Lawton: cuartel Moncada del contrabando. Vivíamos de la muerte a mansalva y no lo sabíamos, niños alucinados por el cualquiercosario cubano. Palomares y casitas de perro. Peceras con pececitos y pajareras con pajaritos. Hasta ratoneras con quesito y muelles mortíferos para los ratoncitos. Un cosmos resuelto.

Reparen en lo demoniaco, pero también doméstico, de toda esta ristra de diminutivos. No por gusto se trata de «cositas» y no de cosas, compañeritos y compañeritas.

Así se me fue la media hora montado en el taxi Uber. De mi prisión rentada en el Central West End de Saint Louis hasta el Correccional del Este de Missouri. Las cositas del prisionero federal Orlando Luis Pardo Lazo, ciudadano estadounidense por naturalización, cuyo origen cubano solo puede demostrarse a costa de cositas y más cositas.

46.

Esto que voy a decir es privado, muy privado. Otra historia de chilenos al volante de un taxi Uber en Miami. Tengo muchas anécdotas. Para hacer dulce, para hacer zafra. Para hacer charquicán. Con los chilenos de Estados Unidos habría que hacer causa común.

Alguna que otra de estas historias post-dictadura ya las he ido revelando antes. Este no es el volumen 1 de *Uber Cuba*, sino *El Libro de la Verdad*, donde no caben comemierdurías de clase. Algunas que otras historias las iré revelando poco a poco. Todo a su tiempo, como dijo el *Eclesiastés*. Las naves hay que saber cómo y cuándo irlas quemando, y en dónde y ante quién, según convenga o no convenga en cada contexto.

Esto que voy a decir ocurrió tal como lo voy a decir. Es una escena simple, como las de la vida misma. Aquí no hay truco. Y no me responsabilizo de ninguna manera, y por ningún medio, por las presuntas implicaciones políticas o legales de lo que me pasó.

El chileno estaba loco. Se le veía a la legua. Y mucho más a solo medio metro de mí, dentro del propio taxi.

Era un Chevy Opala de mil novecientos setenta y algo, como los que usaba la DINA y luego la CNI para desaparecer a los chilenos entrenados en Cuba.

El tipo me soltó, tan pronto como supo que yo era cubano de La Habana:

—¿Tú también te crees la mierda esa de que los asesinos de Jaime Guzmán están en Cuba?

Yo no tenía ni puta idea de qué me hablaba. Luego lo supe en Wikipedia, que es la causa y consecuencia de todas las cosas.

Jaime Guzmán había sido un senador católico chileno. Un gay decente de closet que fue asesinado cobardemente en 1991 por, en efecto, agentes entrenados por el gobierno cubano. Al parecer porque, con Jaime Guzmán vivo en el Congreso de la nación, ningún partido socialista o comunista podría ser nunca legal, incluso después de la transición a la democracia chilena.

—A Jaime Guzmán lo mandó a matar Pinochet, po.

Esta frase la recuerdo literalmente. Pronunciado en chileno miamense de post-exiliado.

—A Jaime Guzmán lo mandó a matar Pinochet, po.

Bien, ¿y a mí qué? A estas alturas de la nada-historia del *Homo cubanensis*, un muerto más o un muerto menos no nos iba a librar del totalitarismo siglo XXI de los Castros en la Isla de la Libertad.

—Lo mandó a matar por culpa de la Constitución de 1980, que el propio Pinocho tanto y tanto le aplaudió a Jaime Guzmán, que fue su único autor.

Perfecto, pensé por pensar. Bien matado el mariconzón. Total, en Cuba se contaban por miles las víctimas homosexuales y nadie en ninguna parte se escandalizaba. En particular, a ningún homosexual cubano hoy por hoy semejante *homo*causto le importa un carajo.

—A Pinochet nunca le gustó la cláusula del plebiscito, pero el Jaime se le resistió desde el propio 1980. El senador le porfiaba al Tata que solo por ese acápite de la Constitución, Chile era la democracia más desarrollada de Latinoamérica.

Ajá.

—Cuando llegó la hora de hacer un plebiscito de verdad, Jaime Guzmán todavía le aseguraba a Pinochet que el General lo iba a ganar. Por amplio margen. Y, de hecho, casi casi lo ganó. En 1988 votaron más chilenos por Pinochet que en 1970 por Salvador Allende. Casi casi, pero no lo ganó. Por estrecho margen.

Ajá.

—Entonces la contrainteligencia de Pinochet activó a sus infiltrados entre los terroristas de izquierda que quedaban. Y lo mandó a matar. Y lo mataron.

Ajá.

—Esa sí que fue una Ley de Punto Final.

Bueno, ¿y a mí qué?

Después he pensado en las consecuencias lógicas de esta teoría conspiranoica. Creo que hay una gran novela latinoamericana ahí, pidiendo a gritos ser escrita. Pero ya están muertos Ricardo Piglia y Roberto Bolaño. Así que no me miren a mí.

47.

La taxista tendría dieciocho o diecinueve años. No creo que llegase a la mayoría de edad, cuando las vírgenes norteamericanas pueden por fin entrar a un bar de la Unión y pedir un buchito caro de alcohol.

La taxista tenía tatuajes, varios de ellos muy mutilados. La taxista se cortaba ella misma los brazos, no a lo largo de las venas sino en transversal a la adolescente circulación de su sangre, desde las muñecas hasta la altura del codo.

La taxista me lo mostró:

—Mira —me dijo—, mira.

Y el Uber-usuario Orlando Luis Pardo Lazo miró, miró. Un picotillo. Un laberinto de cicatrices.

—Todo esto me lo he hecho en el último año —dijo, como si de un trofeo se tratara—. Ya casi no me queda espacio para cortarme, ni tatuaje que tasajearme.

Pobrecita, fui a pensar yo. Perdida entre estos bosques. Y nada puedo hacer para ayudarla.

Pobrecito yo, pensé en realidad. Perdido entre estos bosques. Y nada puede hacer nadie para ayudarme.

Ayudarnos, a la taxista del Uber y a mí. Dos extraños bajo una única extranjera noche universal, mortaja de milagros que nos une a mutilados y automutilados, como una mala madrastra une a dos buenos hermanastros.

La taxista era cubana, como yo. Alguna vez ella había sido cubana, como yo. Pero ya no más.

A ninguno de los dos nos quedaba ahora espacio para seguir cortándonos. Éramos un par de mutilados no de ese órgano llamado piel, sino de su función. No teníamos barrera de contención contra las sustancias tóxicas de la realidad, que emanaban, vaciadas no tanto de totalitarismo como de ternura, desde todos los puntos del espacio.

Quise regalarle flores. Una pucha fósil de flores. Flores, a falta de un futuro para mi niñamor anónima.

Nada, mariconerías mías, tras la decadencia de décadas y décadas de demasiadas victorias. Quise prometerle que, después de este primer encuentro entre compatriotas, nada más en su vida sería un revés. Ni siquiera le saldría al revés.

Quise, quise, quise.

Quizá, quizá, quizá.

48.

El negro me miró a los ojos. Abrió su boca de casi setenta resingados años. Una boca que era un puro cuatro-colmillos. Como un tigre sin dientes ni molares. Como un gato arrabalero que se había escapado de Cuba por la sacrosantísima bahía del Mariel: venerable vagina que abortó de un solo pujo a 150 mil cubanos, 20 mil de los cuales se convirtieron en exquisitos cadáveres (carne carcomida por los escualos).

El negro comía melocotón y tenía los ojos azules. ¿En dónde repinga encontrar sentido? El taxi Uber era un ojo con alas, con música de violín mariachi a la medianoche. Estábamos en La Crosse, Wisconsin, y matábamos el tiempo dando vueltas por la madrugada de la ciudad. Mientras el negro me contaba su historia de escoria, yo soñaba con conejos muertos que humeaban en la nieve norteamericana su gotica gótica de sangre.

Íbamos camino al río Mississippi y después al lago Michigan, ambos cubiertos por el hielo sucio de un cojonal de cometas caídos sobre La Tierra, milenios antes de la Revolución cubana. Solo al amanecer, entonces, partiríamos hacia el aeropuerto, para yo regresar de nuevo a Saint Louis, Missouri, al campito de concentración de mi universidad: retórica reiterativa, retorcida como un alambre de púas metido por el culo de un marielito sobreviviente.

El negro escupió ventanilla afuera los ripios del melocotón y sus ojos recobraron el color hepático. Era obvio que aquel negro era un negro cubano. Era obvio que ya era muy tarde para seguir siendo un negro cubano y que él se estaba muriendo, sin contar con otro cubano de ningún color a quién confesárselo.

Decidí ser su confesor. Decidí consolarlo en el nombre compasivo y misericordioso de la Revolución. El castrismo es grande.

—Negro —le dije—, cuéntame lo que te pasa.

La noche era hermosa como una papaya abierta de parte a parte, partida por la suculenta mitad. La leche de dios vertida a medio camino de la labia láctea de mi compatriota sin patria.

—No te calles nada, por tu madre —le dije—, cuéntanos lo que nos pasa.

El negro me miró a los ojos. Cerró su boca de casi setenta resingados años. Su condición de colmillos cuaternarios de pronto desapareció. Ahora ya no parecía tan viejo aquel viejo marielito que me había roto el corazón con que sobrevivo.

Cubanos aparecidos, cubanos sobremurientes que a nadie debíamos nuestra sobremuerte. Esa misma tarde me había llegado un mensajito por WhatsApp desde La Habana. «Roberto Fernández Retamar ha muerto esta tarde, preguntando patéticamente por su padre: ¿y Fernández?».

—Yo soy de la escoria —me dijo, como si dijera «yo soy el hijo pródigo que nunca retornará al coño de su madre»—. Nosotros no tenemos derecho a contar nada. Cualquiera se come un ñame.

Y entonces, a la vista de una luna a menos veinte grados Fahrenheit del Estado Tejón, me dijo:

—Prométeme que tú no vas a contar nada de mí. Prométeme que no vas a hablar de nosotros como se ponen a hablar ustedes, los blancos.

Le di mi palabra. Promesa de cubano sin corazón.

Hay razas que viven de la retórica, como nosotros. Y razas que solo en el silencio se salvan, como ellos.

49.

La rusita estaba riquita. Mucho. Una sardinita del periodo especial post-soviético.

Era flaca, como una espina de pescado. Muy blancuzca, la rusa. Más que blanca, muy transparentuza la rusa.

Y manejaba un taxi Uber transiberiano, entre la universidad de La Crosse y la de Madison (ese sóviet estudiantil solamente superado por Berkeley), a donde yo quería ir a escuchar una conferencia del cubano Norge Espinosa: poeta y dramaturgo villaclareño, además de mi colega editor de la revista *Extramuros* en Centro Habana. En mi opinión, un muchacho alegre y lleno de amor por la literatura nacional, y también alegremente repleto de sorna y cinismo, con la plusvalía de la consabida voracidad sexual del *Homo cubanensis*.

Norge iba a disertar de un tema que ya a nadie le interesa hoy en Cuba, ni tampoco en la URSS, pero que aún funciona de maravillas en las universidades de Estados Unidos, sobre todo en referencia a nuestros pequeños países de pacotilla, como es el caso de Cuba: «*Queering the Cuban Screen, Other Faces and Desires on the Cuban Cinema*».

Yo solo quería darle un abrazo a mi compatriota, muy al estilo del final epifánico del filme *Fresa y chocolate*. Yo solo quería querer a mi contemporáneo de 1970 o 1971, al que tanto quise en secreto durante los años cero o 2000, en aquella editorial estatal. Norge y yo, rodeados de mujerongas almorzando y dando de mamar a sus bebés y, de paso, a sus marindangos. Yo y Norge, rehenes en aquella redacción arrasada del Centro Provincial del Libro y la Literatura de Ciudad de La Habana (CPLLCH.cult.cu).

Pero la rusita estaba demasiado riquita. Pero sus pelos eran agujas verdes fosforescentes de pino, con tinte tecno-ecológico de élite. Pero sus cachetes eran rosados como los infantes de las compotas comunistas que traían a un osito en la etiqueta, tambuches de vidrio importados a la Isla del Caribe durante al menos dos décadas de abundancia totalitaria.

La rusita lucía como una adolescente de treinta y tantos. No había envejecido en absoluto. Y le encantó que yo fuera cubano. Karma intercontinental o fatalidad del programa Interkosmos: su madre se había acostado con un militarote cubano a finales de 1986 o inicios de 1987, en una dacha komsomolskayapravda de las afueras de Moscú. De aquella cópula vodkánica supuse que había nacido ella («Iskra», decía en mi aplicación de Uber), el lunes 28 de septiembre de 1987: aniversario XXVII de los CDR, pensé.

Entonces decidimos no ir desde La Crosse hasta Madison. Norge Espinosa, como el cielo, bien podría esperar hasta su próxima visa de visitante, cuando Donald Trump deje de ser presidente en el 2024 o, más curioso aún, cuando pierda el cargo gracias a las apostasías del correo postal.

Mi rusita y yo parqueamos en un Holiday Inn al borde de la carretera. Entramos a la habitación que insistió en pagar ella y singamos entonces en un solemne, casi solitario silencio. Con delicadeza alucinante, acuciante, de rara avis. Dos pájaros migratorios que han chocado en el aire, por equivocación exótica de la torre de control biológica. Dos grullas esteparias, por ejemplo, si es que todavía quedan al menos dos grullas en las estepas de la tundra o la taigá.

Se vino. Me vine. Nos quedamos tendidos sobre el colchón. Respirábamos. Esa fue nuestra única banda sonora bicultural. Cero televisión, cero comentarios. Bastaba con nuestra mutua respiración.

El universo es el tiempo perfecto para estar vivos. El universo es el sitio perfecto para morir. Hay un tiempo y un espacio para todo: a la vuelta de 21 siglos de inhumar en cada cópula al resto de la humanidad, las aleyas sin Alá del *Eclesiastés* siguen siendo exquisitamente exactas.

Cuando por fin habló, la rusita me habló del cubano que se había acostado con su madre. Un militarote que estaba de misión secreta en la URSS. Resultó que, en realidad (por suerte, pensé), el cubiche comuñanga no había sido su padre. Su mamá era muy loca, muy a favor del amor libre, y estaba enamorada de otro muchacho ruso. Y se follaba a su rusito también. Que, por cierto, era un genio, me dijo mi rusita: un Bach de la Nueva Trova, a mitad de camino entre la glasnost y la perestroika (su nombre era, por supuesto, Alejandro, y su apellido tenía que ser Bachlachev).

—Alexander Bachlachev —dijo, hundiendo su cabeza micro entre mi pecho y la axila izquierda, esa suerte de válvula de escape que sirve de desodorante contra las penas más apestosas del corazón.

Y entonces mi rusita rompió a llorar.

—Yo creo que el cubano lo denunció, a mi verdadero padre —sollozó—. Yo creo que el muy cabrón mulato (*mother-fucker mulatto*, dijo) lo mandó a asesinar, a Alexander Bachlachev, el mismo año en que yo nací. Para que nunca me conociera. Para que yo nunca lo conociera.

Y entonces mi rusita se quedó dormida.

Ninguna gana de mear en el mundo me hubiera hecho despertarla. Aunque me reventara la vejiga o la próstata. Ninguna gana de salir a matar cubanos de una punta a otra del planeta era comparable con mi deseo de que ella nunca despertase, de vuelta a esta pesadilla donde aún existíamos los cubanos criminales, de una punta a otra del puto planeta.

Después, he buscado la música de su padre mandado a matar por la KGB, gracias a una denuncia del G-2. Se las recomiendo. Búsquenlo. Y piensen en mí. De algún modo, al hacer el amor con su hijita, yo le he hecho el amor a algunos átomos exiliados del trovador tierno y tosco que fue Alexander Bachlachev.

Сядем рядом.
Сядем ближе.
Где Куба, где грусть.
Нас забудут, да не скоро.
А когда забудут, я опять вернусь.

50.

«Los Estados Unidos llevan demasiado tiempo sin padecer una guerra civil. Tal vez se esté acercando la hora de desatar otra. Las condiciones objetivas, como decían los maestros de marxismo en Cuba, ya están dadas. Ahí están las redes sociales para demostrarlo. Vecinos contra vecinos, hermanos contra hermanos. División radical, no solo de clase social (esa invención de un judío antisemita europeo), sino de género y contragénero, de raza y contrarraza, de dios y contradios, de nacionalidad y contranacionalidad. Solo falta el chispazo, solo falta que alguien tenga los cojones de azuzar el azar».

Todo lo anterior dicho por un marielito al volante de su taxi Uber, objeto rodante sí identificado que nos transportaba por las avenidas monótonamente musulmanizadas de Queens. New York o'Akbar.

En el asiento de atrás del marielito, íbamos dos tocayos sin Cuba: Rolando y Orlando. Él, inmigrante invisible de cuando los actos de repudio del Mariel, hace ya cuatro décadas. Yo, recién llegado en avión con visa de visitante obámico apenas un quinquenio atrás.

No lo sabíamos todavía, pero ese sería nuestro último viaje juntos en la vida. El Uber de la despedida. *Last Taxi in Queens.*

El Uber-marielito hablaba y hablaba del gran apocalipsis norteamericano. Mientras dos cubanos al borde del vacío compartíamos nuestro mutuo disangelio interior. El Llorar de los Llorares. El fracaso de todo diálogo, el cansancio de tanta cercanía sin tierra, el envilecimiento típico que trae la tristeza cuando la tristeza no termina. En fin, la distopía de la amistad en los tiempos de Donald Trump.

La fealdad urbana, que a Rolando y a mí se nos metía por los ojos a través de la ventanilla, no dejaba lugar a dudas: era la pura verdad que los Estados Unidos llevaban demasiado tiempo sin padecer una guerra civil; era la pura verdad que tal vez se estaba acercando la hora de desatar otra; era la pura verdad que las condiciones objetivas, como decían los maestros de marxismo en Cuba, ya estaban dadas; era la pura verdad que ahí estaban las redes sociales para demostrarlo: vecinos contra vecinos, hermanos contra hermanos, división radical no solo de clase social (esa invención de un judío antisemita europeo), sino de género y contragénero, de raza y contrarraza, de dios y contradios, de nacionalidad y contranacionalidad; era la pura verdad que ya solo faltaba el chispazo, ya solo faltaba que alguien tuviese los cojones de azuzar el azar.

Nos bajamos de aquel carricoche de la derrota, Rolando y Orlando. Nos despedimos del apocalíptico marielito al timón de su taxi Uber, pero nunca nos despedimos entre nosotros. Tampoco nos hacía falta. Sobrevivir fuera de Cuba es habernos dicho adiós los unos a los otros, incluso mucho antes de conocernos.

Hay que ser muy, pero muy comemierdas, más allá de la comemierdad implícita de ser cubanos, para no darse cuenta de esta pura verdad. La guerra se perdió antes de guerrearla. Adiós, Rolando Pulido, mi hermanitoamor.

Adiós, Orlando Luis Pardo Lazo, tu hermanitodio que te va extrañar por los Ubers de los Ubers hasta el fin de la Uberidad.

51.

—Aquí lo tengo todo, *brother* —me dijo—. Pero no tengo ni pinga.

En efecto, aquí lo tenemos todo, cubanos. Pero no tenemos ni pinga.

En la Isla de la Libertad, el chofer de mi taxi Uber había sido uno de los más importantes ensayistas y críticos de la literatura cubana. Prácticamente el redescubridor de Virgilio Piñera, durante el periodo horrendo de su ostracismo. El tipo también había sido uno de los primeros en acordarse de Calvert Casey, antes de que Jamila Medina, su viuda metafísica, resucitara en los años dos mil al bilingüismo de su tartamudo cadáver.

Aquel chofer de Uber había sido un lector de lujo en Cuba: un ogro provocador y sagaz. No se le escapaba un detalle, ni una conexión de forma o temática, ni el más mínimo cortocircuito radical. Atento, artero. El tipo estaba llamado a ser uno de los pilares para deconstruir hasta los tuétanos nuestra cultura oficial y, tras descalabrar la cultura oficial, descojonar entonces el resto del castrismo. Los restos del castrismo.

Pero no. Pero ni carajo. Ahora el gurú gramático era un chofer de taxis Uber *part-time*. De *part*-timbales el caso. Y, para colmo de humillación nacional, daba clases de las asignaturas Español 1 y 2 a los norteamericanitos de nivel preuniversitario. El genio de la lámpara maravillosa ya no era nadie. Los genios que nos escapamos de la lámpara maravillosa ya no somos nadie.

—Pero no me arrepiento, *brother* —me dijo—. Mejor no tener ni pinga, antes que seguir fingiendo ser parte del pueblo. Si me hubiera quedado en Cuba, hace rato que me hubiera tirado del último piso del Habana Libre. Un aristócrata no tolera la grosería de la justicia social.

Con la salvadora salvedad, pensé, de que el último piso del Habana Libre te hubiera sido inaccesible, pues está reservado en exclusiva para los agentes secretos del Ministerio del Interior. Es decir, para los *serial-killers* del socialismo insular que se creyeron el cuento de la buena pipa, fumada por el papá Comandante en Jefe y la mamá Revolución radical.

—Buen título para una novela, ¿no? —traté de animarlo o, tal vez, animarme—: *Mejor no tener ni pinga*.

El crítico y ensayista de élite titubeó. No podía evitarlo del todo. Todavía pensaba en grande. Pensaba por escrito, como si algún día fuera a publicar algo con ese título, tan pronto como yo me bajara de su Subaru con matrícula expatriada de Nueva York («el metro de Manhattan me complace más que el mar», recordé).

—Las novelas están sobrevaloradas, *brother* —me dijo—. No vale la pena intentarlo, a menos que todavía vivas en Mantilla y sigas siendo parte del pueblo, como Padura.

—Escribe entonces una autobiografía, coño —le dije—. *Mejor no tener ni pinga* podría ser tu *Diario de un Piglia cubano*, narrado por un Renzi a ratos contra y a ratos revolucionario.

El crítico y ensayista de élite chasqueó, no sé si los dedos o los labios. O ambos.

—Tranquilo, me iré a dormir con los pequeños —me dijo—. Ya solo me interesa pensar en enano.

52.

La muchacha se llamaba Maggie, pero me dijo que la llamara GG (que en inglés se pronuncia *yiyí*).

A sus clientes les decía tener 21 años, para así poder meterse a beber legalmente en un bar. Hasta emborracharse como una adicta al alcohol. Pero en realidad, me dijo GG, acababa de cumplir sus 18. De manera que GG apenas recién podía registrarse para ir a pelear en la guerra contra los esquimales, por ejemplo, no sin antes votar, según la 26ª Enmienda, en una elección presidencial.

Estaba embarazada, preñada por el pene no paternal de nadie. Hijos anónimos de Norteamérica. Mi chofercita se había acostado con media ciudad de Philly en los últimos dos o tres años, me dijo. Sin condón, a lechazo limpio. Y ya había perdido la cuenta de con quién y cuándo. Es decir, su vaginita imberbe era, hoy por hoy, extremadamente experta en violar la ley federal al respecto de la eyaculación masculina dentro de las menores de edad.

Era preciosa Maggie, una muñequita salida de un film de zombis y virus necroambulatorios, con Arnold el Exterminador incluido como plusvalía. Pero GG, infectada de semen pensilvánico y todo, desbordaba belleza y bondad, no violencia. Tenía una suerte de ímpetu vital y cierta manera memorable de mirar de frente cada objeto, de escudriñar a cada persona que se cruzara ante sus ojazos de negro azabache, o de negro asfalto de la Interestatal: un negro gueto del norte revuelto y brutal, una Materia Negra Vital de estilo Mercedes Benz Clase A.

GG tenía, también, una curiosidad casi cósmica por pronunciar y paladear cada palabra compartida durante nuestra conversación. Era muy atenta. Y era aún más tentadora su tanta atención.

Se le notaba su barrigón de virgen suicida detrás del timón del Uber. Usaba una batica de flores que se le subía hasta la entrepierna misma, con cada curva y cada frenazo del taxi. Daban ganas de ser padre con carácter retroactivo de aquella criaturita. De aquellas dos criaturitas: GG y la incubada dentro de GG.

Me dijo que había hecho drogas duras, drogas letales, drogas fulminantes de la transición entre el santísimo Obamato y el demoniaco Trumpismo. Pero que nada funcionó en su caso. No murió, como tanto lo deseó entonces, entre cuerpo y cuerpo, sobre cama y cama, de un cuarto a otro cuarto del estado de Pennesylvania.

Maggie seguía loca, me confesó sin rubor, porque GG seguía sola. Pero ya no quería seguir matándose, porque de pronto tenía mucha fe en cambiar de vida, para darle una vida más limpia al bebé aún no nacido que la acompañaba.

Cuando supo que yo era de Cuba, lo primero que me preguntó fue si sería fácil, para alguien como ella, mudarse allá. Odiaba a los Estados Unidos. Odiaba a los estadounidenses. Supongo que con 13 líneas y 50 estrellas de suficiente sinrazón.

Yo también estaba a punto de odiar a Norteamérica. Yo también estaba a punto de odiar a los norteamericanos. Pero cada vez que decidía exiliarme a cualquier otra parte, con tal de no cometer un atentado, entonces aparecía alguna Maggie o alguna GG que me obligaban a enamorarme de nuevo de América toda y de todos los americanos.

No le respondí con ninguna ironía. No le hice uno de mis chistecitos crueles de redes sociales o Diario de Uber Cuba. Tampoco le mencioné la tiranía atroz llamada Revolución. Ni le hablé de todo un pueblo en desbandada, cuyas mejores mentes se mudaban de Cuba, no tanto para escapar de los Castros, sino para estar lo más lejos posible del pueblo cubano.

Maggie no merecía que un comemierda de mierda, como yo, le enmierdara su última esperanza de salvación, de resurrección, en la Isla de la Libertad. GG se merecía el sueño humanista de la Revolución, acaso como terapia y *rehab.*

—Oh, sí, es muy fácil mudarte a Cuba —le dije—. Y cuando tu bebé nazca y crezca un poquito, será todavía más fácil que se muden los dos. Toma mi móvil si quieres, yo te puedo ayudar con algunos contactos. Los cubanos amamos a los norteamericanos que van a Cuba, a pesar de la propaganda oficial. Nadie te va a preguntar nada sobre tu pasado. Nadie te va a acusar ni juzgar por nada que hayas hecho o que te haya pasado. Cuba es un paraíso en presente permanente, GG: allí tal vez te espera la infancia que tu país nunca te dio.

Los ojitos de Maggie eran diamantes hechos de una luz sin límites. Las lágrimas temblaban en sus pupilas, con cada frenazo y cada curva de su Mercedes Benz Clase A, un bólido hecho de ilusión en plena Interestatal.

Pobrecita millonaria, pensé. Pobrecita generación de hijos de blancos de la clase alta. Pobrecito yo, en medio del derroche y la depresión, que hacen de la dictadura cubana un paraíso a medio camino entre el amor y lo miserable, entre lo atroz y la misericordia.

—Cuba es ese lugar puro que nadie ha podido corromper dentro de ti —le dije antes de bajarme, y coloqué un suave beso entre *piercing* y *piercing* de sus labios—. Aférrate con dientes y uñas a tu propia Cuba, GG. Y, por favor, no dejes que ningún cubano te la desbarate.

Al besarla, Maggie ya olía, si bien recónditamente, a ron de caña de azúcar. Mis palabras, con suerte, le habían endulzado las entrañas. Su hálito estaba ahora ávido de otra patria, otro siglo, otros hombres.

53.

Hoy, jueves 14 de marzo de 2019, a las 10 y 10 de la mañana en Missouri, cojo un taxi Uber y me dirijo, como si fuera lo más natural del mundo, a hacer mi entrevista para la ciudadanía.

La Ciudadanía con mayúsculas, se sobreentiende. No hay que especificar mucho más: es la única Ciudadanía que existe como tal en el mundo.

Tengo sentimientos muy encontrados al respecto. Estoy hecho un viejo. Euforia, depresión. Patria es bipolaridad. Soy el último de los mohicubanos.

Le pido al chofer que, por favor, quite la música y las noticias de la radio. Es demasiado joven. Igual le prometo no 5, sino 50 estrellitas en el App de Uber si me permite viajar en silencio, ese privilegio que en los Estados Unidos cae en la categoría de los milagros. Porque aquí todos hablan de todo con todos, todo el tiempo. Así matan el tiempo, que es dinero. Así se mantienen mínimamente cuerdos, en medio de la esquizofrenia del capital.

Creo en mi corazón que es un disparate darle la ciudadanía norteamericana, así como así, a quienes, como yo, alguna vez fuimos cubanos. Toda vez sujetos totalitarios, siempre seremos sujetos propensos al totalitarismo. No nos merecemos la gracia de la libertad sin haberla ni siquiera luchado. Total, no sabremos ni aprovecharla.

Trauma, tristeza. Exilio es indeterminación: una cubanía cuántica. Los cubanos deberíamos, como las ballenas antes de morir encalladas, devolver masivamente nuestros pasaportes norteamericanos.

¿Cuál es la ley suprema de la nación? ¿Cuál es el sistema económico de los Estados Unidos? ¿En qué consiste el estado de derecho? ¿Qué es lo que evita que una rama del gobierno se vuelva demasiado poderosa? ¿Cuáles derechos pueden ejercer todas las personas que viven en los Estados Unidos?

Dan ganas de gritar. De tirar piñazos y patadas. De coger por el cuello al americanito *snowflake* que manejaba lampiñamente su taxi.

Mierda de examen de naturalización, para el que he estudiado como el analfabeto cívico que soy. Es decir, que somos. Ninguna de esas cien preguntas pudimos preguntarlas ni contestarlas jamás en Cuba. Ahora es que me doy cuenta de lo que tenía que darme cuenta desde mi infancia imbécil y feliz: la Cuba de los Castros, con Castros o sin Castros, nunca fue ni será un país.

¿Cuáles promesas usted hace cuando se convierte en ciudadano de los Estados Unidos? ¿Mediante cuáles maneras los ciudadanos americanos pueden participar en su democracia? ¿Cuál es una razón por la que los colonos vinieron a América? ¿Qué grupo de personas fue traído a los Estados Unidos como esclavos?

La respuesta es obvia. Nosotros, los patriotas apátridas: paisanos sin paisaje, parias del paraíso. Ni un solo africano fue esclavo, en comparación con las carabelas cargadas de cubanos.

Mencione una guerra en la que pelearon los Estados Unidos durante los años 1800. La Guerra Hispano-Americana, por supuesto. La guerra que los Estados Unidos deberían de pelear otra vez en el siglo XXI, anagrama de XIX, ahora ya no para liberar a Cuba, sino para reconquistarla de una vez al carajo.

Durante la Guerra Fría, ¿cuál era la principal preocupación de los Estados Unidos? La misma que debería ser ahora la preocupación principal de los Estados Unidos: el comunismo.

Mencione una tribu de indios americanos en los Estados Unidos. La madre del que mencione ahora al pueblo Cheroquí, Navajo, Sioux, Apache, Iroquois, Seminola, o incluso Inuit. Los indios aquí somos otra vez nosotros: los cubanos con plumas de papagayos en el coco, que ni hablamos ni dejamos hablar.

Y, para rematar: ¿Dónde pinga está la Estatua de la Libertad?

En Liberty Island, compañeros y compañeras, en la Isla de la Libertad. Allí la tenemos clavada en el alma, ese armatroste, esa invención invisible pero invencible: mármol de la desmemoria, mojón metafísico, grosería geográfica, patética poesía de una patria sin patricios. Cuba como la pura plebeyidad.

—La Estatua de la Libertad —me gustaría decirle a mi joven Uber-taxista en español de Degrassi Junior High School— se empina en la bahía bárbara de La Habana. Contra ese paredón, nos desaparecieron a los desaparecidos cubanos. Con la tea incendiaria de su antorcha atroz, nos dieron contracandela por el culo comunitario de todos y para el mal de todos.

Nunca mejor dicha la palabreja de esta prueba federal que ningún cubano debería nunca de aprobar. En efecto, si nos «naturalizamos» en los Estados Unidos, es porque somos, precisamente, un pueblo descojonadamente antinatural. Desnaturalizado.

54.

El taxista del Uber era un políglota de UPenn. Y, como buen asalariado estatal, quería demostrármelo a toda costa. Y no se le ocurrió otra cosa que decirme «Long Live the Cuban Revolution» en cuantos idiomas decía saber o a esa hora le dio por inventar.

—Viva a revolução cubana.
—Longue vie à la révolution cubaine.
—Es lebe die kubanische Revolution.
—Lunga vita alla rivoluzione cubana.
—Visca la revolució cubana.
—Lank leef die Kubaanse rewolusie.
—Long lifa á Kúbu byltingu.
—Jetojeni revolucionin kuban.
—Luze bizi Kubako iraultza.
—Živela kubanska revolucija.
—Dlouho žije kubánská revoluce.
—Trăiască revoluția cubaneză.
—Nech žije kubánska revolúcia.
—Elagu Kuuba revolutsioon.

—Mabuhay ang rebolusyong Cuban.
—Niech żyje kubańska rewolucja.
—Maireann réabhlóid Chúba go fada.
—Eläköön Kuuban vallankumous.
—Ζήτωηκουβανικήεπανάσταση.
—Yaşasın Küba devrimi.
—Uzun yaşamaq Kuba inqilabı.
—Gidi igbesi aye Cuba.
—Ogologo oge Cuban na-ebi.
—Waqti dheer ku nool yihiin kacdoonka Cuban.
—Няхай жыве кубінскую рэвалюцыю.
—Lang leve de Cubaanse revolutie.
—Кубын хувьсгал урт удаан амьдрах.
—Långt lever den kubanska revolutionen.
—Да здравствует кубинская революция.
—Lang lev den cubanske revolusjonen.
—Да живее кубинската революция.
—Long urip revolusi Kuba.
—ҰзақөмірсүріпКубалықреволюция.
—Éljen a kubai forradalomban.
—E ola mau i ka hanana Cuban.
—Jgħixu ħajjin ir-rivoluzzjoni Kuban.
—Fa—aola umi le fete—ena—i Cuban.
—Yn byw'n hir chwyldro Ciwba.
—Kubalik inqilob uzoq yashaydi.
—Sống lâu cách mạng Cuba.
—Lila cicing revolusi Cuban.
—ಕ್ಯೂಬನ್ಕ್ರಾಂತಿಯದೀರ್ಘಕಾಲಬದುಕಬೇಕು.
—የኩባአብዮትረጅምዕድሜይኖራል.
—Կուբայիհեղափոխությունըերկարժամանակկտևի.
—লম্বাকিউবানবিপ্লববাস।.
—ક્યુબનક્રાંતિલાંબાસમયસુધીજીવેછે.
—យូររស់នៅបដិវត្តន៍គុយបា។.

—დიდხანსცხოვრობენკუბისრევოლუცია.

—क्यूबाकीक्रांतमिंलंबेसमयतकजीवतिरहें।

—ลองการปฏิวัติคิวบาสด

—கியூபாபுரட்சிநீண்டகாலமாகவாழ்கிறது.

—古巴革命万岁.

—쿠바혁명은오래살았습니다.

—キューバ革命を長生きさせる。

—.תינבוקההכפהמהיחת

—.ةيبوكلاةروثلاايحت

—.ابوکبالقنادابهدنز

Entonces el chofer-profesor de UPenn me preguntó que cómo se decía esa misma frase en «cubano». Ignoraba, por suerte, qué lengua languidecía en la Isla de la Libertad.

Como ustedes comprenderán (y, por favor, me perdonan la descortesía: ¿qué pensarán de mí en las universidades norteamericanas?), mi respuesta al Uber-políglota fue somera pero soberanamente impublicable.

55.

(Escrito en el móvil durante 45 minutos de tráfico en hora pico, en un SUV-Uber entre el barrio residencial de Central West End, en el distrito electoral número 1 de la ciudad de Saint Louis, donde eligieron a Cori Bush en contra de mi voluntad, y la prisión federal Missouri Eastern Correctional Center, en el pueblo de Pacific, Missouri).

El olor de mi barba está contigo. La transparencia color tiempo o color tarde de mis ojos está contigo. La tristeza que no supimos poner en palabras está contigo.

Los jardines de nuestro barrio, refugios antisociales que lucían mucho mejor cuidados que el resto de la nación. Las guaguas, que conectaban como por arte de magia tu portal con el mío. Las escalinatas y chimeneas, cuya función ancestral ignorábamos. Los puentes hecho tierra, suspendidos a punto ya de derrumbe, sobre ríos reumáticos hechos literalmente mierda: mojones maravillosos de una ciudad ocupada.

Todos tiernos, todos aterrados, todos tangibles. Testigos antediluvianos de una Habana que delicadamente desapareció.

Y entonces tu mirada, siempre a punto de lágrimas. Y entonces el sonido del vacío político, que se nos metía por entre la tela metálica de la ventana del patio, mientras hacíamos puntualmente el amor. A la sombra de nuestra eterna mata de mangas cubanas que, sin embargo, no sobrevivió. Y entonces los bigotes como manubrios de un bebé gato caído del cielo. Criatura en blanco y negro, como esta historia. Criatura huérfana en los tiempos sin tiempo de Fidel Castro, como tú y como yo.

No hay de qué preocuparse. Todo estará siempre contigo. Pase lo que pase, no te olvides de esas tres palabras que, tarde y todo lo que tú quieras, por fin te las dije yo: todo, siempre, contigo.

Allí no se nos quedó ni un solo objeto, ni una sola memoria atrás. En Cuba no dejamos abandonado a nada ni a nadie. De los cementerios, se sale desnudo o no se sale.

Así que a pesar de todo fuimos buenos, muy buenos. Atrevidos y transparentes como un rayo de sol. Solos en cuerpo y alma ante la dictadura cubana. Humanos, excepcionalmente humanos excepto, por supuesto, para con nosotros mismos. La maldición de ser un espejo es esa: no verse nunca a uno mismo.

Pero eso era inevitable. De manera que tampoco tiene sentido arrepentirse, ni mucho menos ponernos a pedir perdón. El tiempo se acabó, medio siglo antes de llegar al futuro. Lo supimos desde el inicio. Lo sabíamos incluso medio siglo antes del inicio.

No hay amor verdadero que no sea un desastre. Todo lo indetenible tiende tranquilamente hacia su devastación. No dejemos que el dolor nos deje tan indolentes, al punto de que no podamos ser felices de nuestra propia devastación.

Alcé mi móvil a los cielos segregados del Midwest norteamericano y marqué el número de la Embajada de la tiranía cubana, en la capital de los Estados Unidos.

202-797-8518.

Me dio timbre, como de costumbre. Pero esta vez todo sería diferente. También tú y yo.

56.

(Escrito en el móvil durante 45 minutos de tráfico en hora pico, en un SUV-Uber entre la prisión federal Missouri Eastern Correctional Center, en el pueblo de Pacific, Missouri, y el barrio residencial de Central West End, en el distrito electoral número 1 de la ciudad de Saint Louis, donde eligieron a Cori Bush en contra de mi voluntad).

Me respondió una cubana, por supuesto. Tenía voz de perra, como todo el personal de la embajada de mi país en Washington D.C. De hecho, como todo el personal cubano en todas las embajadas del universo. Literalmente te ladran, al menos desde el jueves primero de enero de 1959.

Perros con rabia. Las vísceras del odio a flor de piel. Mitad ignorantes y mitad asesinos en serie, a sueldo del Estado. Nada de ideología, nada de castrismo, nada de Revolución. Utopía ni utopía. Criaturas que lo único que se merecen por parte de los cubanos es una fulminante y fatal resolución.

Terror con terror se paga. TNT versus totalitarismo. Contracastrismo al cuadrado, C-4. Mucho mejor que la C-40, esa Constitución cubiche de 1940 que era más marxista que Marx. La dinamita es la antesala y la garantía mínima de la democracia. Por eso el Premio Nobel de la Paz lleva el nombre de quien la inventó.

Hablamos como peor pudimos. Hicimos nuestro mejor esfuerzo por parecer dos ciudadanos. Pero nos salió muy mal. Yo tenía ganas de cogerla por el cuello, a través del cordón umbilical del teléfono. Es decir, yo tenía ganas de pedirle perdón por todo, a ella y a sus superiores en La Habana. Antes de ponerme por fin a llorar.

Al final de nuestra bronca telefónica, la tipa me dijo:

—Orlando Luis, tú sabes muy bien que tu nombre tiene una prohibición de viajar.

Yo le dije, todo el tiempo tratándola quisquillosamente de usted:

—Señorita, no se moleste con esto que le voy a decir, pero yo me resingo en el corazón de la madre que la parió.

Que era como decirle:

—Yo me resingo en el corazón de la mutua madre que nos parió.

Y le colgué. Y me colgó. Y nos colgamos. Como dos hermanitos, como dos huerfanitos. Nunca más nos volveríamos a hablar en vida. Mejor así.

El triunfo de la Revolución es eso. Su legado. A pesar de las apariencias, nuestro odio no ha sido nunca en contra de Fidel Castro. Al contrario. Fidel Castro fue, en definitiva, una fuente infalible de amor.

En consecuencia, el odio ha debido dirigirse entonces de cubano a cubano. Puntual, pertinaz, personalizado. Entre vecinos que se cuelgan de un tirón el teléfono. O que nos colgamos mutuamente de una mata de guásima.

Obviamente, Orlando Luis Pardo Lazo ya no podría volver nunca más a Cuba. Por eso viajaba de taxi Uber en taxi Uber y por eso lo escribía reiterativamente, como catarsis. Por lo demás, la idea de coger una lancha y volver a Cuba de manera clandestina me parecía patética. Cuando vivía en la Isla, conocí varios casitos así. Y todos resultaron ser agentes dobles y duodécuplos de la Seguridad del Estado.

Los que intentaron volver de verdad a la Isla, nunca llegaron. Los ametrallaron los guardacostas en aguas cubanas. Cadáveres sin derecho ni a una fosa común. Carne carcomida de plomo antes de ser digerida por los escualos territoriales.

La idea de secuestrar un avión también me parecía humillante. Hilarante. Yo podía ser cualquier cosa, excepto un afronorteamericano de las Panteras Negras. Esos animales anacrónicos, armados de un manualito *fake* de Fanon y de un pistolón arrebatado a tiros a algún policía de carretera en Cuba, Missouri. O Cuba, Alabama. O Cuba, Illinois. O Cuba, Kansas. O Cuba, New Mexico. O Cuba, Wisconsin. O Cuba, Minnesota. O Cuba, New York.

Lo mejor sería olvidarlo todo de todas las Cubas. Amnesia sin anestesia. Olvidarte incluso también a ti. A ver si, aunque sea así, tú te olvidas por un minuto de leerme y desleerme a mí. Desleírme.

58.

Mujer y todo, tuve que meterle su buena gaznata. Lucía histérica y media. Sudaba frío. Pensé que le iba a dar un infarto dentro del taxi. Es mejor prevenir, sobre todo en estos casos de féminas tan desquiciadas.

No hacía ni una semana desde que yo manejaba mi Uber, tranquilo, tranquilito, tratando de ganarme algunos quilos por encima de mi escueto estipendio estudiantil, ¡y pum!, de pronto ya tenía mi primer conflicto serio con una norteamericana.

Están del carajo en este país. No solo la gente, sino el país mismo está del carajo en tanto país. Ni mil Donald Trump lo salvan. Hay que irse de nuevo. Hay que huir cuanto antes hacia otros Estados Unidos. Hacia unos Estados Unidos de repuesto.

La tipa empezó a decirme que le había cogido muy tarde, que era un mal día para ella, que odiaba su trabajo, que odiaba a su vecina, que odiaba a la raza blanca (ella era la más blanca de las blancas), que odiaba al presidente (por supuesto), y que me odiaba a mí por escucharla y escucharla mientras manejaba mi Uber, sin hacerle el menor caso a su discurso, como si ella fuera una loca de mierda. Como si yo la estuviera *objetificando* o, peor, *comodificando* (y perdónenme los anglicismos, por favor).

En efecto, yo la escuchaba y la escuchaba mientras manejaba mi Uber, sin hacerle el menor caso a su discurso. Y ella, efectivamente, era una loca de atar. Pero preferí no decirle mi opinión al respecto. La Primera Enmienda no nos obliga a ejercer el derecho a la libertad de expresión. El silencio es el primero de nuestros derechos naturales, inalienables, gracias al mutismo de milenios de Dios.

Pero la tipa insistía. La norteamericana, como todas las norteamericanas, escalaba más y más una situación que ella misma se había inventado, quién sabe en cuál rincón de su cerebrito de hembra mal orgasmeada. Hasta que me pidió que parase el taxi ahí mismo, en medio de la 64 Interestatal.

Comemierda.

Y entonces, cuando vio que yo no le hacía el menor caso, sino que me cagaba puntualmente en su patetismo de papaya a la caza de un acosador, la pasajera trató de quitarme por la fuerza el timón.

Comemierdona.

Ahí fue cuando le bajé una galúa mitad con la mano, mitad con el antebrazo, y mitad con el codo o el hombro. No sé. Que se joda. Bastante que me había jodido ya.

Le viré la cara. Se la puse a cimbrar, los ojos dando volteretas como un par de trompos. Con un hilillo de sangre incluido, desde la nariz a los labios. Y, entonces, sorpresivamente, en lugar de llamar al 911 la rabia se le calmó. Mansa, mansita. Domesticada como El Principito. Dócil como una yegüita de tracción. De atracción.

Me puso una mano en la entrepierna. Se relamió los labios partidos. Me dijo:

—*Fuck me now. Fuck me while you fucking drive. Fuck me even if we crash and we fucking die.*

Recordé una cita de no recuerdo qué autor. Es verdad que en los Estados Unidos la locura sexual está por todas partes, excepto en el sexo como tal.

Pobre país de enfermitos y reprimidos, pensé. Pobre de nosotros, pensé, los cubanos alfa atrapados en esta nación morbosa, morosa.

¿Quién me lo hubiera dicho en Cuba? Fidel Castro únicamente, que siempre nos dijo a los cubanos la verdad, toda la verdad, y nada más que la verdad sobre los Estados Unidos de América. Pero los cubanos no le creímos.

Pobre Fidel Castro, pensé. Pobre su pueblo tan desagradecido, pensé. Mientras la cabeza norteamericana de mi pasajera problemática ya maniobraba entre mis muslos y los pedales, manipulándome magnánimamente, según su fetiche plagiado quién sabe de qué película porno o manual de contrafeminismo para principiantes.

Por supuesto, lo hacía más que mal aquella Alma Mater amateur.

59.

Cuando en agosto del año pasado comencé a escribir estas inverosímiles anécdotas, ocurridas en taxis Uber desde que me fui de Cuba (o desde que Cuba se fue de mí, el martes 5 de marzo de 2013), prometí en público que publicaría solamente 1959 episodios. Ni uno más ni uno menos.

Aunque, por supuesto, me han ocurrido muchísimas cosas más. El odio y la idiotez, como la ideología de izquierda (y toda ideología es de izquierdas, además de ser un *remix* de odio e idiotez), nunca tienen para cuando acabar.

En fin, que varios amigos se me acercaron muy preocupados por mi salud mental y me dijeron de buena fe:

—Tú tás loco, Liberato, tú tás loco.

Hoy llego a mi anécdota 59. Me faltan apenas 1900 por ocurrir. Es decir, años y años de ubercubidad, sobresaturando la imaginación atrofiada de los cubanos, víctima del castrismo doméstico y transnacional.

El sentido común me dice que debo parar aquí, en el número 59. A la mierda mis promesas en público de publicar 1959 episodios, y ni uno más ni uno menos. A la mierda Uber. A la mierda Cuba. A la mierda Uber Cuba.

Tanto lío con la democracia y total para qué. Los cubanos no cambian. Quién me lee ni me lee ni un carajo. Los cubanos se merecen vivir bajo un régimen de permanente campaña de analfabetización.

Por lo demás, a quién le importa un carajo tampoco lo que me ocurre o me deja de ocurrir en mis mil y una esquinas exiliadas en internet. Es decir, lo que se le ocurre o se le deja de ocurrir a Orlando Luis Pardo Lazo: el autor sionista cubano, el textrrorista por excelencia, el Coco que vino al mundo para calcinar y comerse con papas a la literatura cubana (ese oxímoron mitad Edad de Oro y mitad Edad de Horror).

Por eso, Uber Cuba es una prueba de tu indolencia, de toda tu indigencia lectiva y tu cívica mendicidad. Y es, también, una encuesta de papel a mitad de libro. Muy simple.

Si quieres que siga escribiendo mis Uber Cuba en un volumen 2 de este libro, dímelo ahora mismo con un gran SÍ por correo electrónico, a mi OrlandoLuisPardoLazo@gmail.com.

Pero si prefieres que yo no siga escribiendo, te la pondré todavía más fácil, dada nuestra vagancia visceral: en este caso, simplemente no me escribas nada y asumiré que tu voto es un rotundo NO.

Lectores que me escuchan: hablen ahora o callaré para siempre.

60.

El entendimiento es el mismo en los animales que en los hombres. Y tiene siempre la misma forma simple: es conocimiento de la causalidad, del tránsito del efecto a la causa, y de la causa al efecto. Nada más. El resto es retórica dogmática e ideologizada para darle un viso de necesidad histórica a ese crimen de lesa humanidad llamado Revolución.

Yo pensaba en Schopenhauer, mientras manejaba de Missouri a Indiana a Kentucky, a participar en un evento de la comunidad cubana que reside allí, donde incluso imprimen una revista llamada *El Kentubano.*

Todo conocimiento es simplemente una manifestación, diferente solo en el grado, de la misma y única función del entendimiento, mediante la cual incluso un animal intuye que la causa que actúa sobre su cuerpo es un objeto en el espacio.

Cruzando los ríos y puentes del medio oeste norteamericano, me preguntaba si Schopenhauer hablaba de los cubanos en *El mundo como voluntad y representación.* Y aún más, si alguna vez mencionó algo siquiera remotamente relacionado con los asuntos cubanos. Y, llegado el caso, si su cerebro de germano genial reparó en vida, aunque fuera de soslayo, en la existencia de una islita llamada Cuba, si bien por esos años (1788-1860) nuestro país no estaba habitado ni por un solo cubano.

Son cosas que me vienen, así como así, de pronto a la cabeza. Sin causa, ni consecuencia. Mientras envejezco al timón de mi taxi Uber, un objeto rodante sin sujeto identificado (es decir, yo), dentro del cual voy matando las horas del exilio, a la par que intento ganarme unos pesitos de más, por encima de mi estipendio estudiantil universitario.

La única mención de «Cuba» que yo recuerdo de Schopenhauer está colada, casi de contrabando, en su ensayo sobre la religión. Y es para referirse a la naturaleza genocida de nuestros orígenes, para horror de los origenistas cubanos como José Lezama Lima, que apostaron hasta el culo a la idea de un idilio cubano como inicio e inspiración para nuestra civilitud.

Ah, pero el filósofo alemán no cree ni en su madre y nos suelta sin ningún tapujo que, en Cuba, desde el comienzo todo ha sido una especie de acabose: para empezar, los aborígenes fueron sin ninguna contemplación «completamente exterminados».

Manejando, el paisaje de los Estados Unidos puede llegar a ser devastador de tan feo y estéril. Yerto, yermo. Vacío, baldío.

La otra sensación que tengo al manejar es que la nación se ha convertido en un Museo Nacional de los Estados Unidos. Aquí ya todo pasó, todo ya ocurrió en un pasado glorioso, épico, ido. Las grandes hazañas del capitalismo civilizatorio fueron realizadas por héroes de los que hoy no queda ya ni rastro, ni el recuerdo.

La nación ha sido sustituida por su representación sin voluntad de acción en las redes sociales, así como por una economía fantasma de clientela digital.

Incluida la empresa de taxis Uber, por supuesto.

Incluido este humilde chofer cuyo perfil es idéntico a su nombre legal, Orlando Luis Pardo Lazo, excubano exescritor que está ya muy exhausto de ser un triste testigo sin contemporáneos. Un conductor cansado de la cabeza al cadalso, por culpa de seguir siendo el amante acéfalo de una cubanidad que nunca existió, más allá de alguna que otra estafa escritural que ocurren (y se me ocurren) dentro de un taxi Uber.

61.

Era la primavera otra vez. Y el mundo era otra vez hermoso. Al menos, para la mayoría del mundo. Para mí, no tanto. La primavera me aburre. Y es un augurio pésimo del verano.

Colgaban recuerdos de cada uno de los árboles del barrio. Había sido un invierno incisivamente largo. Central West End se iluminaba de pronto con todo tipo de flores y frutos, con todo tipo de pájaros y bicharraquitos volantes. Era la apoteosis simultánea de la ornitología y la entomología norteamericanas. Pero a mí el odio se me hacía coágulos en la sangre.

Fotofobia. Melofobia. Biofobia.

Manejaba y manejaba como un loco por las calles recalentadas de Saint Louis. De día y de noche, al volante de mi taxi. En cualquier caso, nunca conseguía dormir. Ni calmarme el sistema nervioso central. Ninguna droga funcionaba, ni de casualidad.

Era un tormento estar vivo. Era un tormento hacer más y más dinero en mi Uber de alquiler. Ahora entendía plenamente al norteamericano promedio, con su carga de desprecio antidemocrático por Norteamérica. Me estaba convirtiendo en uno de ellos.

Toda mi excepcionalidad de guerrero luminoso de las letras cubanas se me estaba yendo a la mierda. La tierra prometida era un erial. Solo me faltaba ahora la humillación legal de acatar el juramento de los inmigrantes sin patria, pero con amo. La mano derecha crispada sobre el corazón con que vivo, para hacerme por fin «ciudadano». Y, por supuesto, no hay que especificar aquí ciudadano de dónde: solo es posible ser ciudadano de los Estados Unidos de América.

«Entrenamiento de primavera», diría el viejo John Fante en su novela de juventud *Espera la primavera, Bandini*. Exhaustivo, exhaustante. En mi caso, resulta quisquillosamente al revés. *Espera el invierno, OLPL*: espera los cielos grises del exilio y el frío atmosférico que acaricie al fantasma fidelista debajo de tu esternón.

Parqueé el carro a lo comoquiera en el sótano aéreo de mi universidad. Parece una contradicción. Y lo es. Por eso mismo lo repetiré en todo su carácter contradictorio: parqueé el carro a lo comoquiera en el sótano aéreo de mi universidad.

Busqué en la guantera. La extraje, la olí. Perfume de plomo, promiscuidad de personajes perdidos. No hice nada. Sabía que no iba a hacer nada. Al contrario, que es otra contradicción. Recordé que ya esto me había pasado en un taxi Uber anterior, pero jugando yo el rol del pasajero y no haciendo el simulacro (o el papelazo) de ser chofer.

La guardé de nuevo y cerré la guantera. Me olí las manos. Ni perfume ni peste, ni nada. Pura piel. Puro personaje. Pura perdición. Plomo a pulso.

Y no tener a quién contárselo.

62.

Presenté mi libro *Espantado de todo me refugio en Trump* en Miami. La librería Books and Books se repletó. Hablé como un dios. Como lo que soy, como lo que somos los cubanos sin Cuba. Dioses rotos.

Después, la noche de Miami se hizo insondable. Un páramo de sombras y fantasmas caídos como de otro planeta criminal. Ruido de latinoamericanos tragando comida basura. Glotis con saliva inmigrante, más o menos indocumentada. Carros y móviles de último modelo. La desconocida Cuba que no padece por Cuba, que no parece ser Cuba, aunque sean igualitas.

Entendí entonces la importancia de contar con una burguesía nacional, una clase capaz de contrarrestar esta muerte en vida proletaria que nos impuso a la fuerza la Revolución. Sin burguesía no hay país. Sin burguesía no hay cultura. Ni espíritu, ni alma nacional.

Tomé el más triste de los taxis Uber que jamás he tomado. De Miracle Mile a una de esas callecitas con árboles coloniales de Coral Gables. Milla y media de un milagro que los cubanos esperábamos y esperábamos, aunque desde siempre sabíamos que no llegaría. Ni nada, ni nadie.

La chofer era una chinita cubana. O japonesita. Dijo llamarse Aki. En el App de Uber también se llamaba así. Aki, la cubanita que no me reconoció. Ella era libre. Pertenecía a un futuro aristocrático sin Fidel. Asiastocracia de segunda generación.

Solo por eso la amé. Aki, mi amor. Aki, gracias.

Me llevó hasta el edificio de mi Airbnb. Nos despedimos con una sonrisa de cubanos no contemporáneos. Entré al lobby. Cogí el elevador. Me quedé en el quinto piso. Caminé hasta el final del pasillo. Abrí y entré en el 507.

Mi apartamentico de alquiler olía como a equipaje de piel recién estrenado. Tenía que empacar para regresar mañana temprano, de Miami a Saint Louis, de Miami a ninguna parte. Olía a eso aquel pisito. Y tal vez también a quitapinturitas de uña, aunque no había por todo aquello, ni tampoco en el resto de mi vida, ninguna mujer que se identificara como mujer.

Fui y me senté en una de las dos camas gemelas. Busqué, dentro de las fundas satinadas, a mi entrañable Ortgies calibre 7.65, pero no la encontré. No todos los mortales podemos ser Salinger.

Afuera, hacía una noche perfecta para salir a respirar los aires de una república bananera. Por lo demás, había vendido miles de libros. Léase, acababa de perder a miles de lectores.

63.

El chofer me dijo:

—Ya no tengo amor.

—¿Cómo? —le dije.

—Eso, que me quedé sin amor —dijo.

No sabía qué contestarle. Pensé que podría ser un mal chiste, que no es lo mismo que un chiste malo. Miami es una ciudad con un humor ahistórico, amnésico, extemporáneo. Sobre todo, entre los espectros tragicómicos de los cubanos, esa raza cósmica que salió disparada de la Utopía a 1959 revoluciones por minutos.

—Tengo 50 años y ya no tengo vida —dijo—. Quiero decir: tengo 50 años, pero nunca viví.

Yo me sentía por el estilo. Creo que es una cosa generacional. Pero no se lo dije al hombre detrás del volante. Tampoco quería provocar un accidente letal. Al menos, no todavía. Pero 1971 fue un año capicúa complejo. Los nacidos en 1971 tenemos algo así como una maldición hecha de memoria y miedo.

Traté de consolarlo mejor. Fue en vano. Era tarde y hacía sueño viejo. Intenté hasta una torpe disculpa sin causa y, por supuesto, fue mucho peor.

El chofer me dijo:

—No jodas más: ¿tú sabes lo que es vivir sin amor?

Esta vez no le dije «¿cómo?», ni tampoco le dije ni carajo. Su certeza no admitía el menor toque de incertidumbre. Además, yo pensaba idéntico a él. No me jodas tú a mí: ninguno de nosotros sabe nada de qué fue la vida, mucho menos la vida en el amor.

Los hijos de la Revolución Cubana tenemos ese privilegio a perpetuidad. Somos soldados de la virtud. Y así ha de ser siempre, por lo menos durante siete veces siete generaciones. O, llegado el caso, hasta el primero de enero de 2959. Fecha fulminante.

—Disculpa —me dijo—. Estamos pensando lo mismo, ya sé.

Esta vez tampoco le dije ni que sí, ni que no. No tenía sentido decirle nada. Ni decirnos nada. Y los dos lo sabíamos también. Tan bien.

—Es allí —le dije—, déjame debajo del farolito de la calle en que nací, centinela de todas nuestras promesas de amor —rematé tarareando un antiguo tango, como todos los tangos lo son.

No era mi destino, pero quería quedarme allí. Eso también los dos lo sabíamos. El App de Uber no falla. Pero la luz era linda como ella sola. Una luz cálida, escuálida, casi conocida. Como en casa. Una luz compañera, inocente, desmemoriada. Hogar hundido fuera de la historia. Como acaso sea la luz del paraíso de los parias cuando hayamos muerto.

Me bajé. Vi al taxi largarse por una de esas callejuelas de Coral Gables que se llaman «avenidas». Y que encima cargan, como mejor pueden, con este o aquel nombre de alguna ciudad de la metrópolis España. Los imperios se dan la mano a la vuelta del fin de esta historieta llamada la humanidad.

El tipo ya no tenía amor, decía. Dijo que se había quedado sin amor. Que nunca había vivido en el amor. ¿Y qué? Lo que se sabe de corazón, no se comenta en voz alta con desconocidos, sean clientes o no. Sean compatriotas cubanos o no.

Un tipo como de 50 años, pero sin vida. Quiero decir, un tipo como de 50 años que nunca supo o quiso vivir. Da pánico propio.

Y yo seguía allí, parado como Dios manda debajo de aquel farolito de la calle donde no nací, centinela de todas nuestras promesas de desamor. Luz amarillenta, mortecina. Fabulosos fotones funerarios, caricias electromagnéticas de un cadáver mitad onda y mitad corpúsculo.

Bueno, pensé, al menos hicimos lo que pudimos. Mientras pudimos. Nos jodieron y estamos jodidos. Pero encima de eso, no podemos estarle pidiendo más a la vida. Mucho menos al amor. Que se jodan esos también. Y llamé a otro taxi Uber en mi aplicación, a ver si por fin yo acababa de llegar a mi Airbnb esa cabrona madrugada.

Volvió a responderme el mismo chofer. Ya venía de vuelta por mí. El App de Uber no falla, ni a jodidas.

64.

Una vez cogí un Uber Pool en Nueva York con Rolando Pulido, el diseñador gráfico cubano y el hombre libre que creó la imagen libre de una disidencia que, por desgracia, no es ni remotamente tan libre como su imaginación.

Además, Rolando Pulido es mi amigo, mi hermanito perdido entre estos bosques. Y nada puedo hacer para ayudarlo. Ni nada puede hacer él para ayudarme. Y es también, por supuesto, casi mi tocayo.

Coincidimos por casualidad dentro del carro. Valga la redundancia. Los dos, como dos ositos enfermos en el asiento de atrás. Nuestros sobretodos raídos por las águilas del tiempo, también por las cucarachas de la edad: ropita sacada como de otra época, de otro escaparate sin Cuba, pero sin Castros, de otra ilusión.

Rolando Pulido, él, iba asomado por la ventanilla derecha del taxi, la vista perdida en lo que alguna vez fuera Manhattan antes del triunfo de la *Snowflake Revolution*.

Orlando Luis Pardo Lazo, yo, iba extraviado a la izquierda, la ventanilla del chofer y acaso también la del corazón humano, demasiado humano para sobrevivir a este siglo XXI de pacotilla. Una era sin vísceras, abiográfica.

Dos cubanitos cincuentenarios. Dos hombres blancos buenos. Sin Estado y sin Dios. Al margen de la ley ambos, odiando a la inmigrantada ilegal que arrasó con los salarios mínimos de media Nueva York.

RP y OP, en la tardenoche demócrata de la ciudad que nunca despierta. OP y RP, haciendo silencio para no hacer de suicidas. Porque, sabemos, para ambos se nos ha hecho ya tarde, demasiado tarde, en medio del fidelismo *forever* en la Isla y del fundamentalismo multicultural de los Estados Unidos de Izquierdamérica.

Pasaban las calles y las avenidas. En cada esquina, él tenía una aventura de amor y de locura bella para contarme. En cada semáforo, yo me daba cuenta de que nunca había vivido y que, lo más probable, ya nunca me daría tiempo a vivir aquí.

Rolando salió demasiado temprano de Cuba. A Orlando le cogió demasiado tarde para salir.

Pasaban las avenidas y las calles. No nos quedaban amigos en la megápolis. El único en quien se nos ocurría pensar era Donald Trump, pero Donald Trump tampoco residía aquí. Nuestro hombre en el odio de los socialistas se había mudado triunfalmente a Washington D.C. Si bien por un ratico nada más, pues muy pronto los conspiradores del *Deep State* lo iban a expatriar también de allí, con insurrección imaginaria y todo.

Como chiste, le pedimos un cambio de ruta al chofer. Le dijimos que nos llevara hasta la Torre Trump, en el cruce de la 56 calle del Este con la 5ta Avenida. Queríamos hacer un *performance*, una especie de plegaria. Con suerte, saltar al vacío o algo así desde su azotea, en el piso 59. Precisamente, 59.

El chofer era un uruguayo, esa raza infantilizada. El benedettico se ofendió con nosotros, aun cuando él no era siquiera ciudadano norteamericano, como nosotros. Siendo solo un sin-papeles más del Cono Sur, el muy che comunichstón ya se pensaba que tenía el sartén cogido por el mango. Y, de hecho, lo tenía.

No por gusto la compañía Uber, y todas las compañías antinorteamericanas de Norteamérica, contratan a los perdedores y les permiten el perverso poder de venir al capitalismo a vengarse del capitalismo.

Este *urugua llo* en específico se llamaba Eduardo Galeano, como el otro Eduardo Galeano que se murió en el 2015, para así nunca enterarse de la presidencia intempestiva de Donald Trump. Ni de la cacafuaca muerte de su mesías Fidel.

El tipejo simplemente se negó a llevarnos hasta la Torre Trump. Alegó no sé qué mojones sobre la libertad de conciencia y de que él era un activista objetor, en plena resistencia en contra del fascismo *Made in USA* desde la Casa Blanca.

Hubiéramos podido matarlo.

Debimos haberlo matado.

Pero estábamos demasiado perdidos, Rolando y Orlando. Demasiado tristes y solitarios en la tardenoche sin testigos de la populosa Nueva York. Dos animalitos enfermos en el asiento de atrás, con la piel demasiado raída por las águilas del tiempo y las cucarachas de la edad.

Demasiado lejanos, como Cuba, cada uno asomado a la ventanilla antípoda del último taxi con destino a la Utopía, esa falacia facinerosa que nos persigue hasta aquí, en las ruinas irreconocibles del capitalismo global.

Nos bajamos del taxi y nos sentamos en una parada percudida de ómnibus. Allí casi pernoctamos, como echados, y con ideas tristes. Y bien que nos hubiera gustado quedarnos dormidos, hombro con hombro. Pero las cosas de los cubanos siempre terminan peor de lo que parecen.

Me dio por pensar quién de los dos se rompería primero como un cristal sin reflejo, ¿RP o OP? Quién de los dos no resistiría más los crótalos cotidianos del exilio, ¿OP o RP? Quién condenaría a quién a tener que continuar cuesta arriba o cuesta abajo sin el otro.

Nos miramos. No nos dijimos nada. Y nos dejamos de mirar.

65.

Hizo un día frío y radiante de abril, el mes más cruel. Los relojes acababan de dar las trece, hora militar. Era la primavera *Made in USA* en pleno esplendor, esa estación desconocida en nuestros tristes trópicos totalitarios. Estábamos en el llamado Cinturón de la Biblia. La fecha era 26 (siempre es 26, ya sabemos). Y tenía que ser viernes, por supuesto, como el viernes 10 de diciembre de 1971 en que yo nací. Desde entonces, todo es repetición.

Fue en un colegio triste y feo como una Casa de la Cultura cubana. Hasta allí tuve que ir para hacer en voz alta mi Juramento de Ciudadanía norteamericana. Y a recibir en masa mi flamante Certificado de Naturalización, junto a otros 299 inmigranticos con burkas y demás trapos de colorines cosmopolitas. El único que parecía estadounidense a priori era yo. El único que lucía fuera de moda o acaso provocador.

Al final, hube de entonar las notas del Himno Nacional en inglés. Y por primera vez en mi vida *The Star-Spangled Banner* me conmovió. Al punto de las lágrimas. Y juro que yo no estaba borracho. Ni *high*. Ni *stoned*. Ni ninguna de esas palabritas *cool* que usan los que consumen drogas, porque carecen de una escritura radical como la mía. Lo cual es comprensible, porque no todo el mundo puede ser el mejor escritor vivo de Cuba.

A los semicien años de vida sin biografía, me he convertido por fin en ciudadano de una potencia extranjera. En un «traidor a la patria», diría en la Isla el gobierno revolucionario: eso, en un «apátrida». Y acaso no lo dirán, por cobardes, pero igual pensarán lo mismo mis exvecinos del barrio en Cuba. Y, con suerte, mis exfamiliares.

Ahora, lo que toca es sacar cuanto antes el pasaporte imperial y ponerme a viajar como un loco de una punta a otra del planeta. Toda vez exiliado, ya da igual exiliarnos por segunda o por vigésimo segunda vez. Así que, lo más probable, es que me perderé muy pronto de los Estados Unidos de América. Sobre el arco iris y más allá.

¿A dónde? No sé. Ni idea. A todas partes, supongo. Y a ninguna, como corresponde. Aún más lejos de Cuba todavía. Todavía más lejos de Cuba aún.

Para esta ceremonia de resurrección civil me vestí con un traje caro, carísimo, y de corbata roja, rojísima. De un rojo fuego muy al estilo del 45º presidente Donald Trump. Boté cientos y cientos de dólares de mi escueto estipendio estudiantil, derrochados en una boutique de lujo. Total, para usarlo solo una vez. El capitalismo es *ansí*: una locura, una ilusión. Como la vida misma. Justo lo contrario de la utopía, donde todo tiene una explicación racional, represiva, resentida.

La chofer del taxi Uber que me llevó a la ceremonia oficial me preguntó, muy circunspecta, si yo era por casualidad un político. Obviamente, tenía buen olfato la señorona. Así que le dije que sí:

—*Yeah, o'courz, I finna bee famous, ya know* —le respondí en perfecto argot ebónico.

Y encima le aseguré que me encantaría postularme cuanto antes para algún cargo público federal, de ser posible para ocupar el escaño de alguno de los 435 castristas de la Casa de los Representantes. Sustituir de por vida en el Congreso a la portorra Alexandria Ocasio-Cortez, por ejemplo, o a la minnesotmalí Ilhan Abdullahi Omar, de no ser mucho pedir. O, al menos, sacar del cargo a Cori Bush, la blacklivesmattera de mi distrito.

Era de esperar que mi chofer no hubiera entendido nada. Por suerte.

La mujeronga simplemente me regaló su más espontánea sonrisa, en solidaridad con mi palabrería. Tenía unos dientes bellísimos, blanconios, como de caballo. Y todo en ella irradiaba radioactividad maternal.

—*Welcom to America, mah son* —me dijo, como si yo no fuera de su misma edad, acaso un par de semanas mayor que ella, mi espontánea madrastra de taxis Uber.

Bienvenido a los Estados Unidos, mi niño del alma. Pronunciado así como así, de corazón, en un Rambler a ras de la ciudad gentrificada y súper-segregada de Saint Louis, Missouri.

Esta escena fue mi verdadera Ceremonia de Juramentación. Solo por este diálogo, en dialecto mitad nativo y mitad naturalizado, valió la pena huir para siempre de Cuba, ese país perverso donde ya no hay himno nacional ni bandera constelada de estrellas, ni taxis ni Uber, ni mujeres choferes con sonrisa de ángeles, ni lágrimas de viernes ni corazón de abril, ni mucho menos estaciones que hagan el año algo más amable en medio del Armagedón. ArmaG-2.

En Cuba todo es únicamente 26.

Siempre y solitariamente 26.

66.

6-6-6, el número de la Bestia: eso decía el taxi en el parabrisas. Con una pegatina en rojo y negro que lucía cagaíta a la bandera del Movimiento 26 de Julio.

El chofer notó enseguida mi curiosidad. Y se disculpó conmigo muy cortésmente, en inglés de norteamericano ilustrado. Lo cual hoy por hoy constituye en los Estados Unidos, por cierto, otra curiosidad, pues la ignorancia ya ha sido institucionalizada como parte de la guerra de todo el pueblo a favor de la justicia social. El inglés es la lengua secundaria de los norteamericanos.

Bien, pues, resultó ser que el tipo era miembro de una secta satánica, según me explicó. Con carnet de miembro oficial y todo. Incluida una fotico con pezuñas y tarros y estrella bocarriba de fondo. Casi una portada de libro de aquel escritor rockero cubano llamado Raúl Aguiar (un nombre de preuniversitario urbano). Nada, que en este país hasta el Diablo parece haber sido sindicalizado y ser simpatizante de izquierdas: es el llamado *left-handed path* de la magia.

En fin, el Mal.

Pensé que estaba en presencia de otro anormal. Es lo normal aquí. Pero no. El chofer me bajó una trova más bien sensata sobre la misión de su ONG, registrada como El Templo Satánico, tal como lo exige la Federación de Iglesias Unidas LLC.

—Fomentar la benevolencia y la empatía entre todas las personas. Rechazar la autoridad tiránica. Promover el sentido común y la justicia. Orientarnos por la conciencia humana, para emprender objetivos nobles guiados por la voluntad individual. El Templo Satánico ofende a muchas personas solo porque las ofende Satanás, pero eso no le da a nadie el derecho de silenciarnos.

Aquel discurso no podía ser más democrático. Un satanismo así es justo lo que necesitamos en la sociedad civil cubana, tan pacata y tan incapaz de una simple idea original. Basta ya de angelitos vestidos de blanco y gritando consignas como demonios en plena calle. Sin Satanás, la supuesta transición democrática cubana no será más que una farsa: otra manifestación terrena del fidelismo fundamentalista que mantiene al futuro de Cuba tan fosilizado.

Y así mismo se lo dije al chofer de mi Uber satánico, en inglés mitad ingenuo y mitad infernal.

—*100% agree* —dijo, con una sonrisita nefanda de haberme reclutado sin siquiera intentarlo, por obra y gracia de su Antiseñor—. *Never separate Art and Activism. Never let your Activism be artless, and never allow your Art to be orthodox.*

Cojones, pensé, esto es «artivismo» a pulso. La mismísima Tania Bruguera debió de haberse inspirado en este tipo para sus descargas performativas. Acaso ella viajó en Uber con este mismo chofer, de una punta de Manhattan hasta la otra punta de Queens.

Miré su nombre con discreción en mi Uber App: decía «Douglas Misicko». Él reparó enseguida en mi interés y no me dio tiempo a otra cosa que a estrecharle la mano:

—Lucien Greaves, un placer —se autopresentó con otro nombre—: satanista y, en mis tiempos libres lejos del taxi, neurocirujano. Graduado de Harvard.

Coñó. Apretó el norteamericano ilustrado. Este tipo sí que se le escapó al mismísimo diablo.

—Pero nuestra batalla más grande es ahora en contra la maldad de Twitter —añadió—. No nos ha bloqueado todavía, a pesar de las denuncias de los que no creen que Dios está fuera de lo físico y que, por tanto, su propia perfección le impide interactuar con el reino imperfecto de lo corporal. Pero Twitter se niega ilegalmente a verificar nuestras cuentas. ¿Y eso, sabes cómo se llama?

No me atreví a responderle con algún concepto profano. Antes de bajarme de su Satán-móvil, Douglas Misicko o Lucien Greaves lo hizo de inmediato por mí:

—*It's called discrimination and retaliation.*

Le di 5 estrellas y le dejé un comentario larguísimo, elogioso. Tenía toda la razón y nada más que toda la razón, aunque hablara como un vocero del movimiento #MeToo, que supongo sea también una ONG registrada dentro de alguna otra federación de iglesias o ideologías.

Esa misma noche, tan pronto llegué al Airbnb donde me estaba quedando, cerré y borré hasta la más raquítica de mis redes sociales. Esto se está saliendo de control. Es la hora de un buen retiro analógico.

67.

Íbamos a millón bajando por la Calle 16 del North West, en Washington D.C. Y ya era tarde y estábamos muy cansados. O la luz de los postes públicos era muy poca. O la depresión nos traía medio ciegos, desde Vienna/Fairfax en Virginia.

O tal vez todo lo anterior, pero dicho de carretilla en una sola oración: íbamos a millón bajando por la Calle 16 del North West en Washington D.C. y era ya tarde y estábamos muy cansados o la luz de los postes públicos era muy poca o la depresión nos traía medio ciegos desde Vienna/Fairfax en Virginia.

Lo cierto fue que cuando sentimos el topetazo ya era demasiado tarde. No había nada que hacer.

De todas formas, por reflejo humano o por instinto de conservación (en este caso, instinto de autodestrucción), la muchacha que hacía su *part-time* insomne como chofer del Uber metió un frenazo tan chirriante como irresponsable.

Cojones. Que casi nos matamos nosotros también.

Los *airbags* se dispararon como si fueran bombas y yo sentí que me habían rajado el cráneo por la mitad. Además de que, con esos bultos encajados entre los huesos, se nos hacía imposible ni respirar.

Claustrofobia post-mortem en la NW 16th Street de la capital norteamericana, justo frente a la mansión neoclásica que funge, desde 1902 por lo menos, como la embajada cubana en las entrañas del monstruo imperial.

Incluso convencido de que me iba a morir, todavía me alcanzó el tiempo para elucubrar:

—No es por nada, caballeros, pero a la hora de escribir... ¡mira que comía cáscaras Martí con lo de las entrañas del monstruo!

Salimos del taxi como peor pudimos. Había un hombre inmóvil, tendido en paralelo con la raya amarilla del pavimento. Mi chofercita rubia lo había matado, sin duda alguna. Amén y bendiciones y todo lo que ustedes quieran. Pero yo no fui, yo no vi nada.

Me acerqué a ella y le di un abrazo por detrás, a la extranjerita de pronto paralizada en su propio país. Sin pedirle permiso, sin conocerla. Bajo la luna funeraria del exilio. La muerte es *ansí*. No necesita permiso, no necesita conocernos para reconocernos.

Era una muchacha pequeña, próxima, cotidiana, apenas perceptible, que increíblemente de verdad había nacido en los Estados Unidos de América. Porque la realidad real es que ya nadie nace en todo este país, sino que los trae una cigüeña o un coyote.

No salió ni un solo vecino a ver *what-the-fuck* había pasado allá afuera. Es decir, aquí afuera. Lo cual es lógico, por lo demás, pues se trata de una nación sin vecinos. Para colmo, superpoblada.

La luz del semáforo, descolgado por el cuello sobre el cruce con Columbia Road, parpadeaba en rojo y amarillo a la vez. Los fotones del foco se chorreaban como lluvia de alcantarilla sobre el asfalto. Rojo sangre, amarillo bilis. La chofercita del Uber comenzó a llorar.

No, eso no. Por favor.

—*Don't worry, please* —le dije en el inglés más tierno que desde niño yo traía enterrado en el pecho—. *I will declare to the police that I was the driver.*

Tal vez mi pobre papá me había enseñado inglés solo para esto. Tal vez sus lecciones en los años setenta en casa, con los libros clandestinos de Leonardo Sorzano Jorrín, fueron solo para que yo sobreviviera a esta escena, y le dijera «fui yo» a una rubita angloparlante, la que un silencio después se echaría en mis brazos a llorar todavía más.

Cuando por fin se calmó un poco, me acerqué como por descuido al cadáver. Avancé sin soltar nunca la mano de la chofer, a quien yo acababa de exonerar de todos los cargos de su homicidio en primer grado, arriesgándome de paso a la silla eléctrica o acaso a una deportación de cabeza a La Habana.

El muerto había caído bocarriba, de cara a la luna llena sin Cuba. Lo reconocí enseguida. Cacho de cabrón. Me dio miedo, me dio espanto. Era José Ramón Cabañas, el embajador en Washington de la tiranía cubana.

Y ahora un cubano anti-tiranía era el que tendría que declararse culpable. No hay casualidad. Todo es karma, lo mismo en el comunismo que en el consumismo: esa es la verdadera continuidad del castrismo.

A ver quién me iba a creer entonces en la Corte Suprema. Espero que, para cuando mi caso llegue hasta ellos, los nueve jueces ya sean de los designados por Donald Trump.

68.

El Uber Pool iba repleto. Pero se fue vaciando, según el taxi se montaba y se bajaba y se montaba de nuevo en el *expressway.*

Al final, quedamos solo el chofer y yo. Y también un hombre de aspecto sucio, que iba callado en el asiento de atrás. Con una manera de callar que lo hacía siniestro.

Cuando por fin se bajó, media milla antes de donde yo estaba alquilado, el chofer del Uber me dijo que conocía a ese tipo. Al parecer, era del área, y él ya lo había llevado antes en otros viajes. Muchos viajes, pero siempre del mismo punto al mismo punto de Miami.

Como si fuera un autómata, un pasajero fantasma. El eco de algo o de alguien. Como si nunca se transportara del todo y por eso tuviera que volver a transportarse. Siempre del mismo punto al mismo punto de Miami, nunca en sentido contrario.

Y el chofer dijo más.

—Una noche, lucía más hecho leña de lo habitual. Olía a ron barato. Y te lo voy a decir exactamente como él me lo dijo, vaya: textual. Y sé que nunca se me van a quitar esas palabras de la cabeza. El tipo me soltó: «Estoy terminado. Ahora me toca a mí. Yo fui el hombre que mató a Oswaldo Payá, hace diez años. Y algo así se paga bien caro, más temprano que tarde».

Toda vez en mi destino, entré y me desplomé en la cama del Airbnb, desconsolado. Tenía ganas de llamar a la policía, a los congresistas cubano-americanos, al FBI, a alguien. Tenía ganas de llamar a Rosa María Payá.

Pero no llamé a nadie, en definitiva. Era muy tarde y a estas alturas tampoco resolveríamos nada.

Clavé la vista en el techo. A través de la ventana, desde la calle se colaba y luego se escapaba el reflejo esporádico de algún carro.

Estuve así no sé cuántas horas, con la cabeza en blanco. Hasta que el ronquido del aire acondicionado me fue adormilando. Como mismo de niño, en La Habana, me rendía embelesado por el tictac de nuestro primer y único despertador de cuerda.

Las cosas entonces se hacían pensadas para durar. Toda la vida o toda la muerte, pero durar. Y duraban.

Yo también estaba terminado. Ahora me tocaba a mí. De algún modo, todos y cada uno de los cubanos, incluido Barack Obama, fuimos el asesino de Oswaldo Payá, pasen los años que pasen. Y algo así se paga bien caro, más temprano que tarde.

69.

Cuando no puedo dormir, me levanto y salgo a hacer un poco de taxi Uber por la madrugada, a veces hasta poco antes del amanecer.

A esa hora casi siempre aparece gente que van a viajar. Pasajeros apurados, que se van en el primer vuelo que despega del aeropuerto Lambert, con destino de ser posible lo más lejos posible de esta ciudad. Saint Louis, Satan Louis. ¿Cómo distinguir?

Pero ayer me pasó una cosa peculiar. Por eso te la estoy contando. Le entró una solicitud anónima al App de mi taxi Uber. Bueno, aunque tampoco es la primera vez que me pasa.

Recogí al cliente no en una casa, sino en el parqueo trasero de la catedral católica de Central West End, una mole maravillosa, cuyas joyas de arte fueron bendecidas a finales del siglo pasado por el Papa Juan Pablo II en persona. Incluso creo, o quiero creer, que el Papa voló hasta aquí directamente desde La Habana. Cosas de polacos.

La mujer o la muchacha ni me saludó. Se montó callada en mi taxi. Lucía triste, más que pensativa. Pero muy segura de sí misma. Y me pidió verbalmente que la llevara a una dirección que, enseguida me di cuenta, era mi propia dirección.

¡Así son los Estados Unidos! Sabe Dios desde cuándo esa muchacha o mujer vivía en mi mismo edificio y, sin embargo, nunca nos habíamos conocido. Ni siquiera nos habíamos cruzado por un instante en las escaleras. Ni en el sótano de las lavadoras y secadoras tragamonedas. O tal vez sí. Tal vez sí nos habíamos topado más de una vez, pero en cada caso ambos lo habíamos olvidado al instante. América, la amnésica, a un tiempo nuestra pesadilla y bendición.

Cuando llegamos a nuestro edificio, por fin ella se dignó a mirarme. Tenía los ojos de mi madre. Y aquellas mismas facciones aguajiradas de cuando ella era jovencita, en los campos desdentados de Cuba, más o menos en los años previos o posteriores del triunfo de la Revolución.

No tuvo que decirme más nada. Los dos entendimos que los dos lo habíamos entendido al instante. Mamá, lo siento. Perdóname, por favor. Me demoré demasiado.

Entonces la pasajera me dijo, sin dejar de mirarme, que todo estaba bien, que no me preocupara por boberías. Y lo dijo sin mover apenas los labios. Me estaba hablando desde un sitio mucho más secreto que su garganta de guantanamera imaginaria.

De hecho, se alegraba de verme algo más recuperado que la última vez. Hacía ya tanto. Y me aseguró que yo estaba manejando el carro mucho más confiado, aunque seguía corriendo demasiado para su gusto, frenando justo debajo de los semáforos, cuando parecía que ya era demasiado tarde para evitar una catástrofe.

Y lo era. A todas las familias cubanas se nos había hecho ahora demasiado tarde.

Lo más importante, me dijo maternalmente aquella mujer muchacha, era que yo tenía que tratar de dormir unas horas más. No desvelarme, como hoy. La noche no es para estar dando tumbos en la calle. Además, todavía me notaba algo cansado, dijo. Y tenía razón, le dije.

—Madre: el exilio, exhausta. Al menos usted no tuvo que pasar por eso.

Entonces, antes de bajarse del carro, pero sin un solo gesto de despedida, ella me obligó a prometerle que yo iba a prepararme un té de pasiflora cada noche, media hora antes de irme a acostar. Eso relaja los nervios y espanta las ideas innecesarias como, por ejemplo, esa obsesión tuya de no poderte dormir por miedo a no despertar.

Entonces, al bajarse del carro, pero sin un solo gesto de despedida, ella me volvió a recordar que yo tuviera un hijo cuanto antes, por favor. Mejor, una hija. Como ella. Una sola. Con cualquier mujer, siempre que fuera una mujer que quisiera al Orlando Luis Pardo Lazo que nunca fui. Y me recordó, como me lo recordaba en Cuba antes de yo escaparme de Cuba, que yo ya no era tan jovencito. Sonó un poco a amenaza. Pero no era una amenaza, me dijo, sino un recordatorio de que hacía rato me había llegado la hora de sentar cabeza.

Alejándose de espaldas del carro hacia la acera, pero sin un solo gesto de despedida, la oí decir todavía que no llamara a Cuba de inmediato. Que esperara un poco, tal vez hasta que amaneciera. Las malas noticias viajan solas. No hay necesidad de pagar una tarifa extra por ellas. Además, ya habíamos hablado lo que teníamos que hablar.

No fue necesario decirnos adiós. Ya lo habíamos hecho el viernes 10 de diciembre de 1971, a las diez y media de la mañana, cuando Orlando Luis Pardo Lazo salió llorando de entre las piernas de la más reciente de mis pasajeras.

70.

Las cosas que les pasan a los cubanos en los Uber Pool de Miami no nos pasan en ninguna otra parte. Heterotopía a pulso. Aquí Foucault no sería filósofo ni mucho menos francés, sino un simple chofer.

Cosas cómicas, cosas amargas. Crónicas de la euforia y la debacle. Mentiras piadosas, para no darnos cuenta de lo que nos pasó. En tanto nación. Y en tanto personas. Porque la Revolución Cubana, más que una cárcel colectiva sin nombre, es una cuestión muy personal, firmada y luego difamada por ti, te llames como te llames.

En mi caso, por si no lo recuerdas, por si hasta el odio de los cubanos me olvida, mi nombre es Orlando Luis Pardo Lazo. El único escritor vivo hoy en Cuba. Y fuera de Cuba, el último de los mohicubanos.

Estoy tentado de contar un par de peripecias sexuales que pasaron ante mis ojos en Uber Pool. Pero ya habrá tiempo para eso. Sin prisa, compatriotas pornógrafos. Hay más Miami que vida. Y más vida que biografía venérea.

Iba a contar también la vez que vi morir a un pobre hombre en el asiento de atrás. Minutos antes, me había dicho que vivía en los altos de la antigua sandwichería de Concha y Luyanó. Ahora el señor extendía las manos hacia mí y lo único que le entendí fue:

—No me dejen solo, hijos de puta.

Hablaba en plural. Extraño, ¿no? Este cubano anónimo se estaba muriendo y todavía se dirigía en pleno al pueblo cubano. Como desde una cabina sangrienta de Radio Reloj. Así y todo, el pobre tipo hizo mucho más que Fidel Castro, que murió asqueado en sus propias heces, y no se atrevió a pronunciar para los cubanos ni una sola palabra. Ni testamento dejó, el muy cobarde.

Pero tampoco haré ese cuento ahora. Estoy a medio camino de todo. Y todo lo abandono por la mitad. Y no sé por qué no se me sale de la cabeza la vez que coincidí en un taxi Uber Pool con Carlos Alberto Montaner.

Al principio, no lo reconocí. Encorvado. Demasiado silencio, demasiado sombrío. Pero después, cuando él sí me reconoció a mí, y se enderezó, siendo altísimo, incluso para el promedio de los cubanos, y encima me sonrió, fue como si dentro de aquel carro hubiera amanecido un sol soberano, cálido y conmovedor. Un astro rey dorado y con ribetes democráticos.

Carlos, Carlos Alberto, Carlos Alberto Montaner. Soy yo, Orlando Luis Pardo Lazo. Música para magnetizar conciudadanos.

Todavía recuerdo el terror que me inspiraba su nombre en Cuba. Perdóname, Carlos. Antes de salir de Cuba, yo estaba convencido de que él sería el único cubano del exilio al que no me atrevería saludar. Perdónanos, Carlos Alberto.

Porque después de 40 años deshabitando en la Cuba comemierda de los Castros, en ese país perverso que ha desaparecido por el genocidio cultural que significó la Revolución, la frase carlos-alberto-montaner podía significar tanto el estigma público (es decir, la histeria estatal) como varios años de cárcel. Sobran los ejemplos, querido Carlos Alberto Montaner.

No hablamos mucho. Y en lo poco que hablamos, no nos dijimos nada. Total, si ya los dos lo sabíamos todo. De hecho, los cubanos como raza ya lo saben todo también. Pero se engañan, insisten en hablar, solo para mentirse miserablemente. Léase, para desperdiciar la vida que antes el castrismo les desperdició. En una especie de venganza contra ellos mismos. Un dale al que no te dio.

Por suerte, Carlos Alberto Montaner y Orlando Luis Pardo Lazo, durante el trayecto de un Uber Pool en Miami, escapamos de esa tétrica tradición nacional. Fuimos un poco menos cubanos de hoy y un poco más cubanos del mañana: esa ilusión, esa imposibilidad.

Él se quedó cerca de la bahía de Biscayne, en el lobby de un edificiazo moderno. Como los que ya se estaban construyendo a finales de los años cincuenta en La Habana. Al ritmo de las bombas y los atentados contra las mejores instituciones y personalidades de la República. Mientras los cubanos dormían.

No quisiera poner palabras ahora en la boca de uno de los más luminosos intelectuales cubanos. Su público, además, lo está desertando, por sus tonterías anti-Trump. Pero, al menos déjenme contarles este detalle: al despedirse, volví a entrever en sus facciones el modo trémulo y fosco de cuando Montaner se montó en el Uber Pool.

Su cara era, como se dice vulgarmente, un poema. Como si en lugar de decirme el arquetípico «cuídate, Orlando Luis», nuestros pobres Carlos y Alberto y Montaner me estuvieran diciendo:

—Nos dejaron solos, hijos de puta.

71.

Soñé que no existían los Uber.

No sé si aún estaba en Cuba o si ya me había extraviado en el exilio. Lo único que sí estaba claro en el sueño es que yo tenía que desplazarme una distancia enorme, a través de una ciudad también enorme. Donde nunca antes había estado. Y que, sin embargo, seguía siendo La Habana.

No tenía cómo moverme. Y era obvio que debía viajar de manera inmediata. Una urgencia, acaso una novedad. Fue muy desesperante.

Terminé con mucho dolor de cabeza dentro del sueño, que son los peores dolores de cabeza. Incurables. Como un hachazo. Y me desperté todo atolondrado. Medio dormido, dormido y medio.

Entonces, en la realidad tampoco existían los Uber. Esta línea no sé bien cómo explicarla, pero era así.

Desperté convencido de no saber si aún estaba en Cuba o si ya me había extraviado en el exilio. Lo único que sí estaba claro en mi vigilia es que yo tendría que desplazarme una distancia enorme, a través de una ciudad también enorme. Donde nunca llegaría a estar del todo. Y que, sin embargo, seguía siendo La Habana.

Me pregunto qué será para nosotros, los cubanos sin Cuba, vivir sin taxis Uber sobre la faz de La Tierra. Hemos perdido el país, hemos perdido el exilio, hemos perdido hasta la memoria de cuál es cuál. Pero a mí me aterra mucho más la idea de una nación a pie, desconectada, sin mapas. Y este párrafo tampoco sé bien cómo explicarlo, pero es así.

Perdónenme esta cantaleta, por favor. Mejor, hago silencio. Estoy un poco descolocado. Con suerte, ya vendrán tiempos mejores para los desaparecidos cubanos. Y no importa que esta sea una mentira sin nombre. La verdad no es suficiente para paliar la falta de ilusión de un pueblo sin país y sin paisanos.

De hecho, la verdad es lo único que no toleramos. Es muy cruel eso de exigirle una «vida en la verdad» a una nación como la nuestra. La verdad ha sido brutal con nosotros. Inmisericorde. Una pesadilla mucho peor que soñar que no existen los Uber, solo para darnos cuenta de que los Uber tampoco existen en la realidad.

La esperanza para el futuro tal vez resida en una «vida en la mentira», pero con sinceridad. Mentirnos sin máscaras. A pecho abierto. Mejor mentiras miocardias antes que verdades comunitarias.

72.

Flaca, seria, altísima. Como una germana. Como una vara de tumbar teutones.

Se montó en mi Uber Pool poco antes de que saliera el sol. Yo y ella y el chofer, nadie más. En ese orden.

Estábamos solos. Estábamos cubanos. Éramos en Berlín. En una ciudad que, en los años ochenta, desde la prehistoria de La Habana, los hijos idiotas del despotismo ideológico caribe considerábamos como el *non plus ultra* de la modernidad.

Pobre pueblo. Pobres personas. Pobres protagonistas de un paisaje perdido e imperdible, ya sin paisanos.

La pasajera era bella. Es decir, la pasajera era bellísima. Una bestia investida por dioses poco menos que escandinavos. Y sentada a mi lado, toda espigada ella, en el asiento de atrás del taxi. Las piernas abiertas, como un hombre. Tota a la Toyota.

Mujer calva. Mujer de combates clínicos. Mujer al borde de un ataque de muerte.

Tenía un tatuaje de lado a lado de la cabeza. Que acaso había sido antes una cicatriz. Un tajazo antiguo y reciente, como son todas las cicatrices. Sobre todo, si esa cicatriz corre de lado a lado por la cabeza de una mujer. Psicatriz.

Me miró. Me dijo su nombre, sin yo preguntárselo. Y su nombre era Mónika, con k. Dejó de mirarme. Tras un largo giro de su cuello y clavícula, siguió atisbando por la ventanilla, como si yo no existiera. Con su mirada hembra de amaneceres, extraviada en el corazón sin Komintern, pero todavía con comunismo de Europa.

Algo nostálgica. Algo sabia. Algo yo sabía ella. Después del totalitarismo, la tristeza.

El chofer nos miraba un tin nervioso por el espejo retrovisor. Parecía turko o kurdo o algo así. También con k. Berlín ya no es la ciudad imperial que fue en aquellos tiempos remotos de búnkers con swástikas y sirenas antiaéreas cada media hora.

Nada es épico en este siglo XXI de fantasía. La derrota del fascismo trajo consecuencias estéticas no calculadas. Todos los soldados se desvanecen en el aire. Ha sido mucho más que una debacle. Las tropas aliadas sumieron a Occidente en esta realismosocialistada que ya no pare más, pero que tampoco tiene para cuando acabar.

Como era de suponer, Mónika se estaba muriendo. No hay literatura que no trate de mujeres muriendo, lo cual no significa que estén moribundas. Al contrario, son las más vitales.

No tuvo que decirme nada para yo adivinarlo. Cáncer, como quien dice «Castro». Un tumor, como quien dice «tiranía». Mónika la guerrillera. Mónika, madre. Mónika, mi amor.

Entonces la reconocí. En los tiempos remotos de la Revolución, ella había salido mucho en la pantalla en blanco y negro de mi TV Caribe, ese tubo catódico de títeres y subtitulajes piratas. ¿Cómo no me había dado cuenta desde el inicio? Ella era La Sexóloga en Jefe, la especialista en mostrar en cámara dibujitos de cuerpos encueros. La «reina del condón», como los cubanos comemierdas, que entonces éramos todos, la llamábamos.

En efecto, alemana de nacimiento. En afectos, cubana de corazón.

Las cosas que tiene la vida. Tal vez con Mónica Krause tuve mi primera erección pre-púber. Escondido de mis padres, bajo las cuatro patas del televisor o debajo de la cama, donde me refugiaba con sus libros forrados a cal y canto, para que no nos subieran los colores a la cara. Mónika, deskarada. Mónika, pedagoga makarenka. Mónika kerida, gracias.

Berlín parecía una ciudad inventada. Ahora pienso que lo más probable es que no fuera Berlín, sino la idea que nos hacíamos de Berlín desde los ostentosos ochenta de La Habana.

Pobres capitales. Pobres adolescentes urbanos a uno y otro lado del Atlántico soviético. Pobre capitalismo, que iba a llegar tan pronto y sin anunciarse. Como dólar por su casa. Como sin anunciarse desapareció un día, casi jugando, el fascismo en el mundo. Como sin anunciarse desaparecerá otro día, a golpes de amnesia, Fidel.

Estábamos en la primavera del 2019. Y era obvio que para Mónika y para mí todavía era demasiado temprano para aceptar la pérdida irreparable de la Revolución. Defenderemos esa memoria al precio que sea necesario. Ambos necesitábamos de un periodo de duelo, de un luto que lustrara los laberintos solitarios de nuestro lenguaje.

Necesité abrazarla, pedirle que no se bajara del Uber Pool, de donde walkiriamente se bajó. Fabulosa, un tin fáustica. De la mano de Marx y de Mefistófeles. Caminaba con esa falta de salsita cubana tan típica de los socialistas extranjeros, y esa deserotización me excitó tanto como en la infancia. Pero supe que no la vería más. Ni televisada, ni viva.

Pobre Mónika. Preciosa Mónika.

Todavía estaba oscuro en el mundo occidental. Le dije al chofer del taxi que se pusiera a dar vueltas, hasta ver si ese día de entresemanas por fin salía o no salía el sol.

Nos estamos quedando sin íconos. Qué calamidad. Muy pronto nadie en el mundo nos va a creer nada. Sin trauma, sin tiranía, sin testigos.

73.

No cooperes con el artista cubano. No cooperes con el escritor cubano medio clandestino en USA. Aunque haya entrado con una visa de conferencista, aunque tenga residencia disfrazada de Green Card, aunque esté a la espera de su American Passport y olé, con mayúsculas emancipadas.

Déjalo en la cuneta, que sufra mucho (sobre el bordillo) pero que no muera. Escúpelo de una punta a otra del *expressway*. Pásale por arriba con tu Hyundai, échale fango en la cara, gracias a uno de esos baches del Midwest. Todo esto le dije a la rubiaza que, al timón del taxi, nos llevaba al aeropuerto de Lambert desde el Forest Park. Un parque que parece un bosque, pero que no es ni parque ni bosque ni nada. Al desierto hay que respetarlo.

Busqué la mitad superior de su rostro en el espejo retrovisor. Solo eso me daría aquella superficie de azogue digitalizado. Ojos, nariz, y el flequillo dorado en la frente. Azul la mirada rubia de aquella *healthy blonde girl*. Muñequita de cuerda al volante, ropita de Barbie lista para ser ripiada sin piedad por el próximo pasajero, preferiblemente un inmigrante y sin papel.

Finalmente, a mi lado en el asiento trasero, se montó el escritor cubano medio clandestino en USA. Demasiado bello e inocente para vivir aquí. Demasiado anónimo a la caza de un titular en medio del tedio del Primer Mundo. *The United Sadness of America*, *The United Solitudes of America*. Demasiado tramposo también, como todo intelectual insular.

Solo comete torpezas... (Cuando dije «Uber», por ejemplo, él de súbito pensó en «Huber Matos»). Parece que no solo quiere ser *polite*, cortés cosmopolita, sino también caballeroso al punto de lo cobarde en *The United Shitholes of America*. Por eso toda la basura blanca de este inmenso *country* mira con rencor a su propio país, con desprecio de base a la élite, con una especie de prurito antiprogre del lumpen proletariado. *Clowntry*, patria de payasos. Bien merecido se lo tiene. Pero, les confieso, no tengo ni la menor idea de lo que digo. Y donde dije «Diego», digo «*Damnit*».

La izquierda académica en complicidad con nuestra tétrica tara tropical. Continuidad del castrismo, *fideli*dad por otros medios. Bien merecido nos lo tenemos.

Este escritor cubano medio clandestino es uno de los tantos escritores cubanos medio clandestinos que llegan a USA. Ilusos, insulsos. Para luego volver a un mierdero barrio o pueblo cubano, en aquella Islita ya a punto de la inmersión albañal. Heteros y homos, bi y tri, prefijos patéticos. Será mejor que se hundan en el mar, antes que traicionar la noria que se ha vivido. Una pandemia. Animales sedientos de sexo que en La Habana no suelen soñar. Por eso salen al «exterior», como ellos mismos le llaman a la libertad. Animales sedientos del semen numismático que en la Cuba insolvente no pueden tragar. Animales atrapados en una ciudad con H, consonante muda. Zoofilias de La Habana. Zoocialismo para zoquetes.

Hambruna de todo tipo de carne. Mujeres y hombres, mujeros y hombras. Aunque vengan a WashU, a la FIU, a NYU, o al sóviet de Berkeley, da igual. Son solo siglas para el *suck*cialismo *Made in USA*. Más que pensar la literatura y la patria, o la noción de la sinpatria y la posnación, solo quieren templar. Después del totalitarismo, la templeta. Visitantes venéreos. Visas como vaginas baratas, pasaportes como penes epifánicos. *All you need is fuck*. Hasta los fluidos siempre. *Come together right now over me!* Mientras dan una conferencia en LASA o ASCE, por ejemplo, sobre las reformas en tiempos de Revolución.

Este escritor cubano medio clandestino en USA, sentadito como Dios y el Estado mandan en el asiento trasero del taxi, había venido desde el Caribe a un congreso de altos estudios latinoamericanos (valga el oxímoron). Lucía eufórico, como un cimarrón cuyo nombre ha sido olvidado por el mayoral. Huyuyo de historia. Hablaba todo el tiempo de su ponencia magistral, tan aplaudida por los *political pilgrims* y los *fellow travelers*, que versaba sobre el conversacionalismo como una especie de contradiálogo en paralelo a la discursiva de la Revolución.

Si yo, que soy Orlando Luis Pardo Lazo, no entendí nada, estoy seguro de que ustedes entendieron mucho menos.

«Hablar en versos es hacer patria», decía el escritor cubano al montarse en el taxi Uber. «La metáfora coloquial es la clave de la participación ciudadana», decía a mitad del periplo. «El octosílabo es opresión, el renglón sin métrica es la vía tercermundista para la descolonización», decía todavía al bajarse del Hyundai.

Cuando nos quedamos solos en su Uber Pool (de pronto un Uber personalizado), la rubiaza me miró a los ojos, de rebote a través del espejo retrovisor. Pura narrativa anglo en el parqueo de un aeropuerto pequeño, de Missouri a ninguna parte.

No sé si la tipa había entendido o no entendido ni una sola palabra de mi compatriota. Ahora en La Yuma todo el mundo es medio hispanoparlante. Una desgracia. Pero eso no es lo más importante ahora. Lo más importante ahora es otra cosa que yo hubiera querido y no supe cómo decir.

Permítanme intentarlo en la próxima carrerita de un Uber Pool.

74.

Él lucía tan lindo, tan joven, con su barba de azabache y sus ojillos de lector, coleccionista, archivero, provocador racional, etc. Lúcido como carajo. Un Abel sobreviviente al totalitarismo caribe. Con toneladas de mujeres y machos a rastras, que se morían por él de cátedra en cátedra, relamiéndose los labios en vano, de una punta a otra del exilio académico poscubano y antinorteamericano.

Y El Abel como si nada, como si con él no fuera la cosa. Cacho de cabroncito. Incólume de remate, con esa luz medio célibe, que cae como un *spotlight* conceptual sobre los elegidos por la magia del ensayo, que es el género por excelencia de los geniecillos y los exégetas que llegan, acaso convenientemente tarde, a poner un poco de orden después de la catástrofe y el caos. Tipos duros, pero a la vez de muy buenos modales, con el don natural de interpretar la gloria que se ha vivido, sobre todo en épocas épicas como, por ejemplo, la llamada Revolución Cubana. Esa llamarada.

Yo lucía tan raído, tan resentido, tan resabioso de ejercer ese oficio impúdico que es encarnar en público, a nombre del cobarde pueblo cubano, el epíteto estéril de ser un anticastrista radical. Un Caín ya al borde de los cincuenta, cada vez más chocho y avejentado, panzudo a pesar de no contar con un solo artículo de opinión citable en ninguna publicación *peer-review* de la academia cómplice.

Yo, sin carrera científica o humanista, ni la cabeza de un guanajo. Sin libros deslumbrantes para los Duaneles y Desiderios de la victoria. En fin, un perdedor nato publicando diatribas, así en la Isla como en el Exilio. Y, para colmo, nostálgico a matarme y bien, qué tanto lío, melancólico como un mongólico de aquella aura caída de mi Revolución Cubana personal, que para Orlando Luis Pardo Lazo significó íntimamente la infancia y la felicidad. Abajo la democracia. Abajo los presos políticos y los fusilados. Muerte a Girón y a Peter Pan. No renunciaremos así como así a nuestro tótem tierno y tiránico, a nuestro comandante tan hijo de puta como de *Playboy*.

Salíamos de una conferencia en NYU. Como de costumbre, él brilló y arrancó aplausos. A mí me abuchearon y una profesora de origen cubano propuso denunciarme, acusado de «acoso intelectual», ante los abogados de la oficina de Title MCMLIX de su universidad. Ese es el clima correcto entre colegas y compatriotas. Me encanta.

Ahora los dos estábamos en un Uber Pool, el ensayista brillante y el escritor opaco. Viajábamos de vuelta a los dormitorios de estudiantes graduados, si bien ambos estábamos bastante pasaditos de tiempo para aprender ya nada. Se nos había ido la biografía sin darnos cuenta, como agua igualitaria entre las manos. Ninguno de los dos pertenecía a esta realidad retórica, pero tampoco teníamos alternativa. Para la Cuba geográfica, ni para coger impulso. Éramos, además, dos animales de carroña, alimentándose de las vísceras necro de un pasado pesado. Él con gracia, yo con grosería.

Fui a decirle todo esto, pero no le dije nada de esto. Le pregunté la hora. Elogiamos la comelata gratis, pagada por los magnates marxistas de la Universidad de Nueva York. Hicimos un par de chistes anticubanos y algún que otro comentario despectivo sobre la mediocridad masiva de este país, los antiguos Estados Unidos de América.

Él brillaba, incluso en privado. Creo que el chofer del taxi medio que se fascinó lgbtqiamente con él. Quería entrometerse en nuestra conversación y, cada vez que yo trataba de aportar algo, el tipo nos interrumpía para demostrar su espontáneo desagrado con mi participación.

No le gusto a nadie en este país. No puedo ni empezar a hablar, no puedo ni fingir que estoy pensando. Por eso creo que ya es hora de dejar de vivir viendo este paisaje. Basta de sostener estos diálogos. No quiero seguir siendo un cubano incapaz de no estar rodeado de cubanos.

El Abel lucía muy sano. El Caín, completamente enfermo. No era una conversación entre iguales. Terminada la representación, era la hora de protagonizar cada cual su propia desaparición. A casa. Es decir, al cadalso.

Él, de cuello y corbata: al salón aterciopelado de los que triunfan tanto dentro como fuera de la cárcel. El que sabe, sabe. Yo, con pitusa, tenis, y camisa de fuerza: al cajón de sastre de los juguetes despingados. El que supura, supura.

75.

Decidí que iba a botear de nuevo. Me conecté al App de Uber y enseguida me cayó un pedido: «Lolita», decía su perfil, y estaba a menos de una milla de distancia de mí.

Acepté su solicitud de inmediato. No es fácil tener una erección solo de ver la foto de perfil de una cliente. Me temí que «Lolita» sería mucho más que una relación estrictamente profesional.

Me lavé los dientes a la carrera. Casi nunca lo hago. Desodorante, perfume, un tin de talquito, al estilo de la mulatancia insular. Me tiré por encima un pulóver de *Cuba Decide*, medio empercudido. Y salí matándome por la puerta.

Me subí al carro. Lo prendí. Para entonces, yo ya la amaba, eso era un hecho fáctico. Y valga la redundancia. La cosa era saber si Lolita alguna vez llegaría a amarme a mí. Pero, tiempo al tiempo. La tiranía no se va a ir, así que los cubanos no tenemos por qué apurarnos. Ya bastante que nos precipitamos al precipicio.

En cinco minutos, estaba parqueado ante su puerta. La esperé hecho un mar de nervios, pero tratando de disimular mi ansiedad. Salió de su casita de hadas y vino dando salticos hasta el carro, como escapada de un cuento infantil, según se aproximaba a mi Chevy Opala. Lolita en el país de las maravillas. *This is America.*

El corazón se me quería salir por la boca. Entonces la vi abrir la puerta del carro. Y entrar.

—¿Lolita? —le pregunté por rutina.

—Yep —me soltó—. Orlando Luis, ¿hmm? —dicho como si fuéramos viejos amigos o amantes, que de pronto coinciden por azar después de muchos años sin amistad y sin amor.

—Súper —le dije, y empecé el viaje en el App y en la realidad.

Lolita era alta y flaca, con unas rodillas nudosas que sonaron como cascabeles, tan pronto como ella se sentó en la parte de atrás. Brazos de bailarina, que podrían tocar el cielo cada vez que a ella le diera la gana. Vestía un vestidito negro de tirantes, cortísimo, como flotando al viento, con un diseño floral hecho a lo comoquiera. Telita probablemente barata, acaso comprada en una de esas tiendas de modas, donde rematan productos hechos a toda velocidad en países anónimos, preferiblemente por niños obreros de manos habilidosas.

Como las manos de ella. Libidinosas.

El tirantico del hombro izquierdo se le caía constantemente, y constantemente ella tenía entonces que arreglárselo. Esos momentos mínimos, donde de algún modo Lolita se desvestía y se vestía en mi carro... Mejor no comento nada. Al borde de una pandemia, no creo que sea exactamente el mejor momento para terminar en una prisión federal. Además, ya viví demasiadas décadas en una.

Manejamos en silencio durante algunos minutos, que se me antojaron como una eternidad. Su cara iba iluminada, como corresponde a una verdadera *millennial*, por el resplandor de su móvil de última generación.

A ratos, Lolita sonreía. A ratos, Lolita emitía un sonido gutural. Hasta que se quitó el teléfono de la cara y comenzó a zafarse el cinturón de seguridad. Mis ojos continuaban clavados en ella a través del espejo retrovisor, como contemplando la mejor de las películas mudas, a la espera de la próxima escena silente.

Levantó la pierna derecha y la puso sobre el asiento, mostrando sus zapaticos de marca Doc Martens, con las medias recogidas al estilo escolar. Su rodilla era tan blanca como el alabastro. Sus piernas tan largas como una columna de agua clásica.

Lolita arqueó el cuerpo, apoyándose en su pierna, y terminó como izada sobre el asiento, remeneándose, sin dejar nunca de sonreír. En este punto, la verdad es que no tengo la más puta idea de cómo pude seguir manejando al volante, sin mirar ni una sola vez a la calle. Minutos. Milenios. Da igual. Mi mirada en ella. Hasta que se los vi.

Mínimos, estrujaditos, rosados (por supuesto), de algodón celestial: blumercitos con un diseño reincidentemente floral, que mis ojos trataban de escrutar en detalle, a través del reflejo retrovisor invertido.

Se los bajó, deslizándolos a lo largo y estrecho de sus piernas, con aquellos zapatones de marca. Su sexo siempre a la sombra, como inexistente. Cuando acabó de quitarse el blúmer, abrió su mochilita y sacó una especie de cofre donde lo guardó, con sumo y artero cuidado.

Cogió un plumón, y una vez más sonrió. Movía la cabeza a uno y otro lado, como ponderando, musitando (sí, «musitando» es la palabra) algo inaudible, según escribía algo ilegible en la tapa del cofre.

Guardó el plumón y sin ningún recato me miró. Nuestros ojos chocaron en sentidos opuesto en el eje de las XXX del espejo retrovisor. No choqué mi Chevy Opala de puro milagro.

—Están a la venta —dijo.

¿El qué, el quién? ¿Cómo, cuánto, a quién?

Ninguna de estas preguntas fue preguntada. De pronto, se me había olvidado hasta la última traza del inglés, que durante toda mi vida yo había celosamente atesorado en la zona perisilviana de mi cerebro. Así que permanecí en silencio, personaje chaplinesco, contemplándola, a la espera impaciente de que mi modelo de la *belle époque* me aportara un tin más de información comercial.

Me dijo que ella era una artista (como era de esperar), y que hacía ya bastante que se dedicaba a vender sus bragas en la página digital Scent.sex, para pagar sus estudios en el conservatorio de arte de Saint Louis. Estas bragas en específico, estaban en venta desde tempranito ese día, bajo el rótulo de «Sesión de estudio en casa de un amigo», y recién las había vendido cuando solicitó el taxi Uber, precisamente desde la dirección de la casa de ese afortunado amigo. Es decir, cuando me solicitó a mí, un cubano que desconocía que en el mundo existía un planeta llamado Scent.

Lolita me contó de sus otros productos de gran demanda *online*: «Oyendo *Take Care* de Drake y bebiendo vino rosado» (repárese en los generosos gerundios), «Viendo una película triste muy triste y llorando un poquito al final», «Pelea de perras con mi madre tras un día de compras», «Volando sobre el nido del cuco», etc.

Me pidió que añadiéramos una parada en su casa, antes de yo dejarla en su destino final, pues debía recoger otro encargo especial que increíblemente había olvidado. Su memoria, como la de toda su generación *multitask*, era ya mala, muy mala. Es decir, justo la necesaria para vivir sin pensar.

Me sentí feliz, como hacía siglos no me sentía. Era en la dirección contraria a la que íbamos, así que este imprevisto extendería nuestro tiempo juntos en la vida, por al menos otros quince minutos de fama.

Entonces Lolita me contó todo sobre su negocio, el tipo de arte que cultivaba, y sus prodigiosos planes para el futuro, toda vez que terminara en el conservatorio de esta ciudad. Ella estaba, dijo, absolutamente excitada con su futuro. Como yo, no le dije, que estaba absolutamente excitado con su visión: tanto optimismo puntualmente me la paró.

Lolita me preguntó entonces quién era yo. Lo usual, lo común. Le dije lo común, lo usual. Orlando Luis Pardo Lazo. De Cuba. En Saint Louis, Missouri, desde el 2016. Haciendo un PhD en Literatura Comparada. Le dije de todo. Es decir, no le dije nada. Mi pasado, lo precario del presente, mi no futuro. Incluso mis súbitas ganas de vender mi ropa interior, al menos en otro planeta llamado Scent.sex.cu.

Los quince minutos volaron y ya estábamos en su casa. Otra casita de cuentos infantiles. Tuve un ataque de ternura. Quise deslizarme hasta el asiento de atrás y hundirme en su regazo, acurrucándome junto a ella por los quince minutos de los quince minutos hasta el fin de los quince minutos, de manera que Lolita nunca recogiera sus cosas y jamás se alejara de mí.

Que me dijera más. Más de su arte. Más sobre sus planes cargados de futuro, como una pistola. Ya yo hasta quería ser parte de su negocito por cuenta propia, para ayudarla y ayudarme a vivir. Sin darse cuenta, ella me había trastocado completamente mi biografía vacía. Yo quería ver y verla. Y verme y vernos dentro de su casita de muñecas.

Mientras Lolita terminaba de recoger sus objetos mágicos regados dentro del carro, hizo una pausa teatral y me miró. Bendito espejo retrovisor. Mis ojos en sus ojos de nuevo. Mis ojos en sus ojos para siempre, desde la primera vez que entrechocaron.

Se agarró de los espaldares de alante y vi cómo su reflejo invertido se acercaba peligrosamente hacia mí. Mis pupilas dilatadas, casi clínicamente, según su fantasma soplaba en mi nuca un aliento tibio, a ras de oído, susurrando esta frase en inglés mientras nuestros ojos no se destrababan todavía:

—*You can come up* —dijo mi niña hermosa, mi niña divina, mi niña caprichosa, mi niña enferma que se tira sus fotos púbicas en un cuarto oscuro.

Viré la cara para besarla para el carajo, aunque terminara preso veinte o treinta años en la peor prisión federal. Pero fui demasiado lento para vivir en el Midwest. Ella era la rápida aquí.

Se escurrió por la puerta contraria y me dejó a mitad de beso, y con media sentencia dictada por el jurado. Mareado y medio.

La vi alejarse, trotando, más que caminando hacia su casita. Un triángulo de sudor o acaso de savia mucho más vital que el sudor, quedó fragante sobre la piel del asiento. *In fraganti*. Me quedé extasiado, mirándolo. Medio minuto, medio milenio, media muerte. Da igual.

Decidí terminar el viaje también para el carajo. Que se jodiera Lolita. No habría un segundo viaje para ella, ni para mí. Pisé el acelerador y salí chillando gomas hasta la mitad de su cuadra. Entonces frené, con un chirrido aún más escandaloso que el anterior.

Tiré el carro contra el contén. Apagué el motor, cerré el App de Uber. Y, de paso, apagué mi móvil también. Le saqué las baterías y las boté en un contenedor de basura reciclable.

Salí de mi Chevy Opala, dando un portazo. Respiré. Entonces caminé sin caminar, de vuelta hasta su casita, dejada atrás apenas media cuadra, segundos antes. Orlando Luis Pardo Lazo en el país de las maravillas. *This is America.*

Lo-li-ta, luz de mi vida, fuego de mis entrañas. Así que ya pueden ir llamando al 911.

76.

Y pasó lo que tenía que pasar. En mi taxi Uber se montó Salvador Wood. Campechano, vivo, sonriente. Haciendo chistes de relajo, pero muy decentes, mientras manoteaba con un sombrerazo alón al estilo de Camilo Cienfuegos, según la poesía épico-infantilizada sobre Camilo Cienfuegos, el héroe de Lawton a quien Fidel Castro asesinó en octubre de 1959 con una ráfaga de metralleta checa, en la Ciénaga de Zapata.

Salvador, carajo: ¡cómo te nos acabas de morir a los 90 años!, pensé.

Yo lo quería. Desde siempre. Y lo voy a querer desde siempre hasta la eternidad. Un hombre de madera buena, de esos cuya bondad no se envilece, ni siquiera al hacerse una fotografía babeándose bobaliconamente ante el comandante Fidel. Los guajiros son así, amantes de los capataces.

Estaba ya muy viejito cuando se montó en mi Chaika azabache de lujo, un carro que yo alquilaba a una princesita japonesa de Saint Louis, para poder hacer Uber XL de madrugada.

Estaba, también, muy consumido. La carne tersa, pidiendo pista, por favor, pidiendo piedad. Los labios hundidos. La boca como una caverna, pero todavía humana. Corajuda, coño. Sin miedo a la muerte, que diríase que Salvador Wood portaba por fuera como si fuera uno más de sus tantos lauros profesionales. Por dentro, nuestro hombre en las tablas era de madera bien dura. Risa matutina, vitalidad vespertina.

Hacía poco había muerto su amor de toda la vida, creo que en el 2005 o 2015, da igual. En un cumpleaños triste del tirano cubano. Y así sí que ya no se puede seguir. No me gustan los suicidas, pero en esto estoy más que de acuerdo con nuestro renombrado actor. Toda vez rebasado cierto límite de soledad, los cubanos tenemos el deber moral de saber desaparecer, como lo supo José Martí. No debe vivirse demasiado sin nuestro único amor.

—¿A dónde lo llevo, mi padre? —le solté en argot de cubano bonachón, como él mismo lo era.

Mi padre cumpliría este año 2019 sus primeros cien años de resistencia en La Tierra. Diez más que mi pasajero improvisado, acaso imaginario.

—Tú sabes bien, mi'jo —me respondió Salvador Wood, sin despegar demasiado sus labios—. Llévame a donde ella voló.

No tuvo que especificar nada más. Tampoco le cobré ni un centavo. Bajamos por Clayton Road hasta montarnos en la 64 Interestatal, y de allí por Kingshighway Boulevard para buscar la catedral católica de Missouri.

Afuera estaba una estatua del Papa Juan Pablo II, también ya muerto. Estuvo aquí, un enero exacto después de haber estado en La Habana. La cúpula de la basílica rielaba como un domo interestelar bajo la luna muda del exilio. Era la una y uno de la madrugada mizzou, la hora sin historia donde todos los cubanos sin Cuba parecemos un poco fantasmas. Aparecidos.

Alcancé a decirle algún elogio común sobre *El brigadista*, con el que yo me hice adulto en los años ochenta de La Habana. Era La Habana lánguida del filme *Lejanía*. Era La Habana pacatamente porno de la película *Tiempo de amar.* Era La Habana falsamente fabril del largometraje *Los pájaros tirándole a la escopeta.* Entre otros mamotretos sinónimos del horror y la chealdad castrista, sin los cuales, sin embargo, no quiero seguir viviendo en un mundo mierderamente emancipado en clave de emoji digital.

☹

Salvador me agradeció el elogio con un gruñido. Honrar, honra (en Cuba, yo nunca supe que iba una coma entre «honrar» y «honra»). El tablado de su rostro había cambiado de talante. Un bosque algo más huraño, sombrío, silente como su voz en *off* en los planos patéticos de *Soy Cuba.* Nuestro hombre en el ICAIC estaba entrando en una soledad que, sabíamos, como corresponde a todo *Paradiso* perdido, era la de la muerte. Por suerte para él, por suerte para mí, por suerte para ambos, había un cubano en el pabellón de al lado en esta, su escena definitiva.

Pobre papá, que lleva ya como 20 años sin verme. Pobre Salvador Wood, que en apenas un pestañazo pronto llevará como 20 años sin ver ninguna de esas pésimas películas cubanas.

Se bajó del Chaika. Trató de darme una propina en *cash*, a pesar de que yo no había activado el taxímetro de mi Uber App. Se lo recordé. No tenía que pagarme nada. Para él, con gusto le regalaba su último viaje gratis. Le temblaban sus brazos de viejo bello que trae en sus manecitas de niño fuerte una flor para su amor, para su Yolanda a la espera del otro lado de la eternidad.

Fue a contar los billetes. Le dije que no, que parara. Pero el guajiro santiaguero siguió contándolos de todas maneras. Entonces me fijé bien. Era dinero cubano. Billetes probablemente de décadas antes de la Revolución.

—Deme lo que usted quiera, mi padre —acaté entonces su primera voluntad de cadáver.

No sé ustedes. Pero lo que soy yo, ese día tuve que dejar de hacer carreras con Uber y regresar a mi estudio de alquiler. Prendí la computadora y me puse a no dejar de llorar, viendo todos y cada uno de los filmes y películas y largometrajes de Salvador Wood.

Maldito sea tu nombre, YouTube. Bendito sea el tuyo, mi amor, recio Salvador de los bosques deforestados de nuestra utopía totalitaria insular.

77.

El 2020 es ya el futuro, por si aún no se enteran. Ni uno solo de los cubanos imaginamos jamás llegar a este año. Es una fecha fantasma, en la que los cubanos seguimos creyéndonos que aún estamos en el siglo XX. Y encima hasta creemos que el siglo XX fue el siglo de la Revolución.

Pienso en todo esto mientras manejo mi taxi Uber por ahí. Muchas veces no sé ni a dónde voy, mucho menos en dónde estoy. Da igual. Todo está programado en un App de mi iPhone XS Max. Todo se guarda en la nube de Apple. La realidad real es ahora una imitación de los eventos que ocurren en el planeta digital. Las personas somos menos que fantasmas. Píxeles, más que ectoplasma. Ceros y unos y unos y ceros en un servidor de sílica.

Este mediodía me dio miedo de quedarme ciego de pronto, en medio del exilio cubano. Todo se veía tan blanco bajo el sol de Missouri, tan blanqueado bajo la costra de luz de un país sin paisaje, como es claramente el caso de los Estados Unidos. Todo tan silente, tan sordo, tan silicona cegata.

Manejo y manejo mi taxi Uber, de una punta a otra punta de la ciudad sagrada de Saint Louis. Me entran más y más solicitudes de pasajeros, hechos no de piel sino de bits. Tengo apenas un par de minutos para responder o perder la carrera. Pero este mediodía de mierda he decidido no contestarle a nadie. Que se jodan. Que los recoja otro chofer.

Mi objetivo del día es solo gastar y gastar hasta la última gota de gasolina de mi Hyundai, hasta ver en cuál esquina desconocida me quedo botado, en esta ciudad que yo no he elegido, como mismo ella tampoco me ha elegido a mí. Enemigos íntimos, a muerte: Saint Louis y San Orlando Luis.

Bajo las ventanillas. Respiro el vapor del asfalto tercermundista que sudan los guetos de este estado del Midwest norteamericano. Huele a marihuana, huele a inmigrantes, huele a segregación, huele a *disabilities* por todas partes. América ya no quiere ni sabe ganar dinero. Tampoco quiere ni sabe querer a nadie. Es la continuidad de la Guerra Civil, pero por otros medios. Además, por supuesto, de ser el bastión de un castrismo cultural galopante por los cuatro costados, que se come a las mentecitas nuevas de esta nación, a golpe de ideología de izquierdas y Adderall corporativo.

Por cierto, la fórmula química del Adderall es indistinguible del plasma que conforma los servidores de Silicon Valley.

Subo las ventanillas. Respiro el perfume cancerígeno del ambientador colgado en cada boca del aire acondicionado. Miro el interior de mi Hyundai. Parece una cápsula de avión a punto de catapultarme. Parece un quirófano. Parece, también, un ataúd.

En este cajón de un metro por un metro cuadrado se me va la vida, pienso. En esta caja de zapatos vacía cabe la biografía sin vida del pueblo cubano, pienso.

Somos una partida de apátridas que se cayó de culo en el futuro fósil del 2020, y todavía ni nos damos cuenta de lo que nos pasó. Ni uno solo de nosotros imaginamos llegar a esta fecha. Ni uno solo parece dispuesto a creer que ya no estamos en el siglo xx. Y por eso arrastramos todavía la memoria moribunda de que el siglo xx ha sido el siglo de la Revolución.

No es daño antropológico. Es artrosis del alma. Una cosa atroz, que viene de «atraso»: la imposibilidad de ser otros, tras la experiencia extrema de una sociedad cerrada a cal y canto, como las tumbas de los cementerios en idioma extranjero, a donde irán a dar uno a uno nuestros intraducibles esqueletos.

Se me acaba la gasolina. Estoy en el medio de ninguna parte. Parece un barrio pobre de etnoamericanos, que son los más rabiosos en contra del sistema ario bancario. Estoy de pinga. Por menos que esto, si me oyen, cualquiera me metería un bang-bang con ganja, o me cortaría las nalgas al estilo tasajo de los crucigramas, sin comerla ni beberla. Solo por decirla. Léase, por escribirla.

Por cierto, no hay crucigramas en el capitalismo, solo sopas de letras para retrasados. Esto no me hubiera pasado en Cuba. Esto no nos hubiera pasado en Cuba.

78.

«Como los hombres cubanos no pudimos matar en vida al dictador cubano, pues ahora matamos sin coger mucha lucha a las mujeres cubanas. Claro, siempre después de templárnoslas. Preferiblemente, durante varios años. Con hijos incluidos».

«Es decir, las matamos cuando ya hicimos con ellas todo lo que teníamos que hacer y, por lo tanto, sus piltrafas ya no nos sirven para nada. Pero tampoco podríamos dejar que sus mondongos les sirvan a ningún otro cubano, ni a nadie. Por eso les bajamos sus correspondientes cuatro o cuarenta buenas puñaladas, partiéndoles desde el culo hasta el corazón».

«En el extranjero, las feministas y los afeminados llaman a este acto de elemental venganza: feminicidio. En Cuba y en el exilio cubano, sin embargo, todos sabemos, pero lo callamos, por las apariencias, que se trata meramente de justicia social de género».

Duras palabras, ¿no? Parecen sacadas del diario de un loco, pero tampoco es para tanto. Es el diario de un lúcido. La realidad es mucho más rala que la más radical de las retóricas. Me explico.

Esas son palabras copiadas textuales del diario de un pasajero, con subrayados y todo. Un blanconazo medio capirrón, que dejó abandonada su libretica rayada a mi lado, en el asiento de atrás de un Subaru, al bajarse de nuestro Uber Pool, que seguía dando tumbos y vericuetos, desde la médula rascacielos de Brickell hasta un condominio gentrificado de South Miami.

Y decía mucho más aquel diario. Por un momento, pensé en entregarlo a la policía de la ciudad. Pero después pensé: qué policía ni qué policía de qué pinga. Yo soy el que sabe leer: Orlando Luis Pardo Lazo's Lives Matter.

Primero que todo, se trataba de un compatriota cubano y, por lo demás, con ciudadanía estadounidense y todo, aunque yo bien sé que los Estados Unidos nunca podrán ser de verdad nuestro país. Ni el país de nadie.

Por último, tampoco pensaba devolverle su libretica rayada a mi compatriota. Que se jodiera. La guerra es la guerra. Porque, entre aquellas dos tapitas de pasta color rojo escarlata, esbozada entre el marabuzal de aquella letrona de caballón cerrero, de burro oriental recién acabado de bajar de una Sierra Maestra psicópata, allí me estaba esperando, ansiosa, al acecho, casi ya lista para su publicación instantánea por la Editorial Hypermedia, por ejemplo, precisamente como si fuera la más puta de las putas en celo, una novela de asesino en serie sensacional. Al filo de Pedro Navaja. Un *Uber-thriller.*

El capirro blanconazo, después de una decena de párrafos como los que les copié en primicia exclusiva al inicio de este viaje septuagésimo octavo en taxi, se lanzaba entonces a fondo a contar. A contar crímenes y no cascaritas de piña. Crímenes cometidos por él, con las propias manos de construir una carretera, de una punta a otra del estado encharcado de La Florida.

Ojalá haya sido mentira todo lo que decía en su diario aquel tipo. Pero, a los efectos de mi novela de un *serial-killer* criollo en el exilio, me da irrevereconsultivamente igual. Anécdotas son anécdotas: la literatura no tiene otra ética como no sea la de una alta narratividad. Hemoglobina a pulso. Vísceras en vilo. *Quod scripsi* es crimen.

Nuestro hombre mataba por matar exclusivamente a cubanas, como correspondía según su teoría del machismo frustrado bajo el mantra marxista de la Isla. Atesoro así, en su libretica rayada, por lo menos una cuarentena de cadáveres: todas y cada una de ellas con lujo de detalles sobre cómo el vil varón se las templaba a lo bestia antes de descuartizarlas. En ocasiones, en simultáneo. O sea, las picaba en pedacitos, todavía con su pingón santiaguero dentro de las vaginas vaciadas de vida, por su volátil vocación de venganza.

Escatológico. En el sentido religioso del término.

No hay Historia de la Revolución Cubana más allá del límite libidinoso de ultratumba que representan estos relatos sin ideología. Estas muertes violentas, en un sentido son nuestra mejor poesía revolucionaria: el conversacionalismo que nunca consiguieron cristalizar los conversacionalistas comemierdas cubanos, empezando por el cabo Calibán de Roberto Fernández Retamar, que al parecer acababa de fallecer en La Habana por enésima vez, si bien los poetas malos nunca mueren.

Esos cuerpos femeninos hechos papilla, justo cuando estaban a punto de venirse como perras sin patria, junto a la plusvalía estética del relato natural de la descojonación o más bien desuterización, son el realismo mágico socialista que nos faltó en el siglo XX, que fue cuando único hubo esperanza para la literatura cubana, porque, como debe ser ya más que evidente a estas alturas de la historieta, sin Estado Totalitario es inconcebible ningún tipo de literatura nacional.

No sé si el tipo seguirá o no seguirá en activo. Acaso la falta de su diario le haya paralizado la pulsión. Lo cierto es que siempre sigo las noticias de condenas de muerte a cubanos, de costa a costa de los Estados Unidos. Solo me falta ese datico para rematar mi novela sobre él y sus víctimas bollales. Porque ya la tengo escrita casi del todo: será nuestra obra cumbre, a cuatro manos y cuarenticuatro cadáveres.

Por desgracia, yo, tal como también lo ha confesado Leonardo Padura, soy un escritor sin imaginación. De carro en carro, me alimento alegremente de la carroña ajena.

79.

Uberization is the ultimate stage of the biopolitical conquest.
François Cusset

Escuchando a Alex Otaola. Muchas veces me pongo a manejar mi taxi Uber, después de las clases en la universidad, y entonces pongo a toda leche el programa de Otaola por internet.

A muchos pasajeros les molesta el audio tan alto dentro del carro. A mí no me importan un carajo mis pasajeros, ni tampoco si me pagan o no me pagan propina. Se pueden meter su dinero digital por donde peor les encaje el canje.

De hecho, lo más probable es que alguno de ellos me meta muy pronto una denuncia con la compañía de taxis, según el uber-ubicuo estilo de la chivatería castrista que se está comiendo por una pata a este país. Por las dos patas, poniéndolo en cuatro patas.

Si me quitan la licencia de manejar Uber, bien. Si me quitan la licencia de conducción en EUA, mejor. Y si me deportan para la Cuba de Castro de una buena vez, mucho más mejor todavía.

Por si aún no te enteras, Alex Otaola se ha convertido en el enemigo público número 1 de la dictadura cubana. En términos políticos, el tipo es un timbalú letal. Además de tener un *swing* exquisito, de clase. Es un orador que arrasa, una saeta de azuquita retórica y sin cascabeles en la punta. Un aristócrata. Es decir, un revolucionario.

Su programa tiene millones de seguidores en todo el planeta. Y él solito está subvirtiendo a la tiranía cubana donde más les revienta a los comunistas: en su complicidad con el capitalismo primermundista de Europa y los Estados Unidos. Es decir, en la furibunda falta de escrúpulos de la izquierda insular a la hora de enriquecerse a costa de las economías de mercado, mientras someten a la cañona al pueblo cubano a un apartheid atroz.

Voy manejando y oigo la opereta de Alex Otaola a todo meter, sus perretas a contracorriente de la mezquindad mediocre de los cubanos, su escobita nueva de barrer bárbaramente con todos los sinvergüenzas del socialismo, como si de un resucitado suicida Eddy El Loquito Chibás se tratara.

Oír a Otaola va en contra de lo que me dicta el sentido común, si es que quiero ganarme unos pocos pesos extras con mi Uber App. Pero ya lo he dicho: me importa un carajo esa ganancia. Prefiero ser pobre a perpetuidad, antes que vivir para sobrevivir. Mi espíritu es inapresable. A mí tampoco me van a callar esta bocaza cubana. Y mucho menos me van a apagar la llama descontrolada de mi cansado corazón de hombre blanco, como él. A Otaola y a mí nos une la sinrazón del Estado y cierta corazonada de raza.

Por cierto, ya la prensa liberal en inglés lo acusó acuciosamente de ser un racista. Menos mal. Alguien tenía que ser racista, supongo. O esa subespecie se extinguiría, lo cual ecológicamente sería una hecatombe.

Así que sigo manejando de 5 a 7 de la tardenoche, día tras día de este exilio sin fines de semana, y las denuncias al pecho, y el humor delicado a la par que deschavado de Alex Otaola, me hacen sentir menos solo, menos siniestro, más vivo, más noble, en el verano sin memoria del año 2020 de la Revolución.

Pienso: valió la pena de sobra el haber sido cubanos alguna vez en la historia de la humanidad. Gracias, Alex de los atardeceres sin amanecer a la vista.

Pienso: hay esperanza, hay esperanzas. Aunque, por supuesto, todo esté perdido de manera irrecuperable desde el inicio de la Isla. Gracias, Otaola de aún se verán muchos más horrores.

Pienso: nos quitaron todo, acabaron con nosotros meticulosamente en cuerpo y alma, pero conservamos la conversación a camisa quitada, la resistencia casi ridícula de las impronunciables palabras y este arrebato de proferirlas a la patada, desde una libertad de remate, residual. Gracias, Alex Otaola de la fase terminal del totalitarismo, por la resistencia retórica que estalla en vivo en tu garganta de gargantúa anti-Castro.

Y entonces piso el acelerador, mientras sigo escuchando a Alex Otaola, con su YouTube a tope de volumen en mi Uber taxi, a falta de una vida habitable fuera de este vehículo alquilado.

80.

Los caracoles no se arrastran:
están más cerca de la tierra.
La vida es silbar

Estuve esperando y esperando y no caía ningún pasajero. Era esa hora muerta de la tarde en que nadie va ni viene todavía de la escuela o el trabajo. Así que metí el carro en el parqueo de un Walgreens o Walmart, y me puse a ver una película cubana en la *laptop*, mientras esperaba que en el teléfono la campanita de mi Uber App me alertara del próximo viaje de alquiler.

La película era *La vida es silbar*, de Fernando Pérez. Una película cubana, por supuesto. No veo las de otra nacionalidad desde que salí de Cuba, en marzo del 2013. Y, como todas las películas cubanas, una película hecha de arqueología y amor.

Al final del filme se habla del año 2020 en La Habana como si fuera una cosa remota, remotísima, casi de ciencia ficción (es la impronta de Eduardo del Llano como guionista). Un tiempo probablemente ya sin restos de la Revolución, y donde todos los ciudadanos de la Isla por fin íbamos a ser felices, gracias al acto elemental de silbar. También, al parecer, de patinar.

Veinte años atrás, cuando se estrenó *La vida es silbar*, el 2020 era ciertamente el futuro. Tal como en mi infancia y adolescencia, el futuro quedaba entonces en una esquina del año 2000. Ciclos irreciclables, irreversibles, irreparables. Y, alas, helo ahora aquí, a aquel futuro fastuoso de finales de siglo y milenio, convertido apenas en un presente precario de comienzos de nada, que parece más bien un embudo: cada vez somos menos los cubanos que quedamos aquí.

Por eso esta película es de pronto una película de fantasmas. Incluso la idea de «aquí» ya no significa mucho. O, en todo caso, significa «allí», «allá», «acullá», en todas partes. Es decir, en ninguna. Los cubanos estamos deslocalizados, pura onda cuántica de partículas sin patria. Una diáspora delicadamente diezmada.

Por cierto, no recodaba que la película fuese tan larga. Y tan lentona. O acaso soy yo, porque he ido perdiendo la paciencia con los achaques de la edad y con la rabia de ser un frustrado, así en la política como en el amor.

Igual me pareció que duró casi tres horas, toda una eternidad para estar sentado dentro de un carro. Con aire acondicionado, pero bajo el sol asesino de Missouri a mitad de junio.

Cuando empezaron los créditos del final, ya había anochecido en el parqueo de Walmart o Walgreens. Ni un solo pasajero del mundo requirió el concurso de mis modestos esfuerzos. La compañía Uber estaba en baja. O me habían dado de baja a mí en tanto chofer, por no dejarle pasar ni un chistecito socialistoide a mi clientela. Y por escribir este libro. Y, por supuesto, publicarlo.

Me dolían los ojos de tanto mirar la *laptop*. Me dolía la cabeza de tanto recordar las circunstancias del Orlando Luis Pardo Lazo que vio la película en un cine finisecular de La Habana. Me dolía el corazón ante tanta ingenuidad fílmica (es la impronta de Eduardo del Llano como guiónista) y tanta indolencia existencial, por parte de esos espectadores aún llamados el pueblo cubano: nosotros, los sobremurientes.

A nadie en los Estados Unidos le importa *La vida es silbar*. Eso es un hecho. Nadie se identifica con su pobre simbología poética y, por eso mismo, tan conmovedora para mí y los míos. Con esas escenas sobreactuadas, por momentos como de mala imitación del cine mudo. Y con esos diálogos a medias, como corresponde a una obra de arte que lleva la firma infame de la dictadura más larga de las Américas (y ese límite sí que no lo cruzan los doblesentidos de Eduardo del Llano).

Ver la secuencia final a ras del 2020 cinematográfico, pero ahora a ras del 2020 real, me resultó sobrecogedor. Como una coda, pero sin haber ejecutado la sinfonía, si es que las sinfonías culminan con una coda antes del telón.

Vi el cuerpo desnudo de Isabel Santos por última vez. Me hubiera tendido sobre ella a dormir, a rezar para que nunca se terminen los años noventa, como en un esquizopoema de Susana Pérez, la hija del director.

Vi las facciones resistentemente juveniles de Luis Alberto García, hoy hirsuto en canas y metido en polémicas patéticas de medio palo en su Facebook, el cual abre y cierra según las olas de aplausos o de repudio.

Y, sobre todo, vi mi ciudad, nuestra ciudad imperial: La Habana. Y tuve la revelación de que esa ciudad y yo, ya habíamos consumido nuestro tiempo juntos sobre La

Tierra. No nos dio tiempo ni a despedirnos, el martes 5 de marzo de 2013, coincidentemente a las 4 y 44 de la tarde, como tampoco pudieron despedirse tantos y tantos cubanos escapados a la cañona de Cuba. Pero esa ausencia de ritual no quita el resultado raquítico de que no nos veremos las caras nunca más, madre Habana.

Apagué el App de Uber en mi teléfono celular. Otro día más ganando unos pocos quilos prietos partidos por la mitad. Hay que joderse.

Salí del carro y me fui caminando para mi casa. Tal vez, incluso en algún momento cogería una guagua, como en Cuba. Caminar en el exilio es demasiado deprimente: en los Estados Unidos, por ejemplo, además de no haber personas, tampoco hay ni paisaje.

Dejé mi Rambler parqueado a ver si una grúa se lo llevaba y lo hacía chatarra de una puta vez. Esto no nos hubiera pasado en Cuba. Por el camino iba pensando, para no decir que iba silbando, la siguiente letanía de cinéfilo oculto:

—Fernando Pérez, mentía. Fernando Pérez, mintió. La Habana del 2020 no era el futuro, oh, no. La Habana del 2020 sin Cuba ni siquiera fue un adiós.

81.

Nosotros, que nos
aborrecimos tanto.

La noche trucutú de los exiliados cubanos, un exilio que no dejó ninguna ilusión atrás y que, por eso mismo, no regresa a ningún lugar.

El irrepetible y cíclico museo de las estaciones perdidas, sin familia y sin paisaje. Las estrellas del hemisferio norte, tan parecidas a las estrellas del hemisferio menos norte de los tristes trópicos. El silencio que se hace espeso, sólido, estólido, entre las ocho y las ocho y media, en el largo atardecer de verano en los Estados Unidos. Esa jerga secundaria, el inglés, que ha perdido toda traza de su anglosajonidad primigenia, tanto como sus hablantes se han olvidado de cualquier reminiscencia de shakespearidad. El aire acondicionado, que en Norteamérica es una emanación espontánea de los automóviles de último o penúltimo modelo. Los neones, las vidrieras decoradas acaso por minusválidos, los pósteres comerciales erigidos como torres de navegación aérea, en una y otra costa de la carretera interestatal, que en Missouri le dicen la 64. Y mi cuerpo, el cuero incurable de Orlando Luis Pardo Lazo, envejeciendo a ras del 2020 entre palabras que Orlando Luis Pardo Lazo nunca pronuncia para nadie, con la esperanza de que alguien lo escuche al oído, al menos por una vez.

Atiéndeme. Quiero decirte algo.

Prendo el singao carro. Prendo la singá aplicación de Uber. Enseguida me cae una carrerita. A la calle. Es decir, a la internet. A ganar dinero digital. Y, encima, a acumular ocurrencias que solo se le podían ocurrir a un escritor exquisito como yo.

Esta tardenoche, son dos muchachonas las que se suben. Pelo verde y pelo violeta. Ya no son tan jovencitas y lucen un tanto ridículas con esos colorines de adolescencia. También, una ristra de andariveles y colgalejos tintilín. Pero hay algo en ellas que me cautiva. Parecen tristes. Los ojos pegados a la alfombra del carro. Una mueca tras otra mueca en sus labios de goma. Tienen la vibra baja. Están muy tristes, las dos. Y, cuando por fin se bajan de mi Rambler, de pronto tengo la impresión de que una de ellas está muy enferma. O sea, de que una de esas dos cabecitas con pelos artificiales está a punto de toparse con la realidad incontestable de la muerte.

Las dejé por el laguito de Creve Coeur Memorial Park, con el corazón roto como su nombre en francés lo indica. En medio minuto, ya tenía montado a otro pasajero. Un cura católico. Qué raro. Yo pensaba que nadie en los Estados Unidos era católico, a estas alturas del socialismo y la pedofilia oficial. Me lo dijo QAnon. Yo creía que en este país pagano ya nadie nunca volvería a creer en un dios occidental.

El cura, además de interesarse en Cuba desde el inicio, se interesó de inmediato en mí. Me los huelo. Quería salvar mi alma. Los veo venir a una milla de distancia, de deseo. No le hice el menor caso y fui tan rudo como me dio la gana de serlo. No sé para qué hacen sus venerables votos de castidad si, total, después se pasan la vida con esa babosería de bestias en celo, sin cielo.

Al tipo sotanizado lo solté en una esquina del Forest Park, cerca del zoológico de Saint Louis, ya me imagino a la caza nocturna de qué. Me deprimió su perversa presencia. Me deprime que en América el sexo gravite sobre todas las cosas, excepto sobre la propia sexualidad, donde lo que prima es la denuncia pública. Miedosos, mediocres, mierderos. Mientras posponen por un rato el suicidio o la masacre con armas automáticas o, de ser posibles, ambos en simultáneo.

Me fui a la casa. Al carajo. A casa del carajo. Ya saben, el alma trémula y sola padece al anochecer. Todo rima. Todo es risible, ridículo. Relato raquítico.

Dejé el carro parqueado como a dos metros del contén de mi calle. Apagué la puta aplicación de Uber. Apagué el puto carro. Caminé a casa. A la cama. Es decir, al cadalso. A soñar mis pesadillas puntuales, bajo la noche trucutú de los exiliados cubanos, un exilio que no tiene ninguna ilusión por delante y que, por eso mismo, no termina de irse ni de regresar a Cuba jamás.

Sueños de tramoya, bajo el inmetible y clínico mausoleo de las biografías sin vida. Iluminado por las estrellas del hemisferio septentrional, tan parecidas a las estrellas del hemisferio menos septentrional de los tétricos trópicos. Soñar embotado por un silencio que se hace mutismo, en la medianoche malsana de envejecer en las instituciones y hospicios de los Estados Unidos.

Sueñitos de aire acondicionado, pero en un catre cutre de Cuba. Relámpagos de neones, vidrieras, y propaganda política del proletariado. Pendejadas al por mayor. Y el cuerpo encuero de Orlando Luis Pardo Lazo, un autor incunable que puntualmente publica sus impotables palabras, para paliar la pendejidad de todos y cada uno de los cubanos.

Que quizás no entiendas. Doloroso, tal vez.

82.

Voy a arriesgarme mucho al contar esto aquí. Mejor cambio desde el inicio este tiempo verbal: ya me arriesgué muchísimo al contar esto aquí.

Una madrugada, bastante tarde, o acaso ya muy temprano, manejando mi taxi Uber entre Cambridge y Boston, en la república soviética de Massachusetts, se subió al taxi el cardenal católico cubano en persona: Jaime y Lucas y Ortega y Alamino, arzobispo emérito de la Arquidiócesis de La Habana.

La llamada en el Uber App no venía de su sacrosanto nombre de varón, sino a nombre de un tal Jorge Domínguez, al parecer cubano también. Es decir, seguro que era un seguroso, un segurata secreto.

El cardenal, por su parte, no vestía sus hábitos de cardenal, sino una especie de tuxedo púrpura y una pantaloneta lila. Llevaba los ojos (es decir, las ojeras) pintados con una sombrita violentamente violeta. Pero yo lo reconocí al vuelo. Su risa beatífica es inconfundible. A pesar de que el prelado se hacía acompañar de un efebo, con ínfulas mitad de reguetonero y mitad de monaguillo. Un norteamericanito rapero, al parecer. Pero igual podría ser europeo. O una mujer. Hoy por hoy, los géneros son pura ilusión, como los pronombres personales.

Desde que la pareja se montó en mi carro, no paraban de besarse en la boca, como a escondidas del mundo, pero sin tapujos a mis espaldas. Como si yo no tuviera un espejo retrovisor en mi taxi. Es sabido que *los abyectos en el espejo están más cerca de lo que parecen.*

Recordé entonces lo que el cardenal había venido a hacer a los Estados Unidos. Por órdenes de La Habana, un profesor castrista lo había invitado a impartir una conferencia magistral en la Universidad de Harvard. El tema era, por supuesto, «La iglesia y la comunidad: el rol de la iglesia católica en Cuba». Porque, ¿de qué otra cosa podría hablar un cardenal cubano en una universidad de corte comunistón?

Los dos tipos seguían besándose y besándose a sus anchas, por encima del derecho de los homosexuales cubanos a besarse y besarse a sus anchas en su propio país. Finalmente, los dejé en su destino, un discretico Motel 6 de las afueras, a donde entraron muy modositos y sin tocarse. Como si ambos acabaran de acatar sus respectivos votos de castidad.

Recordé que el cardenal cubano en Harvard había dicho que los disidentes cubanos son una partida de delincuentes. Y que la sociedad civil y opositora de la Isla es pagada desde Miami y, para colmo, recibe sus órdenes desde el exilio gracias a su abundancia de teléfonos celulares. Joyitas así. Más sabe el Cardenal por viejo que por Cardenal.

Los miré por última vez. Señor y señorito, de espaldas a la calle. Acaso al margen de la esfera pública como tal. En el lobby, adentrándose en una posada del extranjero.

Pagó el purpurado, supongo que con el dinero que recibe la iglesia católica cubana, a costa del dolor de sus deudos. Sentí entonces una suerte de perversa satisfacción. Los cubanos teníamos lo que teníamos que tener.

La tiranía no es nada. Lo terrible es lo que la tiranía engendra a su alrededor. El marxismo y el miedo son de un presbítero las dos alas.

83.

Una madrugada, bastante temprano o acaso todavía muy tarde, llamé a un Uber taxi para ir desde mi hotel de Boston hasta algún cafecito insomne de Cambridge, en la República Popular Democrática de Massachusetts.

Tan pronto como vi su carrito acercarse al lobby, tuve una especie de *déjà vu*. En efecto, el chofer era el mismísimo cardenal católico cubano en persona: Jaime y Lucas y Ortega y Alamino, arzobispo emético de la Arquidiócesis de La Habana. No se me despinta su pinta, ni disfrazado de obrerito exiliado en un taxi.

Me llamó la atención que en el App de Uber su sacrosanto nombre de varón fuera otro: decía «Jorge Domínguez, PhD», al parecer un cubano también. Como todos los choferes en los Estados Unidos últimamente.

El cardenal, por lo demás, no vestía sus hábitos de cardenal al volante, sino una especie de tuxedo púrpura y una pantaloneta lila. Llevaba los ojos (es decir, las ojeras) pintados con una sombrita violentamente violeta que relumbraba diabólicamente en el espejo retrovisor. Es sabido que *los abyectos en el espejo están más cerca de lo que parecen.*

Escondeos, no importa: la historia os reconocerá. Esa risa beatífica suya es inconfundible, inescondible. Y me temo que me acompañará por los viajes de mis viajes, hasta el fin de Cuba y de la compañía Uber que nunca tendrá carros en Cuba.

Desde mi confesionario en el asiento de atrás, recordé entonces lo que el cardenal había venido a hacer a los Estados Unidos. Por órdenes de La Habana, un profesor castrista lo había invitado a impartir una conferencia magistral en la Universidad de Harvard, no muy lejos de aquí. El tema sería, como se cae de la mata, «La iglesia y la comunidad: el rol de la iglesia católica en Cuba». Porque, ¿de qué otra cosa podría hablar un cardenal cubano en una universidad de corte comunistón?

Con la Iglesia Castrólica hemos topado, Sancho. Y, también, con una academia norteamericana saturada de castrodémicos por concepto y por corazón, ese órgano de bioseguridad que no por gusto se ubica al lado izquierdo de la patria del pecho.

Yo iba en el carro con una tembona medio árabe, recién ligada gracias a Alá y su misericordia erotómana a través de otra compañía digital, Tinder. Los dos íbamos un poco borrachitos ya, a pesar del Corán, así que no pude evitar que la musulmana me siguiera besando y besando a sus anchas, por encima de su burka porno a medio ripiar.

El cardenal nos contemplaba casi templar a su lado, medio envidioso al timón. Lascivioso, como todo clero esclerótico. Finalmente, nos dejó en nuestro destino, un discretico café a un costado precisamente de la Universidad de Harvard, a donde entramos muy modositos y sin tocarnos, tal como lo exige la corrección política *Made in CNN* y *The New York Times*. De hecho, como si los dos, aunque acabábamos de conocernos en aquella primera cita, recién hubiéramos recibido nuestros respectivos votos de castidad de las manos malvas del purpurado. Malvadas.

Recordé que el cardenal cubano en Harvard había dicho que los disidentes cubanos son una partida de delincuentes. Y que la sociedad civil y opositora de la Isla es pagada desde Miami y, para colmo, que recibe sus órdenes desde el exilio gracias a su abundancia de teléfonos celulares. Joyitas así.

Y, en cada una de sus sentencias, al muy cabroncito no le faltaba razón. Más sabe el diablo por cardenal, que por diablo. Como mismo más sabe el cardenal por camarada, que por cardenal.

No le dejé propina al jerarca católico en el App de Uber. O sí, sí se la dejé. Pero no se la di, sino que se la propiné.

Con toda mi rabia retórica, con todo mi resentimiento de clase, con toda la irreverencundia de ser yo el mejor escritor vivo, dentro y fuera de nuestra cárcel insular, le puse entonces en negritas (técnicamente, en rojitas) en los comentarios del Uber App, justo ahí donde más le dolería a él en tanto chofer acaso contratado por el tal «Jorge Domínguez», para regresar a Cuba con unos quilitos de más: *Dadle al Cardenal lo que es de Castro y dadle a Castro lo que es del Cardenal.*

Después enseguida me arrepentí. Tenía que haberle escrito al muy cabrón: *Díaz-Cardenal, ¡singao!*

84.

Es triste pensar que en Cuba nadie nunca manejará un Uber. Pero es mejor la tristeza que la ilusión. Y no se trata del problema de acceso a internet, esa justificación de los perdedores. Es algo mucho más básico, mucho más elemental. También, mucho más podrido en el alma de nuestra sociedad: es la cuestión de la carencia crónica de propiedad. No hay ser humano sin posesión.

Prendo el motor de mi Chevy Opala. Allá voy de nuevo. Prendo la Uber App en mi teléfono celular, un iPhone nuevecito de paquete. Y ya estoy conectado al mundo entero, desde este rinconcito del exilio cubano, manejando a diestra y siniestra desde una esquina cualquiera de los que alguna vez fueron los Estados Unidos de América. *Quoth the raven: Nevermore.*

Es patético pensar que una experiencia tan simple, nunca nadie en Cuba la experimentará. Qué cuentapropismo de qué cuentapropismo de qué. Mejor patetismo que demagogia.

Los negocitos domésticos en Cuba son los menos privados de todos. Son empresas estatales con una careta al descaro. Solo por este detalle, el castrismo no es una dictadura como tal. Tampoco es una tiranía, ni un régimen totalitario, ni nada por el hastío. El castrismo es Revolución. Y precisamente «Revolución» es la palabra que debería estar cargada de todas las maldiciones mayúsculas de una, dos, tres, cuatro, cinco, seis o acaso ya siete generaciones de cubanos y sus descendientes medio cubanos.

El primer pasajero que me cae es una mujer militante de izquierdas. Puedo intuirlo por la manera en que me mira, con ese resentimiento de clase que se manifiesta fenotípicamente como fealdad. Esta tipa, como todas las de su tipo desde que yo estaba en Cuba, sabe muy bien quién yo soy y qué se puede esperar de mí. Porque soy tan sabio. Porque escribo tan buenos libros. Porque soy un desatino. *Ecce Cuba.*

El segundo pasajero es otra militante de izquierdas. No por gusto hoy es miércoles, un día atravesado a matarse.

Por supuesto, ninguna de las dos izquierdactivistas me deja propina. Son odiadoras profesionales de hombres. Y odiadoras de hombres profesionales. Si pudieran deportarme a una cárcel castrista, no dudarían ni un minuto en denunciarme. La izquierda yanqui le tiene fobia a la inmigración que, como los cubanos sin Castro, ha venido hasta aquí no a llorar miserias identitarias, sino a integrarnos, a triunfar, a contribuir con lo mejor de nuestra libido para que el capitalismo permanezca cruel y cojonú.

No me arriesgo a aceptar a una tercera pasajera. Me duele la idea de que en Cuba nadie manejará nunca un taxi Uber, como yo aquí. Nadie allí dentro, tampoco, mientras no escape de la plantación insular del sur, entenderá la belleza redentora del concepto de propiedad.

El país es la propiedad. Los propietarios mandan a los políticos. Y así es como tiene que ser en el mundo libre. En el momento en que un intelectual llega al poder (sea abogado, científico, periodista, académico, etc.) se jodió la nación. A menos que un magnicidio magnánimo la salve.

Apago la Uber App en mi iPhone recién comprado. Me desconecto del planeta digital y enfilo las turbinas de mi Chevy Opala hacia donde único encuentro consuelo últimamente, en este exilio pacifista al punto de lo pendejo.

Allí está otra vez, como cada tarde después del trabajo. Es el club de tiro Sharpshooters de la calle Gravois, casi dentro del cementerio de Saint Marcus, con su teléfono onomatopéyico 314-353-BANG, y su arquitectura tipo rancho de pollo frito, pero con balas de un metro de alto como decoración. Es aquí donde me gasto las magras ganancias de Uber, disparando a troche y moche en aras de una imaginaria libertad.

Esta es mi Sierra Maestra, mi Tuxpan y mis Coloradas. Absolvedme, no importa, la historia me condenará.

85.

Usaba un vestidito rojo a la altura de las nalgas. No me pidió permiso para montarse. Abrió la puerta delantera del taxi y se instaló a mi lado. Se comportaba, como quien dice, como si fuera la dueña de los caballitos. Y lo era. La reina de los caballitos.

—Dale —me dijo, en inglés—, que voy tarde.

Y me puso una navaja en la yugular.

Suena inverosímil, lo sé. Se trata de una acción fuera de contexto, sin efecto dramatúrgico y sin la más mínima justificación. Pero es lo que es, y punto. Como la vida misma. Hilos de acciones sin ilación.

Pisé el acelerador de mi Uber. El Chevy Opala patinó un poco por la bachería de Rosenberg Heights (la ineficacia proletaria no es exclusiva del socialismo), metió dos o tres brincos, en los que el filo de la navaja acarició las venas y arterias de mi garganta, pero eventualmente logré enrumbar mi Uber hacia el sur, llevándome por delante las luces rojas, verdes y amarillas de los semáforos del Big Bend Boulevard de Saint Louis. Un cohete al filo de la madrugada *mizzou*.

De pinga. Mi vida de gratis en las manos temblorosas de una adolescente tomada o drogada o, preferiblemente, ambas profesiones en una. Qué mierda, qué maravilla. Quién me lo iba a decir en Cuba. Mátame por tu amor, mamita, hazme famoso en los titulares de costa a costa de la gran prensa occidental: *Bloguero anticastrista cubano sucumbe en manos de la corrección política.*

Mi cerebro dando vueltas como un reguilete contrarrevolucionario. Mi cabeza de cubano cobarde sostenida en alto por su reluciente daga. Y también por los destellos de color rojo pasional, emitidos hacia mis glándulas más groseras por su vestidito corto de matarife madonna.

—No bajes de 120 —me dijo, siempre en inglés.

—¿Kilómetros por hora? —traté de precisar las unidades internacionales, pues en aquellas condiciones yo no podía arriesgarme a un error de escalas.

—No te hagas el inmigrante ilegal, *big boy* —me contestó, cortante—. Tú sabes muy bien que son 120 millas. ¡No bajes de esa velocidad!

Y, tal como me lo ordenaba aquella adolescente anglófona (esa rareza lingüística en los Estados Unidos de hoy, donde el inglés es la lengua secundaria incluso de los angloparlantes), a 120 millas por hora puse a volar mi taxi, tan pronto como nos montamos en el *expressway.*

Íbamos, según me guiaba la aplicación de Uber, hasta el parque de diversiones llamado Six Flags. Había oído historias truculentas de ese lugar, pero nunca había estado ni cerca de allí. Me lo imaginaba, por ejemplo, con seis banderas confederadas flotando, a falta de estatuas, en conmemoración de la legalidad decimonónica de la esclavitud y su abolición. No hay quién coño entienda a los norteamericanos. Pero ya es muy tarde para que los cubanos huyamos de vuelta a Cuba: en la islita de nuestra infancia ya no nos queda nadie.

Por su parte, ella iba relajadísima. Como si tal cosa. Como si amenazar de muerte a los choferes fuera su hobby escolar. Nada del otro mundo. Una tarea de clase. Una prueba inter-semestral o de fin de curso (por cierto, los semestres en las escuelas de este país duran solo tres meses).

La chiquilla asaltante me pidió poner música. Prendí la radio del carro. Ella se burló de mí. Lo que me estaba pidiendo era otra cosa: la muy traviesa quería la música de su Playlist, conectada vía Bluetooth desde su súper iPhone con la reproductora de mi taxi secuestrado.

Por supuesto, le dije que sí. Todo se lo tenía que permitir. Tampoco tenía muchas alternativas en lo que me quedaba de vida. Porque aquella niña grande echaba chispas afiladas por sus ojos vidriosos de verde limón. Verde lunático, verde que la quiero verde. Bajo la luna republicana con ribetes de Donald Trump, con grandes estrellas polares y montañas rusas, carnaval que viene con el pez de sombra que nos abre el camino del alba. Lorca que te quiero Lorca. Ah, loca, ¿en dónde estaremos?

—*My name is Pilar, by the way* —me dijo, ya podrán darse cuenta en cuál idioma.

Cuando llegamos al parque de diversiones, como era de esperar, a esa hora estaba del todo desierto. Y no eran ni las doce de la medianoche todavía. En verdad, América ya no quiere ni sabe ganar. Mucho menos ganar ganancias de madrugada.

Vi los aparatos rotos de milenario metal, puestos a dormir como mascotas sin dueños. Sin custodios, sin *Made-in-Nada*, criaturas vulnerables bajo la soledad súbita que se siente en el corazón del corazón de este país. Las casetas de tickets, todas abiertas a los ladrones. Papeletas y billetes botados por cualquier parte, como si ya el dólar no circulara en la misma nación que lo inventó: parecían papelitos impresos por amor al arte, vaciados de cualquier valor numismático. Y, haciéndole justicia al nombre de este siniestro sitio, vi seis enormes banderolas cubanas ondeando bajo la estrella polar, en pleno hondón norteamericano. Pero en lugar de la estrella solitaria, había dentro del triángulo rojo rubí un par de tibias y una calavera. Es decir, en total doce tibias y seis calaveras.

Pensé que yo estaba soñando. Y lo estaba. Desde que salí de la Isla lo estoy. El exilio es un sueño insomne incesante: una infamia imaginaria, inimaginable.

Entonces la del vestidito rojo a la altura de las nalgas por fin me dejó de amenazar con su navaja. Me pidió perdón por su exabrupto anterior. Me dio las gracias incluso, por mi amabilidad de taxista obediente. Y para colmo me invitó, con un generoso gesto de buena voluntad, indicado por su índice derecho, a que la acompañase fuera del carro.

Apagó su música, que nunca pude identificar. En cualquier caso, sonaba a una mezcla de Kim Kardashian con Kate Bush. Me bajé de mi Chevy Opala. Avancé tras ella. Iba como poseída. Era, literalmente, un imán. Y yo era su posesión magnética. Su presa.

Fue hasta la montaña rusa. Se montó, como si de otro taxi Uber se tratara. Me pidió encender los motores del aparatoso aparato. Lo hice, sin necesidad de coacción venosa o arterial. Pilar, bebé traviesa, me gritó ya en movimiento que pusiera al mecanismo en el modo Turbo Test, que es una locura de exceso de velocidad, una variante de vértigo que no se usa con personas montadas, sino solo para probar la confiabilidad del sistema y la resistencia a la fatiga del tuerquitornillaje del aparato.

Minutos. Acaso horas. Fue un viaje vertiginoso en círculos antigravitatorios. Curvas de vómito. Su espina dorsal con la polaridad invertida, como dicen que le ocurre al planeta Tierra, una vez cada mil novecientos cincuenta y nueve millones de años.

Así, la vi pasar ante estos ojos miopes que se los va a tragar precisamente la tierra: dos, doce, veinte, doscientas, dos mil veinte veces. Era como una estrella fugaz. Era, iluminadamente, una estrella fugaz. Ahora por fin puedo confesármelo a mí mismo: nunca fui tan feliz como esa medianoche, por haberme ido para siempre de Cuba un mediodía de martes 5 de marzo.

Cuando, en una de las vueltas me hizo la señal de STOP con sus manitas de muñeca maniaca, la obedecí enseguida y paré aquel demencial tiovivo astrológico. Ella se bajó sin pizca de mareo, relajadísima. Nada de vomitar. Nada de caminar haciendo eses o en zigzag. Me agradeció nuevamente por mi ayuda, en aquel inglés adolescente que tan pocos años de práctica tendría en su boquita de Betty Boop. Y entonces Pilar me tomó de la mano.

No quedaba en ella ninguna traza de asaltante en serie. De pronto mi pasajera se revelaba en toda su naturaleza nativa de ángel. Mi ángel, gracias. Nunca te lo terminaré de agradecer.

Pilar me arrastró de la mano hasta la estrella polar. Que aquí le llaman, creo, «la rueda del hada». Y se montó. Y me pidió prenderla. Yo era su asalariado pro bono. Y así lo hice, sin necesidad de otra violencia física o verbal, como no fuera su belleza de virgen insomne.

Me pidió, ya en movimiento, que la ajustara al modo de Panorama, que es casi con cero velocidad, una variante en cámara lenta para disfrutar eternamente del paisaje hasta el horizonte y más allá, según suben y bajan los carricoches de diseños infantilizados, como lo es todo en América del Norte: un país de dibujos animados, desde la CIA hasta la Casa Blanca, pasando por los hospitales privados y los parques naturales, paisajito de cartón-tabla con cowboys e indios de tramoya étnica, acaso para eludir genéticamente el pago de los impuestos federales.

Con el mismo gesto generoso de su índice derecho, me invitó a montarme en la estrella polar con ella. Y montamos, en aquella rueda feérica de funiculares ferrosos, más o menos oxidados por el salitre de tierra adentro de tres siglos de capitalismo cadáver. Y viajamos hasta el cielo, mi pasajera de Uber y yo. Pilar y su apóstol. A mínima velocidad.

Fue allá arriba donde sacó otra vez su arma blanca. Pero esta vez no fue para amenazarme, sino para deslizar la navaja por su propia yugular. Pensé que estaría jugando a asustarme. Mi niña mala. Pensé que incluso la sangre en este parque de diversiones debería de ser una cosa diseñada solo para la diversión: agüita de colorantes baratos, coágulos sintéticos con polímeros chinescos de importación, venas y arterias plásticas, tejido adiposo de styrofoam, pasto para selfies suicidas en Instagram, con las etiquetas de #FakeDeath, #MeBlood, #TerrorizeCubans, o simplemente #PrankOrlandoLuisPardoLazo.

Pero no. No, y no me importa. Qué me va a importar. En cualquier caso, mantengo lo dicho antes: nunca fui tan feliz de haberme ido para siempre de Cuba como cuando Pilar se mató ante mí, bajo los cielos del exilio cubano.

Pobrecita, mi ángel, como todas las suicidas adolecentericanas, atrapadas entre las ruinas del capital y las pantallas en 3-D de la realidad.

Todavía conservo los tenis de esa noche sacrificial, con las plantillas rojas de moverme sin prisa sobre la pila bautismal de la sangre de mi pasajera preferida. Pilar.

Ah, loca: ¿en dónde estarás? O, mejor, no me digas dónde, Pilar.

86.

El masajista se montó, por supuesto, en el asiento de atrás del chofer. Le sacó al tipo una conversación más o menos fundamentalista, sobre los siete o setentisiete chakras del cuerpo humano, y sobre el karma capitalista que se come por los cuatro costados a una ciudad como Miami (la que, en realidad, son decenas de ciudades en serie o, mejor, una sola ciudad en sincitio).

La palabra «sincitio» ni uno solo de mis lectores la podrá identificar, como tampoco han podido identificar hasta ahora ni una sola de las palabras de Orlando Luis Pardo Lazo.

De pronto, sin anunciarse, el masajista se le montó encima al chofer, para propinarle un masaje gratis promocional a la altura de la nuca, mientras el pobre tipo manejaba, todo nerviosillo, entre los cohetes descapotables que compiten, a la velocidad de la luz, por uno de esos *turnpikes* cuánticos del estado multinacional de La Florida.

$E=mc^2$. Léase: el Exilio es igual a un Masaje multiplicado por una Cuba exponencial a la Castro.

Porque, por supuesto, como cada vez que me monto en un taxi Uber, de una punta a otra punta de los Estados Unidos de América, el chofer y el resto de los pasajeros eran irremediablemente cubanos. Y, cuando son extranjeros, entonces adoran inimitablemente a la Cuba de Castro.

El masajista, que sí era foráneo (o sea, fidelista), le explicó al chofer algo sobre las llamadas «vértebras altas» de la columna, que son las que cargan con la responsabilidad de mantener la cabeza en alto, balanceando y estabilizando la base del cráneo. Se lo explicó solo al chofer, pero lo dijo con suficiente dicción ampulosa, como para que los otros dos pasajeros del carro también lo escucháramos. Y disfrutáramos. Y acaso lo contratáramos en su papel de masacoteador.

A todos nos repartió su tarjeta, sin demora ni discriminación, durante un receso mínimo de la improvisada sesión de terapia. Era una tarjetica de plástico con el logo del canal América TeVe, más su móvil y email oficial: «Don Pedro Sevcec, urumántico», se anunciaba en grandes caracteres góticos dorados.

En este punto, lo reconocí. Creo recordar haber visto al masajista no como masajista, sino como conductor de entrevistas en la TV hispana de Miami (es un decir: en Miami ya nada es hispano). Se trataba de un señor bastante mayorcito, pero que no lucía nada mal. De hecho, se suponía que aún portaba su *look* de lujo de galán mediotiempo de telenovela guaraní, y que las damas de la alta sociedad miamense debían suspirar y soñar con un masajista-entrevistador así, en sus adúlteras alcobas matrimoniales.

En este punto, él también me reconoció. Probablemente había visto mi rostro en internet. O había reportado, desde la cómoda distancia de un estudio privado, alguno de mis arrestos violentos a manos del G-2, cuando yo era la más salvaje voz en La Habana en contra la dictadura de La Habana (como mismo Claudia Cadelo lo era, aunque los lauros se los llevara a la postre Yoani Sánchez, solo para después clausurar a cal y canto su blog *Generación Y*).

O, tal vez, alguno de los asesores del G-2 infiltrados en América TeVe le había hablado al masajista de mí, para predisponerlo en mi contra en tanto entrevistador y, llegado el caso, representarme desde su programa como un «fullero» o «camaján», acaso como un «fascista» o al menos un «confederado» (en todos los casos, hubieran tenido la razón y solo la razón).

Da igual. Me da igual.

Lo cierto es que ahora el tipo iba en un taxi conmigo y acababa de darle un masajito medio maricón al chofer del Uber. Todos los pasajeros contábamos ahora, por lo demás, con su tarjeta plastificada de presentación profesional, que lo acreditaba como repellador de músculos por cuenta propia. Así que, en cualquier momento, yo podría contactar al Don en su propia casa. En cualquier momento, más temprano que tarde, me le podría aparecer (falo o fusil en mano) en su residencia de urumántico llegado a USA desde el Coño Sur.

Ave, Pedro, que me negaste en público tres secveces. Los que van a sobremorir te saludan.

87.

Si de algo me ha servido montar taxis Uber, es para poder decir esto con propiedad: los Estados Unidos de América son la nación más noble, generosa y pacífica de todo el planeta.

Ningún otro país se le parece. En ninguna otra nación hay tanta gente buena y de gran corazón, a pesar de toda la mierda y la miseria que el mundo le tira encima a los Estados Unidos de América, dentro y fuera de los Estados Unidos de América.

Estoy tentado de terminar aquí. No quiero ponerme a poner ejemplos, a rememorar las mil y una anécdotas que, de todas formas, no convencerán nunca ni a uno solo de los antinorteamericanos (y, sobre todo, ni a una sola de las antinorteamericanas) de aquí y de allá.

Estoy tentado, pero no. No voy a terminar aquí, ni tampoco en cualquier otra parte. Cuando alguien tiene voz y rostro, como yo, en una nación muda y descarada, como es el caso de la cubana, siempre hay que añadir algo más. Es lo mínimo que podemos hacer los mejores, en medio de la plasta patria de los peores. Y es, por supuesto, lo único moral que nos queda por hacer ahora a los mejores (es decir, a los perdedores de esta historia), en medio del pánico patético de nuestros compatriotas (es decir, de nuestros sempiternos triunfadores en tiempos de tiranía).

Estados Unidos de América es, para empezar, el único país que continúa hoy por hoy completamente abierto, en términos económicos, culturales y hasta políticos, a una masiva y espontánea inmigración legal.

En efecto, ser ciudadano de los Estados Unidos de América, siempre y cuando no empieces violando la ley migratoria de los Estados Unidos de América (como la violan los indocumentados, incluso antes de trasgredir las fronteras de este país), es, por comparación, lo más fácil que hay. Y no solo para los cubanos. Quien ha visitado Europa o Asia, lo sabe. Y lo sabe quien ha visitado Latinoamérica o África, a pesar de que a nadie en su sano juicio se le ocurriría hacerse ciudadano latinoamericano o africano.

Los Estados Unidos de América, dada la violenta historia que han debido de superar en los últimos dos siglos, son también la nación que menos crímenes comete por los portadores legales de armas. Otra cosa es la delincuencia. Pero, al respecto, los medios masivos de difusión y las películas de Hollywood, no le dan chance a los Estados Unidos de América. Ni para respirar. Por eso pintan al norteamericano (léase, al norteamericano blanco) como un idiota universal: ignorante, oscurantista, violento, provinciano, violador, asesino en serie y, muy en especial, como un ser sin ética que no hace nada si no es por dinero (cuando eso precisamente debería constituir la medida de toda virtud, porque sin economía de mercado solo es concebible una vida sin libertad, como la que humilla a los cubanos desde el jueves primero de enero de 1959).

Pienso en todo esto mientras espero sentado dentro de mi carro, en la piquera de taxis Uber del aeropuerto de Portland, en Oregón. Vine hasta aquí de vacaciones, a visitar las ciudades socialistas de la Unión o la Confederación, como prefieran llamarla, y a verificar cómo la ideología castrista ya ha carcomido al país que alguna vez fuera el policía decente del mundo.

Pienso en todo esto mientras espero que el próximo pasajero solicite mis servicios de transportación, a través de una aplicación digital en mi iPhone X. Y pienso de paso en lo abusadora que es la gente, en lugar de vivir y morir agradecidos a este incomparable país. En pleno siglo XXI, todavía viven para el odio y el resentimiento marxista, en lugar de asegurarse a sí mismos la felicidad propia y familiar. Por eso, tantos y tantos desprecian y tratan de desprestigiar a, permítanme repetirlo por antepenúltima vez, los Estados Unidos de América.

Pensando en todo esto, y habiéndome naturalizado como ciudadano estadounidense hace apenas un mes, me juro a mí mismo dar lo mejor de mí, hasta el fin de mis días, por mi nueva patria adoptiva, no tanto para olvidar el bodrio vil de Cuba la huérfana, sino para hacer de los Estados Unidos de América lo que los Estados Unidos de América hasta ahora habían sido: la única nación de la civilización occidental donde «socialismo» era siempre sinónimo de «comepingá».

Los cubanos no podemos renunciar a esa acepción tradicional del vocablo, aunque haya que quemar hasta el último de los diccionarios modernos.

88.

Debo advertirlo desde el inicio. Esta anécdota puede llevarme a la cárcel en los Estados Unidos. En algunos estados, incluso a la pena capital. Pero no tengo más remedio que contarlo. Esta es la hora de declarar la verdad, toda la verdad, y nada más que la verdad.

La chofer se llama Gloria Beatty. O, al menos, ese era el seudónimo más o menos cinematográfico que ella usaba en el App de Uber. Desde que me recogió, en casa de NDDV, en un bungalow de Pasadena camino al aeropuerto de Los Ángeles, se puso a hablar como una loca. Literalmente. Literariamente.

Me dijo que vivía con varios *roommates* por la zona de Beverly Hills. Alguna vez le había interesado, como a todos los que vienen jóvenes a California, trabajar en una película importante y hacerse famosa de inmediato. Idolatraba a la actriz Lillian Roth, de quién solo ella se acordaba de costa a costa de la nación. Quería conquistar el mundo de la pantalla grande, como todas las mujeres en California. Y conquistar, como todas las mujeres del sistema solar, a una audiencia masculina de corazones canallas. (Debo advertir, también, que estoy haciendo un esfuerzo formidable de traducción instantánea, pues sus palabras en ráfagas las soltaba en inglés, acaso como plagio de sus parlamentos memorizados en el último guión que no protagonizó.)

Era obvio que Gloria Beatty tenía talento. Mucho. También era obvio que Gloria Beatty estaba cansada. Muchísimo. Una mujer exhausta. Y, a estas alturas, ni siquiera había conseguido registrar su nombre en el Central Castings Bureau, según me confesó, apenada. Así que, por el momento, ni soñar con su fulminante estrellato. Es decir, tendría que bastarle solo con soñar sobre su futurista estrellato.

Antes de la salida del *expressway* hacia el aeropuerto LAX, y sin hacer el menor intento de anunciármelo con antelación, Gloria Beatty desvió nuestro taxi Uber hacia el mar, que, en Los Ángeles, como en toda la costa oeste de los Estados Unidos, se pronuncia «Océano Pacífico».

No le pregunté nada. Ella sabría, por algo era la chofer y yo el pasajero. El exilio cubano es así. Una sorpresa tras otra, un laberinto infinitamente más enredado, dentro un laberinto facilito de desentrañar. Ella sería mi Ariadna al volante, con GPS y espejo retrovisor. Yo sería su minotauro en el asiento de atrás, con ganas de saltarle al cuello y hacerle uber veces el amor en pleno taxi.

Era la hora violeta de la puesta de sol en América la magnífica. Las nubes lucían ensangrentadas a contraluz, gravitando como una amenaza sobre la línea claustrofóbica del horizonte nipón. A veces, aquí, uno extraña tanto a Pearl Harbor. Sé muy bien lo que quiero decir con esto, pero mejor dejémoslo ahí. No es necesario explicarlo todo. Y mucho menos a ti.

En cualquier caso, el astro rey se hundía ahora en el agua sin pedir ayuda de nadie. Por gravedad, por rutina. Como ella misma naufragaba en su propio tedio vital, sin otro signo vital que sus cabellos de ángel, hechos un remolino de luz rubia ante la brisa marina: alisios en el país de las maravillas, aire asfixiante sobre el abismo de agua que se abre entre América y Asia, continentes contrincantes.

Gloria Beatty dijo, sin necesidad de interpretación (basta con ponerle unas cuantas cursivas intraducibles, por culpa de cierto criterio editorial):

—*Lovely, lovely, lovely.*

Permítanme repetirlo, esta vez sin cursilerías:

—Lovely, lovely, lovely.

Y, en efecto, el paisaje lo era. Precioso, precioso, precioso. Es decir, *precioso, precioso, precioso.* Como creo recordar que decía un pasaje sin importancia y, por eso mismo, aún más memorable desde la altura del siglo XXI, de la edición cubana de *¿Acaso no matan a los caballos?*, una novelita de Horace McCoy traducida para la audiencia cautiva de la Revolución Cubana, quién sabe si por José Rodríguez Feo o por Ambrosio Fornet, para no invocar al fantasma finisecular de Andrés B. Couselo.

Los pescadores pescaban. Los paseantes paseaban. Todos apurados o entretenidos. Todos haciendo cualquier otra cosa, excepto contemplar extasiados aquella puesta de sol.

—Pobres tontos —dijo mi preciosa, preciosa, preciosa chofer de Uber, tan pronto parqueamos junto al muellecito, con su mirada de mujer preciosa, preciosa, preciosa. Hembra perdida en el vacío de un planeta sobresaturado de información—. Están ciegos, *don't they*?

Y entonces añadió, en inglés literario:

—Una puesta de sol así vale más que cualquier pesca o paseo, ¿no?

Y yo entendí, en español de calle:

—¿No está de pinga esa puesta de sol?

En ambos casos, preferí callarme. Era obvio que dentro de Gloria Beatty se alojaban todas las respuestas y contrarrespuestas, tanto a nivel de élite intelectual como de lumpen-proletariado. Pobrecita la norteamericanita, mi amor. Pobre su cabecita blonda de fémina harta de vivir, pero todavía mucho más temerosa de no estar viva. Debió de haber nacido en Hiroshima, a principios de agosto del verano vil de 1945. Debió de haber nacido muerta, mañana al amanecer.

A un lado de la bahía rielaban como unas luces, no sin timidez. Anochecía apenas. Era la tierra prometida, el país de la fantasía. Malibú, donde las estrellas de cine se recluyen a brillar durante el plazo efímero de una vida y una carrera estelar. También, donde recalan, ya heridos de muerte, algunos cometas y meteoritos fugaces, como Gloria Beatty y su cola de fracasos espectaculares.

—*Always tomorrow* —reflexionó en voz alta para nadie, al menos no para mí—. *The big break is always coming tomorrow.*

No le voy a dar más vueltas a la bola escondida. La tipa me pidió que la matara allí mismo. Registró el nido de pájaros de su carterita y sacó un revólver de miniatura.

—Toma —dijo—. Mátame, por el amor de Dios. *It's the only way to get me out of my misery.*

Para los cubanos que no saben leer en inglés (aunque, desde la Campaña de Alfabetización de 1961, los cubanos en general no saben leer en ningún idioma), «misery» no significa «miseria». O acaso sí, pero no material, sino miseria del alma, como la tuya. Por más que «alma» sea un eufemismo en un país ateo, como forzaron a Cuba a serlo, como están forzando a serlo a los Estados Unidos.

Sus ojazos azules tenían un poder de convicción del recontracoño de su madre. Me excitó pensarla desnuda, frágil, vulnerable. Templar su condición miserable, singar su alma en pena. «Tiene razón», pensé, a esta pobre criatura no hay manera de que nada ni nadie la haga feliz bajo el sol, ni siquiera siendo capaz de amar esta puesta de sol.

Cogí el arma. La rastrillé. Estaba cargada.

—Estoy listo —le dije—. ¿Dónde?

—Aquí —me dijo—. En la sien.

—¿Ahora?

—Ahora.

Le puse la pistola en la sien derecha y disparé. Ella cayó lentamente sobre su lado izquierdo, como corresponde a las leyes de la mecánica newtoniana, como un pequeño príncipe mordido a voluntad por la serpiente insolidaria de la Segunda Enmienda. Nunca antes había amado tanto a una mujer, nunca antes me había entregado tanto por nadie.

Solo después fue que miré, a ver si había alguien alrededor. Curiosos, extras del escenario, *homeless* con casa, policías, lo que fuera. Pero no, Los Ángeles estaba más desierto de lo acostumbrado. Era un hecho: Los Ángeles eran un hueco sin eco. Además, la pistolita de juguete casi ni había sonado al disparar. Y el viento transcontinental se había llevado enseguida, hacia el tren de olas pacíficas, el escaso ruido, el hedor de la pólvora, y el sagrado humo de una muerte de mentiritas.

Tiré la pistola al agua, como aconsejan todas las películas de Hollywood pirateadas en La Habana. Y me fui en su mismo carro, de vuelta a tope de velocidad hacia el aeropuerto LAX. Un Chevy Malibú del año. Se me había hecho tarde. Y Miami me esperaba para la presentación de mi libro de crónicas *Espantado de todo me refugio en Trump*, recién publicado por error en la editorial Hypermedia unas semanas atrás. Un libro sin erratas, es cierto, porque todo el libro en sí era una gran errata. Grandiosa, en mi opinión.

Lo dije al inicio y otra vez debo advertirlo ahora, al final. Esta anécdota puede llevarme a la cárcel en los Estados Unidos. En algunos estados, incluso a la pena máxima. Pero no tuve más remedio que contarlo. Para los cubanos sin Cuba, esta es la hora de declarar la verdad, toda la verdad, y nada más que la verdad.

Condenadme, no importa. Total, no hay forma humana de que la historia de Cuba pueda absolver ni a uno solo de los cubanos.

89.

Lo reconocí tan pronto como lo vi parado en la esquina de la ONU, en la 1ª Avenida y la 43 calle del Este de Manhattan. Era el general fusilado Arnaldo Ochoa.

Lucía igualito que en los televisores en blanco y negro de Cuba, si acaso un poco más prieto y avejentado. La misma piel cetrina, incolora. La misma pose medio afeminada de su esqueleto, como una vara de tumbar gatos. Las mismas maneras mortíferas de quien mata o se hace matar, pero sin renunciar nunca a la debida diplomacia militar.

Se montó en mi taxi Uber sin mirarme y me pidió de palabra que lo llevara hasta la Misión Permanente cubana, en el 315 de Lexington, entre la 38 y la 39.

Arnaldo Ochoa no puso la dirección de destino en el App de Uber, supongo que por cuestiones de estricta seguridad personal. Los cubanos no cambian, ni muertos. El general fusilado simplemente me dictó la dirección en un inglés sin acento, en esa lengua neutra típica de todo alto oficial de la Inteligencia o la Contrainteligencia internacional:

—315 Lexington Avenue, please, corner of 38th or 39th Street.

Y lo dijo, por cierto, sin mirarme nunca a los ojos. Como si se hubiera dado cuenta al instante de que yo sabía muy bien quién era él. O quién había sido él, antes de que lo mataran, si es que por fin lo habían matado en el verano viciado de 1989 en la Isla.

De la mole modernista de la ONU al edificio siniestro de la Misión Permanente cubana, va solo una carrerita súper corta, de menos de una milla probablemente. Conozco de sobra esa área, gracias a la enorme densidad de clientes en otra aplicación de apareamiento digital.

Puse en marcha mi Chaika negro, alquilado a un negociante ruso. Había un tráfico tremendo. Me tomó casi media hora dejar a mi pasajero en la puerta del búnker castrista de Nueva York. Allí donde, se comenta desde hace décadas, los agentes del Ministerio del Interior cubano han secuestrado, torturado, e incluso matado a presuntos desertores del régimen.

Pensé en lo irónico que resultaría que Arnaldo Ochoa estuviese cumpliendo ahora precisamente esa misión. Un fantasma asesino que recorre el corazón capitalista de un Imperialismo imaginario.

No cruzamos ni media palabra durante nuestro larguísimo y a la vez mínimo recorrido. Al bajarse, me clavó su mirada sin compasión. Era una advertencia muda, de *omertà* comunista. Algo así como: «yo sé que tú sabes que yo sé, blanquito: cuídate, sobre todo si eres cubano».

Ya no había lugar a dudas. Tenía que ser él, un verdugo nato verde oliva, a pesar de su ropita civil de boutique de lujo carísima. Con aquellos ojos claros tras sus espejuelotes: pupilas perdidas en el espacio, como de iguana enmarihuanada. Los mismos ojos que nunca he podido olvidar, tras el juicio televisivo donde Fidel Castro lo había llamado «hijo de puta» en público, antes de sentenciarlo a muerte por paredón.

General Arnaldo Ochoa, pensé, tú no tienes ningún problema con el G-2.

Mientras exista la Revolución cubana, no pienso volver a manejar un taxi Uber en Nueva York. Porque, mientras exista la Revolución cubana, nosotros sabemos que ellos saben que nosotros sabemos.

Si la democracia no es garantía de sobrevivir, pongamos al menos de por medio una debida distancia.

90.

No siempre es posible tener una aventura inverosímil en mis recorridos más o menos retóricos en taxis Uber. Manejando o siendo manejado, pero siempre feliz de ser el mejor escritor cubano vivo, y sin necesidad de pisar tierra cubana.

No siempre es posible coincidir en mi carrito con un Jeffrey Epstein en persona, por ejemplo, recién aparecido cadáver en las manos de la policía federal de Nueva York, solo para que el tipo no contase quién se templó a quién en el templo de su islita privada en el Mar Caribe, no muy lejos de las jineteras universitarias de Fidel Castro.

Jeffrey Epstein es, por cierto, el más reciente mártir de la narrativa pornográfica mundial: lo murieron no para que no embarrara a otros, sino para que no resultaran tan gráficos sus relatos en el juicio o en su biografía, según lo exigen los mequetrefes de la corrección política y el mantra del MeToo. La censura lo sentenció a un suicidio asistido.

A veces, simplemente no me ocurre nada increíble. Y, a veces, simplemente no se me ocurre nada.

A veces, simplemente no sé. Y, a veces, simplemente no.

91.

Estaba mirando la luna, a través del parabrisas de mi carro, cuando la luna estalló sin aviso previo y sin razón aparente. La recuerdo en fase creciente, a falta de uno o dos días para la luna llena.

Serían ya como las cinco de la madrugada y yo no podía dormir. Manejando como un lunático desde el anochecer. Por eso estaba boteando en mi taxi Uber. Por eso fui la primera persona en La Tierra que la vio. O la primera que dejó de verla. De pronto, no había más luna en el cielo. Una desaparición silenciosa, diríase que digital.

Pensé que me había quedado dormido en pleno puente de Clayton y la 64 Interestatal. Pensé que mis seis años de exilio eran eso, un sueño desvelado. Una sucesión de imágenes y borrones de imágenes que ocurren lejos de casa, sin casa. En la más absoluta ausencia de hogar. El desamparo, el descampado. Entonces, me entró la llamada de un pasajero en mi aplicación.

Vivía cerca, en el Pasaje Ethel de Rosenberg Heights. Lo recogí a los pocos minutos. El tipo parecía muy nervioso, desquiciado. Apenas se montó en el carro, me lo soltó de un tirón:

—Usted vio lo mismo que yo, ¿verdad?

Manda pinga esto, pensé. Otra vez la histeria colectiva de un país perversamente mediatizado como los Estados Unidos: una conglomeración de farsantes con beneficios de *disability*, más la plusvalía de un ejército de inmigrantes alimentándose a costa de los *food stamps*, mientras ven telenovelas del corazón y series de catastrofismo.

—¿El qué? —le dije secamente, para no darle demasiada confianza. Era demasiado temprano para aguantarle a nadie una perorata. O una perreta.

El hombre trató de recomponerse un tanto. Calmarse el culo, se dice en cubano.

—Lo siento. Mire, yo soy un hombre enfermo. Y, por eso mismo, algunos me ven como un hombre malo. Pero solo soy un tipo supersticioso en extremo. Hipocondriaco, quizá. Pero no le hago mal a nadie, a pesar del mal que esta sociedad me ha hecho a mí.

Socialista, para colmo.

—*Good* —asentí—. Cristo dijo que había que poner la otra mejilla, amar a nuestros enemigos. Lo felicito por ser como es.

—Gracias, pero no se trata de eso —se impulsó—. Mire, yo me dedico a monitorear los asteroides que puedan aparecerse sin avisar. Los objetos a punto de destruir la civilización. Y si usted estaba despierto, tiene que haberla visto tan bien como yo. Es decir, tiene que haberla dejado de ver tan bien como la dejé de ver yo.

—¿La qué? —le dije con desgano de perdedor profesional. Era obvio que escuchar su disertación doctoral sería de obligatorio cumplimiento, antes de dejarlo en la Basílica de Saint Louis. Aceleré. La autopista parecía una pista de despegue desierta. Una cinta astronómica sin fin, ni fin. Una línea multicarril sin el menor viso de realidad.

—Fíjese usted ahí —dijo señalando a un punto del cielo a través del parabrisas de mi carro—. Estaba en fase creciente, a falta de uno o dos días para la luna llena, y ahora de pronto ya no está en el cielo. Ha estallado, como en una película muda. Ha sido una desaparición silenciosa, aparentemente artificial. Un evento cósmico de excepción. De la mano de Dios o de lo desconocido, que a los efectos científicos resulta exactamente igual.

Dudé si contarle a mi pobre pasajero sobre mi sueño sobre el puente de Clayton y la 64 Interestatal. Dudé que este norteamericano, como todos los norteamericanos, entendiese nada de mis seis años de exilio desvelado. Una sucesión de pesadillas y borrones de pesadillas que ocurren lejos de casa, pero siempre en casa. En la más absoluta contradicción. Lo onírico es el horror, lo hueco. Un eco.

—Es posible —concedí, comedido—. He estado manejando desde hace muchas horas y lo cierto es que no recuerdo bien si hubo o no hubo luna esta noche. Mirar para arriba es peligroso cuando se trabaja como chofer. Lo siento —le mentí.

La cara se le coaguló de decepción. Yo no le servía como testigo del milagro lunar. Tendría que llegar hasta su destino para buscar a otro prójimo menos infiel, a quien el cosmólogo pudiera convencer de lo sucedido.

Lo siento por él. Tampoco era mi intención hacerlo sentir miserable. Pero no me animaba la idea de compartir el posible fin del mundo con alguien que, no siendo cubano, nunca hubiera visto la luna brillando apoteósicamente sobre la Plaza de la Revolución. Más que sobre Cuba, sobre La Habana. Y, en específico dentro de La Habana, sobre el Lawton de la Revolución.

Ah, Lawton, Lawton.

Mi barrio lunalizado, con sus chimeneas como fósiles de dinosaurios que se quedaron sin humo en sus pulmones preindustriales, con sus escalinatas de cuarzo infantil, con su ruta 23 de lata mágica y sus insufribles latones lawtónicos de basura sideral, con sus escuelitas primarias y secundarias repletas de ojos que no pudieron presenciar desde el exilio el fin del mundo esta madrugada, y con sus rieles de ferrocarril rielando todo el esplendor solar reflejado por una luna no tan de Cuba como de La Habana, no tan de La Habana como de Lawton, y no tan de Lawton como estrictamente intransferible y personal.

La luna de Orlando Luis Pardo Lazo. Mi locura, la que espero con la esperanza de que no tarde.

—Tal vez fue solo una nube —me le hice el bobo al pasajero del Pasaje Ethel de Rosenberg Heights—. No se preocupe, mi padre, ya volverá a salir. Si salió hoy, saldrá de nuevo mañana. Confíe en mí: hay luna para rato.

En la cara de mi Uber-pasajero ahora se condensaba algo mucho más agresivo que la decepción. Me odiaba.

Conozco de sobra esa expresión facial. La vi muchas noches, con y sin luna en el cielo caribe, hecha mueca de muerte en los rostros de los agentes para nada secretos que me arrestaban, armados hasta los dientes por un sueldito de mierda del Ministerio del Interior.

—Es posible —concedió, comedido ante mi indolente ignorancia, mientras se bajaba del carro frente a la Basílica del Central West End de Saint Louis—. Mire, si usted ha estado manejando desde hace horas, le recomiendo que regrese de inmediato a su casa y que abrace fuerte muy fuerte a sus seres queridos. ¿Me lo promete? Dígale que los ama.

Lo iba a mandar al carajo en inglés. *Fuck off.* Pero por suerte me arrepentí. *Fuck me.* Ya no me quedan seres queridos a los que abrazar fuerte muy fuerte. Ni frágil muy frágil. Por eso mismo, enseguida me arrepentí de haberme arrepentido y, a riesgo de perder mi licencia de taxista, mandé entonces al Uber apocalíptico al mismísimo carajo en inglés.

—*Fuck the fuck off* —aullé con la cabeza sacada por la ventanilla, a riesgo de decapitación—. Viva la Revolución Cubana.

No sé por qué me salió esa segunda cláusula. Supongo sea el inconsciente colectivo. Edipo Rev. La sensación de estar atrapado en los Estados Unidos y no poder ni empezar a decir las cosas que yo mismo ignoraba que podía empezar a decir.

Viva la Revolución Cubana y bien. Pedir su muerte sería asesinar las lunas lawtoneras del barrio donde mi infancia aún subsiste. Pedir su muerte hubiera sido un infanticidio.

92.

Los mediodías de verano son venenosos en el Midwest norteamericano. Un horno, una caldera. Una cámara de gas.

El gas no es Zyklon B, aquel veneno barato que fue usado por medio mundo para matar en masa, lo mismo en la Rusia del paraíso proletario que en la Alemania nazi. El gas contemporáneo se llama «ferias comunitarias».

No se escandalicen todavía. Por esta vez, permítanme al menos intentar explicarme.

Saint Louis y las aldeas aledañas se repletan de tedio y tiroteos desde que termina la primavera, a veces a principios de julio y a veces a finales de mayo. Luego viene el verano vil, que dura siempre hasta el primero de septiembre, cuando puntualmente comienza el otoño, llamado aquí «la caída». Y, en ocasiones, el «verano indio», una frase que hoy te podría llevar a la cárcel. El resto del año es invierno. Como ven, las estaciones en libertad son muy relativas.

Es entonces, desde el fin de la primavera hasta el inicio del otoño, que el antídoto contra la violencia vencedora de los imbéciles es reunirse para vender y comprar algo, fuera de las grandes cadenas de mercados. En un área privada protegida, por ejemplo. En un parque reserva nacional. En una finca post-esclavista de las afueras, con comida manufacturada al por mayor y pomaditas hippies sobresaturadas de cannabidiol: una sustancia sagrada que ya es legal en Missouri, al contrario de la marihuana completa.

Este no sé qué de agosto me cayó una carrerita de 40 o 50 dólares. Bastante. Al parecer, eran una pareja de veganos crudos, que son los primermundistas que solo comen las cosas que se caen vivas de una mata. Y eso sin lavarlas ni cocinarlas, siempre tras pedirles perdón por masticarlas, digerirlas, y después cagarlas crudoveganamente.

Los llevé desde el Café falsamente porno Shameless Grounds hasta un laguito de los suburbios multimillonarios de la ciudad. Allí era la feria comunitaria de ese domingo, Día no del Señor sino del Socialismo.

Al bajarse, mis Uber pasajeros me invitaron a participar del evento igualitario. Me dio curiosidad. Así que apagué el carro y me quedé un rato en la zona, a recorrer y reconocer la realidad de lo que en Cuba los cubanos nunca le quisimos creer a Fidel, por malagradecidos que somos: la lucha continúa, la justicia social es cierta.

No quiero hacer aquí una descripción estereotipada, ni mucho menos ridiculizarlos en su afán de ecodiversidad. Todo lo contrario. Estoy escribiendo esto para hacerles ahora una confesión en público. Es decir, al público.

Y esa revelación radical es a la vez la más natural del mundo, de acuerdo con las leyes termodinámicas tradicionales, y según la lógica de la acción y la reacción, que es como decir de la revolución y la contrarrevolución:

—Estoy cansado, compañeras y compañeros: cansado como el recontracoño de mi madre, cansado con cojones, con un cansancio cósmico de cadáver a la cubana.

He dicho.

En la feria de la felicidad, compré piedrecitas milagrosas y alfombras de meditación pacifista. Compré un jabón rejuvenecedor hecho sin jabón. Compré un masaje para dármelo después, en el dojo, con música de compasión universal. Compré un jugo capaz de activarme los chakras, según me aconsejaron. Y compré, como colofón, mi consabido cofrecito de cannabidiol.

Estaba *japy*, en definitiva. Que en cubano del exilio se traduce como «triste a matar».

Otra vez era domingo bajo las nubes mudas y yo no tenía ni un techo donde esconderme del sinfín socializante de la sociedad.

Pensé en que había sido una sabia decisión no portar armas de asalto semiautomáticas. Pensé en hasta cuándo me duraría esa abstinencia atroz.

Pensé también en mis pobres padres, en lo inverosímil de que yo fuera todavía su único hijo. Y pensé entonces en cuándo tendría yo la mía, porque tendría que ser ella, mi pequeña Orlanda Luisa Parda Laza huérfana de Cuba, para así prorrogar el metraje milagroso de esta película pobre, pobrísima, con un guión paupérrimo más allá de la vida y el bodrio, redactado para colmo con el puño y la letra de Fidel.

Me despedí de todos con mi mejor reverencia hindú. Prendí el carro y me fui, exhalando dióxidos carbónicos y vapor de agua por el tubo de escape. Un taxista no tiene derecho a perder media tarde en aras de la paz planetaria. Hay que pinchar.

La lucha es la lucha es la lucha, hasta el final. Y, como dijo creo que Nguyen Van Troi: si después de muerto se viviera, continuaría luchando. Lo cierto es que, a estas alturas de la historieta patria, los cubanos ya no tenemos opción. Dejarse comer por el cansancio sería como pintarnos el alma de un color inconsolable. Hay que pinchar.

Pínchalo, pínchalo. Como pincharon al delator comunista en la película *El hombre de Maisinicú*.

93.

—Para que un negro parezca viejo —me dijo cuando supo que yo hablaba español—, tiene que ser viejo, pero viejo de verdad.

Y él lo era, negro. Y lo parecía, viejo de verdad.

Muy, mucho. Por lo menos, un siglo de antigüedad, calculé. Pero me quedé cortico.

Me sacó su foto-ID de Lawton, Oklahoma, y me la estampó a medio centímetro de mis ojos, como asumiendo que el mundo entero se estaba quedando cegato, como él.

No había duda al respecto: el afroseñor acababa de cumplir sus reverendos 90 años.

Como de costumbre con todos mis pasajeros de taxi Uber, cuando supo que yo era cubano (para colmo, también de Lawton, como él, pero en las afueras y los abajos de La Habana), entonces su rostro rejuveneció.

Lucía por lo menos un cuarto de siglo más joven. Le brillaban sus pupilas pulidas por tanto siglo XX segregado y tantas leyes hijoeputas de Jim Crow. Lucía como una pantera negra, cuya musculatura supuraba el espíritu emancipador de los sensacionales sesenta.

—*Oh son*, si tú supieras... —suspiró—. Yo fui un refugiado político en la Cuba de Castro, cuando la Revolución era todavía nuevecita y a nadie se le había muerto la esperanza. Ni le habían matado a ningún familiar. *Holy shit*. Pero un par de años después, tu mismo gobierno fue quien me obligó a refugiarme de vuelta en los Estados Unidos. Ni te imaginas la que pasé para salir de esa Isla infernal... Qué esclavos ni qué esclavitud ni qué ocho cuartos: ¡el marxismo es la peor finca algodonera del Sur!

Le pregunté su nombre. Me dijo que a estas alturas ya daba igual. Había tenido demasiados nombres. Para los cubanos en Cuba fue John Clytus. Allí dejó a su primera y única novia del corazón: «una mujer negra atrapada en una revolución de hombres blancos».

Esto es textual, como casi todo en mis anécdotas dentro de un taxi Uber. Googléenlo y verán.

—Cuando por fin me dejaron irme —se embaló—, en un libro que publiqué con la Universidad de Miami la llamé «Nefertiti», para no perjudicarla ante la Seguridad del Estado, esos mayorales sabuesos que no perdonan ni a su madre. Pero su nombre de verdad era Nereida, la pobrecita. Me lo dio todo y yo en todo la traicioné. Como también traicioné a todas las otras, después de ella. La recuerdo con sus pechitos entalcados y las pasas siempre muy peinaditas hacia atrás, en una cola de caballo o de yegua bestial. Nereida y sus diecinueve añitos, compadre. Me la comí con papas y luego la dejé tirada una noche sobre el muro del malecón, a la altura de la beca estudiantil, cuando tuve que darle pirey para poder salvarme al menos yo. Llorando, la muy inocente, implorándome que la sacara de Cuba. Cojones —y aquí a John Clytus se le quebró su vozarrón aleluya de Leonard Cohen—, después de aquel abandono, yo no merecía haber vivido tanto como viví.

—Cálmese, mi padre —le dije, por miedo a que el anciano se me muriera dentro del carro de un patatús. Y yo sin seguro médico, ni siquiera para mí.

—Ya es demasiado tarde para eso, hijo —me dijo, con una sonrisa ancestral—. Yo ya estoy más que calmado. Calmado es mierda, vaya: estoy curado de espanto, con una pata aquí y la otra en el más allá. ¿Te puedo dar un consejo?

Casi llegábamos a su dirección, en un suburbio de los suburbios de Ferguson.

—Por supuesto —lo animé—, dispare toda esa sabiduría suya, que la estoy más que necesitando.

Me clavó muy solemne sus ojos vidriosos, como de cadáver viviente. Como los de mi padre, cuando la metástasis lo vació de vida antes de que pudiéramos terminar el almuerzo. Un domingo al mediodía, como ahora.

—Júrame que tú no vas a abandonarla, júrame que a tu Nefertiti, cuando aparezca, le irá mejor que a la mía.

Se lo juré. Aunque para mí, también, acaso fuera ya demasiado tarde. Como para John Clytus. Tarde con cojones, vaya, mi querido compañero pantera negra, herido entre las costillas por la lanza con vinagre de nuestra querida Revolución Cubana, más blanca que el tronco de todas las palmas y más racista que la memoria de todas las estatuas confederadas.

94.

En la Washington University de Saint Louis hay un pedacito de Cuba empotrado en la pared, en uno de esos patios interiores del Danforth campus. Se trata de un pedazo del Castillo de La Punta, traído a los Estados Unidos cuando la primera intervención militar estadounidense, a principios del siglo XX.

Esto me lo contó un profesor cubano que trabaja allí, prácticamente desde que yo nací. Como ya es bastante mayor, él dedica parte de su tiempo libre a manejar taxis Uber por la ciudad. Así fue como me lo topé. Como es lógico, el catedrático no desea retirarse formalmente de su posición académica. Las aulas son vida, futuro, ilusión. Sangre joven. Tentación de la carne intergeneracional.

Por mi parte, yo nunca he estado allí, en la llamada WashU. Nunca me he atrevido a entrar a una universidad privada, ni en Missouri, ni en ningún otro estado. Tengo la sensación de que, tan pronto como los estudiantes me vean caminando dentro del campus, todos se echarán a correr aullando: «un apestado, un neocon, un terrorista, ¡depórtenlo, depórtenlo!».

Imagino la alarma de tornados rompiendo a sonar. Imagino a la policía universitaria disparando al aire antes de ponerse a darme caza, como a un animal salvaje. Fiera feral. Es decir, como lo que soy.

Así mismo me pasaba antes, en la Cuba terminal de Castro, con los intelectuales cubanos. Antes, y ahora también. Porque ni la distancia es un buen remedio en contra de la pendejidad insular. Me temen, los muy mediocres. Todavía recuerdo cómo se hacía un circulito de miedo y mierda a mi alrededor, en aquel culto culturoso al servilismo y la mediocridad: «un apestado, un neocontrarrevolucionario, un terrorista, ¡expátrienlo, expatríenlo!».

El profesor devenido taxista de Uber manejaba bastante bien su carrito viejo. Un Impala de 1959. Por lo demás, era una carrerita muy breve, del club de ajedrez de Central West End hasta mi estudio rentado, a un costado del Forest Park. Tan pronto como el chofer profesor se olió que yo era cubano, me soltó el chisme de la piedra arrancada a la cañona del Castillo de La Punta, para empotrarla en 1898 o 1902 en un paredón de ladrillos *Made in WashU.*

Al buen hombre todavía le apesadumbraba semejante acto de saqueo neocolonial, me dijo. Y yo le di la razón. Y las gracias por sus servicios de Uber taxi. Y las buenas noches. Y el adiós.

No le mentí en nada, se lo di todo de corazón. Pero ya, hasta ahí. Y tan pronto como me vi otra vez solo de remate en la semipenumbra de mi cuartico rentado, pensé:

—Qué cojones vandalismo de qué cojones. Qué carajo imperialismo de qué carajo. Mira que comemos mierda los cubanos.

Miren, para que se entere de una buena vez el planeta entero: ese pedacito de piedra probablemente sea la única parte de Cuba que se salvó de tanta salvajada y tanta soledad.

95.

Hacía un calor del carajo. Y ya estábamos casi terminando septiembre. No importa, qué va a importar. El mundo se está derritiendo de todas formas y por los cuatro costados, desde el falolito de la Plaza de la Revolución en La Habana hasta el arco uterino de Saint Louis en Missouri.

Cuando en los Estados Unidos existía la libertad de expresión (esa Primera Enmienda tan vilipendiada por la intelectualidad de izquierda), hará unos treinta o trescientos años, a esos inicios del otoño candente aquí le llamaban el «verano indio», asumiendo que los indios (es decir, los aborígenes de América), eran medio mentirosines y manipuladores, en su empeño étnico de sobrevivir a toda costa en un continente de pronto ocupado de costa a costa por Europa.

Yo estaba esperándolo en la estación de trenes Amtrak del *mid-town* de la ciudad. No al verano indio, sino a mi pasajero programado.

Una semana antes, él me había contactado (técnicamente, contratado) por internet, para que yo fuera a esperarlo allí con mi taxi, nada menos que a las tres de la tarde, la hora en que mataron ya ustedes saben a quién.

Venía de Chicago. Solo. A una conferencia en la Washington University de Saint Louis. Sobre Literatura Cubana, por supuesto, con mayúsculas mitomaniacas.

Era un escritor de la Isla que estaba de visita, como todos, en la gran Unión norteamericana. Tenía una visa de múltiples entradas durante cinco años, gracias al excepcional programa de visados del presidente Barack Obama, el que en unos pocos meses sacudió hasta los tuétanos al totalitarismo cubano.

En efecto, el mulatico puso en jaque mortal a la gerontocracia del Ministerio de las Fuerzas Armadas y el Ministerio del Interior: de pronto, el militariado verde olivo cubano se vio acorralado de culo contra la pared. Total, para que ahora venga Donald Trump y vuelva a aislar a Cuba cómodamente, para así salvar de por vida a los Castros, confiriéndoles a los tiranos tropicales toda la impunidad imaginable. Incluso, buena parte de la inimaginable.

El tétrico y tierno Trump. Demasiado papití para nada. A los *hardliners* ya ni la línea dura se les para.

El exilio cubano es esta rabia retórica: un dolor sin salida, un resentimiento sin consuelo ni conmiseración, una desafinada cancioncita de amor sobre los que se fueron versus los que se quedaron, unos y otros desconocidos de corazón, descontemporáneos de remate, como si lo único reconocible para ambos bandos hubiera sido, paradójicamente, la Revolución.

En cualquier caso, volviendo al caso del compatriota que me alquiló como chofer de taxi, mi coleguita venía todo cagado de miedo. Enseguida me pidió discreción en las redes sociales. No quería que nadie en internet supiera que había estado en contacto conmigo. No quería que, toda vez de vuelta en Cuba, los camajanes en el poder lo asociaran con la bilis contestataria de Orlando Luis Pardo Lazo. No quería, en resumen, que yo escribiera un Uber Cuba sobre él.

Perdóname, compañero. Pero el arte es breve y no espera por nadie. La vida es larga y, por eso mismo, basta y sobra para luego arrepentirnos de todo. Y hasta mutuamente pedirnos perdón.

En fin, a los pocos minutos de cortesías cortadas, lo solté en el Hotel Plaza de Clayton, en donde toda universidad privada aloja a sus figuras públicas invitadas. Y seguí manejando mi cachivache, bajo el fuego infiel de aquel mes malo para el negocio.

Éramos, los dos, desaparecidos. Sendos huéspedes de honor, salidos de un horror histórico llamado Uber Utopía.

96.

La única vez que manejé taxis Uber fuera de los Estados Unidos fue en Buenos Aires. Era el verano benévolo del sur, en la Argentina hecha talco sin misericordia, por casi un siglo de socialismos obreros y asesinatos de Estado.

El primer pasajero que se montó en el carro se parecía como él solo a Santiaguito Feliú.

Es obvio que me le quedé mirando, como embobado. Porque El Pelusa enseguida me sacó del trance o éxtasis, con aquella sonrisa tan suya de dientes dispares:

—Sí, soy yo —gag-g-gueado en perfecto cubano de Cuba: su jerga de humos ilegales en La Habana revolucionaria, su argot insomne entre las chimeneas y acordes inarmónicos de Lawton.

No entendí bien si se trataba de un chiste pesado. O del homenaje de un pésimo imitador.

Ese mismo miércoles, de madrugada, Santiaguito Feliú se acababa de morir de manera repentina en la Isla. A sus cincuenta y uno o cincuenta y dos años. Como si la muerte no fuera siempre una cosa que ocurre de manera repentina, cuando ya menos nos la esperábamos, después de malgastar toda la vida esperándola.

—Te digo que soy Santiaguito Feliú y, ad-d-demás, sé muy bien que tú eres cubano. Así que no te pongas ahora a com-m-mer mierda conmigo y escúchame, que me acabo de morir de un inf-f-farto en La Habana.

Puse en marcha el carro, sin consultar la dirección en el mapa del Uber App. Por su parte, Santiaguito se sentó a mi lado con naturalidad. Buenos Aires y no Londres era el verdadero laberinto, pero a ninguno de los dos nos hacía falta fingir la necesidad de una ruta. De pronto, éramos dos cubanos sin rumbo en un país extranjero.

Sentí una apretazón en el pecho. La misma penita de cuando me enteré de su inverosímil noticia a media mañana, justo antes de yo impartir una charlita sobre Arte y Disidencia en la universidad.

Fui a decir algo, pero El Santi me cortó. Tenía que contarme algo y se le estaba acabando el tiempo para contármelo. Le asistía, por supuesto, todo el derecho del mundo a tart-t-tamudear. Como mismo a mí me asiste ahora todo el derecho de no transcribirlo mim-m-méticamente. Debí ser de la generación de los años ochenta, pero, por suerte, no salí un narrador coloquial.

—No te olvid-d-des de tres o cuatro cosas —me dijo—. Prométeme que no se te van a olvidar, flaco: prométeme que vas a pasar la voz.

Y se lo prometí.

Y por eso te paso su voz a ti.

—Vivíamos en el futuro. Fue una época descomunal, como todo tiempo desquiciado. La noche sobre las líneas del ferrocarril lucía lejana y azul. La calle B solo tiene dos carriles y, sin embargo, la recuerdo mucho más ancha que la Avenida del Malecón. A veces, como en un susurro entre las campanadas de la iglesia, desde el patiecito de atrás oíamos el balido desvalido de las vacas que traían del campo en trenes, para matarlas. El Mariel es hoy, mi hermanito. Los amigos que se van para siempre nos dejan sin deseos del día de ayer. La escalinata de La Colina, con Alma Mater y todo, es mucho mejor auditorio que el Madison Square Garden de Nueva York. Las cuerdas de la guitarra no son solo seis. La palabra revolución es aguda acentuada. Los fines de siglo nunca terminan de terminar. Las barbas no tienen dientes, pero las calles sí son leones devorando portales, desalojando el sueño y despidiéndolo del mundo. Cualquier canción es una canción comprometida, compadre. Ya te dije las tres o cuatro cosas que no se te pueden olvidar. A cambio, tienes que hacerme ahora un favor, flaco: diles a todas y cada una de mis amadas mujeres que no me extrañen, que de eso me encargo yo, durante todas y cada una de las mañanas de mi muerte.

97.

Manejando taxis Uber hay solo una cosa que ya nunca hago, esté viviendo o de paso en la ciudad en que esté de paso o viviendo. Y eso que nunca hago, eso que ya nunca podría hacer, aunque quisiera, eso que nunca haría, ni aunque me pagaran una millonada, es la cosa más natural en el mundo moderno: atravesar un túnel.

No es superstición de catastrofismo. Ni mucho menos un síntoma de claustrofobia. Es algo mucho más íntimo e inexplicable.

Empezó cuando una vez tuve una visión. De pánico, de locura. Era tarde en la noche muda de Nueva York. Y yo tal vez me quedé dormido al volante. No sé. Da igual. Lo cierto es que cruzaba en el carro por el túnel bajo el río Hudson, saliendo rumbo a Nueva Jersey, y entonces sucedió.

Ah, todos esos malditos túneles de aquella compañía francesa de excavación en los inconcebibles años cincuenta. Ah, todos cortados con los mismos buldóceres, excavados en el fondo del río o del mar, emparedados con azulejos blancos y azules, bajo las indistinguibles luces gélidas de neón.

Todos idénticos, como espejos. Como espejismos. Con su doble vía y su caminito con baranda dorada en lugar de aceras, para permitir el paso de peatones imposibles. Todos, por supuesto, conectando Casablanca o Manhattan con la única ciudad que habita en el corazón cubano, la que alguna vez fuera llamada La Habana.

Cuando salí al Turnpike de Nueva Jersey, estaba en la curvita de La Punta en pleno Malecón. No tengo que añadir nada más. Pensé que me había dado una embolia. Había entrado por Nueva York y había salido por La Habana. Qué pesadilla, qué prodigio. El taxi Uber casi se me sale de la carretera y ya me vi dando vueltas de campana más allá de la cuneta.

Recé al cielo. Recé al vacío inverosímil de Dios. Cerré los ojos. Me despedí de todas las personas que, sin saberlo, a veces sin quererlo, yo había amado para siempre sobre la faz de La Tierra.

Abrí los ojos. De pronto no quedaban ni trazas de mi visión. La Habana nunca había existido a la salida del túnel de Manhattan. Pero, a partir de esa experiencia al límite, todos los túneles siguen siendo para mí, inevitablemente, el túnel de la bahía de La Habana.

No es estrés postraumático. Ni mucho menos obsesión compulsiva. Es, creo que ya lo dije antes, algo mucho más íntimo, inexplicable, intimidante.

Por eso, manejando taxis Uber (de hecho, manejando o viajando de pasajero dentro de cualquier carro), nunca he vuelto a atravesar un túnel en mi vida. Nunca más en vida quiero arriesgarme al pánico de conocer la verdad. No podría sobrevivir al hecho de verme de vuelta en La Habana de manera tan súbita. Y luego, enseguida, no podría sobrevivir al hecho de saber que La Habana se ha vuelto a ir, de la misma manera tan súbita, de mí.

98.

—Mis primeros discos de Silvio —me dijo sin mirarme, la vista perdida por la ventanilla en el paisaje sin paisaje que es hoy Hialeah, la ciudad que progresa hacia ninguna parte—. Increíble, ¿no? ¿Quién me lo iba a decir? ¡Los discos viejos de Silvio! A la hora de salir de mi casa, mi barrio, mi Habana. A la hora de irme para el carajo de Cuba y no volver nunca más, lo único que me dio por coger fueron los discos de Silvio. No me podía alejar de ellos, no había forma humana de que los pudiera dejar abandonados allí. ¡Ni loco! Ni aunque me amarraran o amenazaran con matarme. No podía despedirme de esa música mal cantada y peor grabada de finales de los sesenta. Espero no me malinterpretes, espero tú no seas como el resto de los cubanos. No soy, no fui, y nunca seré comunista. Tampoco he sido un nostálgico, ni nada que se le parezca. Vivo en el presente y no extraño aquella mierda opresiva, atestada de cubanos por los cuatro costados. No se trata de eso. Se trata de que aquella música sagrada había sido la banda sonora de mi juventud. Mi edad de oro, mis años de luz e ilusión. El único tiempo de toda mi vida en que yo fui capaz de sentir amor, de tener un alma. Estaba vivo de remate, ¿entiendes? Vivo de la cabeza a los pies y hasta el fin de la eternidad. ¿Qué más quieres que te diga? ¿No te basta con que aún sea capaz de pronunciar dentro de un taxi Uber esas dos palabras perdidas: vida y amor? Son, por lo demás, discos con canciones que nadie conoce como tal. Un Silvio que el propio Silvio olvidó. Un Silvio secreto, hecho de huesos y corazón, a pesar del Silvio zoquete y socialistoideo. Una poesía pura, prístina, como un cosmos a punto de hacer *big bang*. Parezco un místico, lo sé. Y lo soy. Porque todos lo éramos entonces, de manera fácil e inmediata. Pero lo olvidamos, coño. Nos fuimos envileciendo, tan pronto como ocurrió la primera traición y la primera complicidad. Perdimos el porvenir. Aquellas, no sé, cien o doscientas primeras canciones de Silvio eran como un milagro —decía sin mirarme nunca, su vista siempre extraviada ventanilla afuera, por donde pasaba raudo y veloz un exilio de imitación, escenario de tramoya, vaciado de sentido, intraducible de remate—, créeme que la suya fue una palabra inesperada y, de hecho, yo diría que impensable, en medio de todo el ruido y la retórica ripiosa de la Revolución. La de Silvio fue una rabia salvadora. Y en este punto me da lo mismo si me malinterpretan o no. ¡Allá ustedes los cubanos, dándose cabezazos acéfalos después del holo*castro*! Yo no, yo ya me estoy yendo en paz. Y me voy musitando el mantra de estos versos del evangelio invisible de mi juventud, que son en definitiva las leyendas de águila y los funerales de insecto de mi generación, la última generación de cubanos que conoció a Cuba de corazón. Tampoco quiero el despertar de abrir un puño y ver que en la palma quedó solo sal, solo sal, solo sal. Tampoco quiero ser juguete de voces negras y viejas, quiero sentarme quieto en la noche nueva y bella. Pues si la muerte es lo que viene, hay que ocupar esa distancia en la que va a llegar. Mira, déjame decir para siempre por última vez. Y regresar solo con mis buenos días y el adiós regresar. Después, quizás perdida en las memorias, no habrá quien cuente un día nuestra historia. Pero mientras tanto, ay, pero mientras tanto, yo tengo que hablar, tengo que vivir, tengo que decir lo que he de pensar: cantar y gritar la vida, el amor, la guerra, el dolor. Y más tarde guardaré la voz. No hay nada aquí: solo unos días que se aprestan a pasar, solo una tarde en que se puede respirar. Un diminuto instante inmenso en el vivir. Después, mirar la realidad y nada más... ¿Qué *quoth the raven*, compadre, a quién fue al que citó el cabrón cuervo?

99.

Una rosa en tu pelo parece una estrella en el cielo. Hoy que llegó el invierno y estamos al final. Sé que me iré primero, te espero en la eternidad. Acariciando mis manos, en el temblor de mi voz. Sombras nada más. Entre tu vida y mi vida, entre tu amor y mi amor.

Y parece un destello de luz la medalla en tu cuello. Ni me acuerdo que llevo en mi pecho una herida mortal. Debemos separarnos, no me preguntes más. En nombre de este amor y, por tu bien, te digo adiós.

Las frases cruzan veloces en lo que yo acelero a lo largo y ancho de la autopista. R con R, cigarro. R con R, carril. Rápidos corren los carros del ferrocarril...

Trabalenguas recuperados de la desmemoria, mientras la reproductora retro de mi taxi Uber ejecuta mil novecientas cincuenta y nueve veces las voces y letras languidecientes de un planeta fantasma. Un país de poemas con rimas. Métrica meliflua, malvada, maravillosa.

Son las islas ahora ya inhabitables de un tiempo no solo ido, sino imaginario. Inimaginable. Son esas Cubas del corazón que hoy ya no encuentran cabida en el pecho de los cubanos que quedaron. Que no son muchos. Que somos más bien muy pocos. Que eres tú acaso y acaso soy yo en este instante. No nos fuimos: nos extinguimos.

Nos dedicamos a entumecernos mutuamente el alma. Exterminadores de toda belleza y verdad. Basura insular, basura exiliada. Una plaga que ninguna otra raza superior a nosotros será capaz de erradicar. Una pandemia, una pena. Los cubanos salimos de Cuba para perpetrar lo peor. Para sembrar en el resto del mundo el vacío que primero nos vació por dentro en nuestro propio país.

Seres huecos. Para colmo, sin eco. Ceros humanos. Cero resonancia, cero presencia, cero fuerza de gravedad.

Las melodías se recombinan rabiosamente al timón de mi carro y, sin embargo, los clientes no se dan cuenta de nada. Son demasiado norteamericanos para darse cuenta de nada. Demasiado inmigrantes para darse cuenta y que encima les importe nada. Ya no sé ni lo que oigo. Remix a ritmo de revolución. Retórica reumática, a título de los desaparecidos cubanos, que en la práctica somos todos los cubanos aparecidos. Expertos en ser espectros. Ya tampoco sé lo que digo.

Una rosa en tu pelo parece una eternidad en el cielo. Hoy que llegó el invierno y debemos separarnos. Sé que me iré primero, te espero en la estrella. Acariciando mi amor, en las manos de mi voz. Vida nada más. Entre tu sombra y mi sombra, entre tu temblor y mi temblor. Y parece un destello de luz la herida mortal en tu cuello. Ni me acuerdo que llevo en mi pecho una medalla. No me preguntes más si estamos al final. En nombre de este adiós y por tu bien te digo amor.

100.

El viejito lucía como de cien años, pero bastante bien conservado para lo enclenque que parecía. Todo encorvado, hacia delante y también un poco hacia su lado izquierdo. La piel de la cara la tenía como de paja, un patiñero de arrugas y verrugas. Le sobresalían de los poros ciertos restos arqueológicos de lo que debió de haber sido una barba. Los labios, hechos ya un culo de gallina. Pensé: «Señor, hazme mártir de la Revolución o del Exilio o de lo que tú prefieras, pero no me hagas llegar a viejo así».

El adefesio a medio momificar se sentó a mi lado, en el asiento de atrás del taxi. Olía a ácido fénico. Estos Uber Pool de Miami son lo peor de lo peor. Y, tan pronto como acomodó su tambaleante esqueleto, se puso a declamar bajito, como en una oración siniestra o un mantra sacado de quién sabe cuál manual de materialismo:

—Os voy a referir una historia. Había una vez una República. Tenía su Constitución, sus leyes, sus libertades: Presidente, Congreso, tribunales. Todo el mundo podría reunirse, asociarse, hablar y escribir con entera libertad. El gobierno no satisfacía al pueblo, pero el pueblo podía cambiarlo y ya solo faltaban unos días para hacerlo. Existía una opinión pública respetada y acatada, y todos los problemas de interés colectivo eran discutidos libremente. Había partidos políticos, horas doctrinales de radio, programas polémicos de televisión, actos públicos, y en el pueblo palpitaba el entusiasmo.

El chofer se viró hacia atrás en la luz roja del semáforo de Flagler y la no-sé-qué calle. Iba a pedirle a su cliente que bajara la voz, pero en definitiva se arrepintió de hacerlo, pues lo cierto es que el anciano pasajero no hubiera podido hablar más bajito. Apenas susurraba su rosario de calamidades y nostalgias. Aunque, curiosamente, su voz tan temblorosa diríase que tronaba dentro de aquel carro de alquiler.

—Aquel pueblo había sufrido mucho y si no era feliz, deseaba serlo y tenía derecho a ello. Lo habían engañado muchas veces y miraba el pasado con verdadero terror. Creía ciegamente que este no podría volver. Estaba orgulloso de su amor a la libertad y vivía engreído de que ella sería respetada como cosa sagrada. Sentía una noble confianza en la seguridad de que nadie se atrevería a cometer el crimen de atentar contra sus instituciones democráticas. Deseaba un cambio, una mejora, un avance, y lo veía cerca. Toda su esperanza estaba en el futuro. ¡Pobre pueblo! Una mañana la ciudadanía se despertó estremecida: a las sombras de la noche los espectros del pasado se habían conjurado mientras ella dormía, y ahora la tenían agarrada por las manos, por los pies y por el cuello.

Lo decía todo de memoria, sin equivocarse en una sola de las sílabas. Tal vez por eso daba la impresión de que el señor prehistórico estaba plagiando su perorata de alguna otra parte. Acaso precisamente de su mente senil.

Y volvía a la carga, trastocando el orden de las oraciones, pero probablemente manteniendo intacto el sentido:

—El pueblo no satisfacía al gobierno, pero el gobierno podía cambiar de pueblo y ya solo faltaban unos días para hacerlo... ¡Pobre pueblo! Todo su futuro estaba en la esperanza...

Cuando me bajé en Westchester, el centenario pasajero continuaba con sus ciclos de enumeración y sus estrafalarias evocaciones de un país putativo. Llegué a pensar que no había ninguna garantía de que el abuelo fuera en realidad cubano, dada la neutralidad ancestral de su acento. Además, nadie en Miami habla ya en cubano sino en la corrupción de esa jerga, sea por defecto o por exceso, o ambas taras, de un totalitarismo más gramático que grosero.

Aún me sonaba en el oído su palabrería de pan y circo. Traté de hacer un esfuerzo antes de entrar en mi casa, pero fue en vano intentar recobrar en mi mente de dónde me sonaba tan familiar su discurso. ¿Dónde yo había oído antes esa oratoria?

Fue por gusto. Fuera de Cuba, todo se parece a todo. Todo resuena en clave de Revolución. De ahí que nada tampoco remita a nada. Hasta la lengua de los cubanos se ha hecho muy laxa, un eco hueco del Big Bang.

La hecatombe, y no la historia, es la que nunca nos absolverá.

101.

Ernesto Cardenal no era cardenal, ni demasiado católico, ni la cabeza de un guanajo. De hecho, solo en papeles era cura. Pero su relación más íntima con la Iglesia duró apenas medio minuto: fue en 1983, cuando el Papa Juan Pablo II le cantó las cuarenta en pleno aeropuerto de Managua, Nicaragua, por haber aceptado ser parte del gobierno de los sandinistas, con dinero soviético y armas de La Habana.

De todo lo que Cardenal dejó por escrito (y nunca ha parado de escribir), solo su poesía es valiosa. Al menos para mí, a quien toda la poesía le parece siempre muy valiosa, como evidencia y recordatorio de lo que nunca nadie debería escribir. Léase, las rimas revolucionarias o románticas son siempre tan risibles, tan ridículas, tan ripiosas. En fin, que estoy en contra de toda resonancia de lesa poeticidad.

Cardenal, como todo habitante del planeta Latinoamérica, estaba fascinado con la Revolución Cubana. El célebre célibe marxista-cristianista vivía erotizado hasta las gónadas por el halo histórico del supercomandante Fidel. Cada vez que iba a Cuba, Cardenal le confesaba al resto del mundo cositas así:

—Miles se han ido. Pero los que quedan, se ven felices y son los dueños de todo.

—Nada codician y a nadie envidian.

—Esta es una ciudad que le tiene que gustar a un monje, a un contemplativo, a cualquiera que en el mundo capitalista se haya retirado del mundo.

—Los anuncios aquí siempre incitan al sacrificio, al heroísmo, al trabajo por la comunidad. En el capitalismo incitan al egoísmo, al interés personal, al goce individualista.

—Me gusta mucho esta escasez: yo soy monje. Ojalá nunca lleguen a tener demasiada abundancia.

—Cuba es el único lugar del mundo donde el catolicismo no tiene crisis de vocaciones.

—Ningún convento ni residencia religiosa se ha confiscado en Cuba.

—En Cuba, el nuevo nombre de la Caridad es Revolución.

Permítanme no continuar.

La cara de Ernesto Cardenal, por algún motivo, siempre me resulta reminiscente del rostro del poeta Oliverio, en la película *El lado oscuro del corazón*. Entiéndase, el rostro del actor argentino Darío Grandinetti, en ese fabuloso y fósil film, que nunca debió de tener una segunda parte.

La boinita de Ernesto Cardenal es, por supuesto, la boinita con estrella en la frente de su tocayo Ernesto Guevara El Che, pero eso es un dato sin importancia, excepto para las compañías de ropa de marca en el híper-capitalismo global.

Cuento todo esto, como pueden imaginarse, porque tuve que ser yo el que recogiera al nonagenario Ernesto Cardenal en el Aeropuerto Lambert de Saint Louis, a donde venía a leer sus monsergas materialistas a una universidad privada del estado republicano de Missouri.

Fue a principios de este año, por el cumpleaños 93 del bardo nicaragüense. Cuando Cardenal notó que yo era cubano, se puso un tin nervioso con que yo fuera el chofer de su Uber.

Enseguida me preguntó si yo era revolucionario. Le dije que no. Entonces me preguntó si alguna vez yo había sido revolucionario. Le dije también que no. Sus expresiones faciales parecían de pronto desencajadas.

—Ser joven y no ser revolucionario es una contradicción hasta biológica —me fulminó, o intentó fulminarme.

Había comenzado a nevar gentilmente sobre el Midwest norteamericano.

Me sentí tan lejos de los míos, tan lejos de mi lenguaje y hasta de mi propia experiencia. Yo no era más. Yo no estaba aquí.

El detonador de mi vahído (me ocurren cada vez con mayor frecuencia) había sido aquella frase de mierda, en la boca con dentadura postiza del poeta invitado de honor de una universidad. Era una frase que leí a punto de morir, con faltas de ortografía incluidas, en un inhóspito hospital de La Habana alguna vez llamado La Benéfica, ahora rebautizado con el nombre de un terrorista chileno a sueldo de los cubanos: Miguel Enríquez.

—Cuando Salvador Allende soltó esa metáfora — sonreí en el espejo retrovisor, tratando de aligerar cualquier residuo de tensión entre quien pudiera ser mi bisabuelo y yo—, ya estaba demasiado viejito para que ni él mismo se la creyera.

No creí que había sido un buen chiste, pero Cardenal carcajeó. Ahora pienso que tal vez lo sorprendió que un cubano del exilio fuera capaz de reconocer su cita de Allende, y que incluso conociera la palabra «metáfora».

Lo más probable es que el Ogro de Solentiname estuviera feliz de darse cuenta de que, quisiera yo o no lo quisiera, él me había demostrado que le asistía toda la razón de clase, en esta batallita de ideas entre un pasajero de lujo y su post-proletario chofer. En efecto, yo era un producto criado y educado de manera gratuita por la Revolución.

Y no se lo pude negar. El mejor escritor vivo cubano, yo, no era más que un subproducto endémico de la Revolución, aunque haya votado por Donald Trump.

—Tú nunca vas a ser un gusano genuino —me espetó el poeta, y esta vez sí me dolió su estocada, por auténtica.

Paré el carro en plena 64 Interestatal. Ernesto Cardenal Martínez, el exministro de cultura comunista, pensó que yo le iba a hacer un atentado mortal en su cumpleaños número 93. Estilo Trujillo, estilo Somoza, estilo Pinochet. Me pregunto por qué nadie nunca le ha disparado un chícharo a Fidel Castro desde ninguna distancia. Me pregunto si nuestro primer magnicidio exitoso le tocará en suerte a Miguel Díaz-Canel.

El prelado poético intentó hacer una llamada telefónica con su móvil de modelo obsoleto, pero la tarjeta pinolera no le funcionaba aquí, en el corazón segregado del corazón de los Estados Unidos de América.

Supongo que por un segundo imaginó los titulares del *Saint Louis Post-Dispatch* a la mañana siguiente: «Lo hallaron muerto en su carro con la mano en el teléfono. Y los detectives no supieron a quién iba a llamar».

Abrí la puerta de atrás y le dije:

—Salga, monseñor.

Y Ernesto Cardenal se recompuso ante la muerte y salió. Sin miedo, altivo. Juvenil, como desde hacía décadas yo no lo veía en fotos, estando, como había estado en los últimos tiempos, tan reprimido y hecho un detrito humano por Daniel Ortega y su camarilla real-maravillosa de castrismo mágico.

—Padre —le dije—. Usted es el único testigo de mi infancia que he visto, desde que me botaron de mi país. ¿Le puedo pedir algo, por favor?

El anciano sacro se recompuso aún más. Volvía a ser el curita convencido graduado en 1965 en aquella Managua destartalada, cuando la Isla del Caribe era joven y revolucionaria y hasta biológica, más allá de contradicciones y contrarrevoluciones.

—Hijo mío —me dijo—, di.

Me hinqué de rodillas sobre el asfalto del desarrollo y la nievecita de enero de un siglo XXI fuera de casa.

—Padre, no me deje solo con tanta Cuba por dentro. Deme su bendición, pida porque yo me olvide de la Revolución. Ayúdeme a convertirme en un gusano genuino, por favor.

102.

Todavía se veía tan bonita.

Nunca pensé que yo podría escribir una frase así, tan tonta. Mucho menos al inicio de nada. Pero aquí está. En literatura, la tontería es preferible a la pedantería de la página perfecta: ese fundamentalismo fascista, esa comemierdad comunista.

Así que aquí va de nuevo, con sus cinco palabras como franjas, cada una en un párrafo aparte. Por esta vez sin información visual, pero también, por suerte, sin digresión:

Todavía.

Se.

Veía.

Tan.

Bonita.

Lucy. Probablemente, Lucía, una de las mil novecientas cincuentinueve novias que se le conocieron en público al comandante Camilo Cienfuegos (un «sastrecito lindo», según Ernesto Che Guevara), entre el enero y el octubre de aquel año funesto, funerario, fatal. El 1959.

En cualquier caso, Lucy está hoy a punto de cumplir sus 88, infiniteces de la simetría sensual, como alguna vez suculento y sinuoso fuera su cuerpo de hembra habanera medio amulatada, con esos ojos verdes despampanantes, comparables única y exclusivamente con los atroces ojazos de Naty Revuelta, una contemporánea de Camilo que fue la amante más fiel del jefe de la revolución Fidel Castro, el mismo que terminaría asesinando y luego cínicamente canonizando al comandante de la sonrisa Colgate y el sombrero alón. (Por cierto, una vez le salvé la vida a Naty Revuelta en La Habana, al prestarle mi *spray* de salbutamol.)

Pobrecito nuestro San Camilo de Lawton. Todavía se veía tan bonito cuando lo desaparecieron.

Lucy o Lucía se monta en mi taxi Uber en Miami y enseguida me reconoce de América TeVe. Es una viejita muy pizpireta, plena de vida y futuro (es decir, de tristeza):

—¡Tú fuiste el que estuvo ayer en el programa de Cao! —me suelta de un tirón—. Muchacho, si estaba loca por conocerte... Déjame decirte una cosita, de corazón. Si tú supieras: te pareces como dos gotas de agua a quien fuera mi primer y último amor. ¡Qué cubano, por el amor de Dios, qué cubano!

Y entonces, a lo largo y tortuoso de nuestro viaje desde Miami Beach hasta Palm Beach, me cuenta atropelladamente quién había sido ese primer y último amor de ella, que para colmo se parece a mí como una gota de agua a la otra. O, mejor, como dos lágrimas. O lagrimones.

—Lo de nosotros fue un flechazo a primera vista —me dice Lucía o Lucy, a estas alturas de la historia, da igual—. Me quedé como boba cuando lo vi. Tan alto, tan gentil, tan limpio, tan cortés, tan Camilo. Y no fue por su traje del Ejército Rebelde, ni por sus grados de comandante, que a él poco le importaban. Sino porque aquel muchachote espigado, derechito como un pino, de sonrisa contagiosa y porte viril, como tú al timón ahora, tenía un don natural para la seducción.

En sus últimos años en Cuba, ella había vivido en el municipio Playa, antes de que una sobrina o algo así la reclamase para venir a morirse lejos de su país (en realidad, más cerca que si se hubiera muerto o mudado, por ejemplo, a Yaguajay).

Lucy lo recordaba todo de su relación o arrebato con Camilo Cienfuegos. Lucía lo recordaba mejor que la dirección a la que ahora iba, y para ver a quién iba, y con cuál motivo iba. El Alzheimer, como la muerte, siempre pierde sus peleas patéticas en contra del amor. El amor todo lo recuerda, todo lo recuenta, a todo le da cuerda.

Era como si su efímera vida con Camilo hubiera ocurrido ayer por la tarde. Como si estuviera ocurriendo de nuevo, esa misma tarde en que yo tenía su aliento puto junto a mí. Como si estuviera a punto de ocurrirle un romance rompecunas en su vejez.

Camilo le había dicho, tan pronto como se la topó:

—¿A qué hora terminas de trabajar? Estás más rica que tus sándwiches...

Y a ella le gustó su forma. Su talante. No sabe si porque tenía voz de mando. O porque su autoridad no se basaba en los alardes y alaridos de Fidel Castro. Camilo era un hombre al natural. Camilo era un hombre.

Lucy trabajaba en uno de los bares más concurridos de Centro Habana, en la esquina radionovelesca de San Rafael e Industria, en los bajos de un edificio que, como todos (incluso los estoicos que allí siguen en pie), ya no existe. El bar tenía una botellería mejor que la de cualquier bar de Manhattan, y encima vendía los mejores sándwiches de jamón y queso de todo el hemisferio occidental.

Lucía rebosaba deseos a sus 25 años y era preciosa, demasiado preciosa para ejercer con responsabilidad el monosílabo NO. Una Cecilia clásica, veintimonónica.

Lucy me dijo que Camilo era muy fogoso, un amante ardiente, al rojo vivo (sin implicaciones políticas). Hacía el amor como si a la mañana siguiente se fuera a morir. Y lo sabía, Camilo más temprano que tarde se iba a morir: lo iban a morir.

De hecho, él mismo se lo confesó a la veinteañera, una madrugada especialmente silente (antes de los ciclones, en Cuba se hace un silencio espectral, espectacular), cuando Camilo le hizo el amor literalmente con las botas de militar puestas (mientras ella reía, inocente, iluminada, ignorante):

—Hacer el amor es como morirse, mujer. Y yo quiero abandonar este mundo con mis botas bien puestas.

Y, por suerte, con tus botas bien puestas lo abandonaste, hombre, cuando ese otoño totalitario Fidel y Raúl Castro, con la complicidad del Che Guevara, Ramiro Valdés y otros de tus compañeros de armas, te asesinaron a tiros a sangre fría, en la Ciénaga de Zapata, traicioneros como reptiles de carroña, antes de echar a rodar la bola burlesca del accidente aéreo y las flores tiradas a un mar donde tú nunca has estado. Eres, por lo demás, el único mártir cubano del Club de los 27 años.

Lucy Lucía me mira a los ojos, al borde del 2020, y me reitera la similitud entre Camilo Cienfuegos y yo:

—Igualitos, increíble... Como si no ocultaran nada malo en la mirada. Como si supieran que la vida no les iba a durar demasiado. Gracias, Dios, que todavía quedan cubanos libres y lindos, después de esa maldición de la fealdad que se llama Fidel. ¡Y tan mala hoja como fue!

Entonces soy yo quien se atreve con ella, quien se propasa, a medio siglo de distancia, pero a medio segundo del deseo, violando todas y cada una de las resoluciones laborales contra el acoso sexual, impuestas despóticamente por la compañía californiana Uber Technologies, Inc.

—Lucía Lucy —le dije—, si en lugar de haber conocido a Camilo en aquel bar de buena muerte, a medio camino entre el capitalismo y la Revolución, si en lugar de su sonrisa Colgate y su sombrero alón, si hubiera sido yo el hombre con botas que se te acercó en pleno horror del año 1959, ¿te hubieras enamorado de mí también?

Me reservo la respuesta de la octogenaria cubana. Me basta con decir que, de propina, ella me dejó en el App de Uber el mismo emoji tres veces, las tres veces sacado de su corazón de cubana cansada de sobrevivir sin Camilo: ♥♥♥.

103.

El cine Erie fue el gran taxi Uber de mi generación.

Erie. Un cine de barrio, con piso de cemento y techo de lata. Con ventiladores, en lugar de aire acondicionado. Y aquel olor a pulcras maderas republicanas, a luz de acomodadoras, a sonido monocromático de alta fidelidad, y a una vida fuera de Cuba cargada de futuro, a la vertiginosa velocidad de 24 memorias por segundo.

Lo que pasara en la pantalla grande era justo lo que nos iba a pasar de grandes. Desde allí viajábamos a lo largo y ancho y ajeno del mundo capitalista. De capital desarrollada a capital todavía más desarrollada.

Por algún motivo, acaso por algún efecto especial, al exhibir aquellas películas importadas de la libertad en la Cuba cárcel, las imágenes tenían siempre un corrimiento hacia el azul. Mientras que la Isla de nuestra infancia y adolescencia resultaba mucho más policromática que el séptimo arte foráneo. Cuando no se conoce nada más, el castrismo es el mejor arcoíris.

Ser adultos era, según creíamos entonces, dejar atrás todo ese abigarramiento de alegría atroz, y toda esa simultaneidad, y concentrarnos al cabo en existir en la frecuencia invisible de un solo color. Azul, azul. Como la oscuridad del cine Erie, medio siglo azulado atrás. Azul, azul. Como el silencio de una escena donde él y ella se dan la mano en un primerísimo plano telefoteado, mientras la multitud anónima y ciertamente acubana se va yendo de foco en derredor.

No era necesario ir a otros cines, esos milagros remanentes en las áreas más céntricas de La Habana. Con el cine Erie nos bastaba y sobraba. No por gusto era, lo repito, el gran taxi Uber de nuestra generación, que eran todas las generaciones desde 1959 o 1902.

El Erie era el inverosímil vehículo por excelencia para abrir las alas de la imaginación, aunque no tuviéramos la más remota idea de cómo echar a volar. El Erie como metáfora de un motorcito de cuerda o baterías o fricción, el que nos sembró en el alma las ganas de escapar hacia una sobrevida sin Cuba y sin los cubanos, cuando todavía estábamos a tiempo de sobrevivir a Cuba y a los cubanos.

Por supuesto, ahora es muy tarde ya. Hemos visto demasiado, durante demasiado tiempo gastado por gusto, en todas las partes y a la misma vez. Hemos, también, esperado sin ver nada durante demasiado tiempo gastado por gusto en ninguna parte, al margen de un tiempo alienado, antinatural, anacrónico.

No nos queda más remedio que pisar el acelerador, sin volver la vista atrás. El enemigo de los cubanos es el espejo retrovisor. Es mejor no darnos por enterados de lo que todos bien sabemos que nos pasó.

Hoy erie se escribe con minúsculas y es sinónimo de erial. Y yo floto sobre carreteras de nombres estrafalarios que, en definitiva, *Google Maps* traduce para nosotros de manera instantánea y con un acento neutral, neutralizado, neutralizante.

El Erie es el espacio que hoy nos condena a la felicidad de un futuro artificial, efímero, enfermizo, de tanto soñarlo en 2-D. Porque fueron las películas de infancia proyectadas allí las que nos traicionaron, no Fidel Castro ni sus matones del Ministerio del Interior.

Ni el capitalismo era azul, ni Cuba era tampoco policromática. Erie, ojalá te hubieras quemado en un incendio de barrio, con todos nosotros de niños y adolescentes metidos misericordiosamente dentro.

Nadie es feliz dos veces en el mismo cine. Ni dos veces infeliz en la misma Revolución. Sin embargo, no hay manera de evitar que todo no se repita hasta el infinito, en este Uber exilio que no tiene para cuando acabar.

104.

Me quedé dormido dentro del carro y tuve una pesadilla breve, pero atiborrante. Como cada vez que sueño en inglés y, sin embargo, sé que en realidad es un sueño secretamente en español.

Me vi *I saw myself running down a long, dimly lit alley.* Corriendo por un callejón largo y muy mal iluminado, mientras gente sin cara *faceless shadow-people* se asomaba por unos huecos de las paredes, *leaned out of holes in the walls*, gritando y apuntando hacia el cielo, *yelling and pointing toward the sky.*

Yo *tried to stop.* Traté de parar, de levantar la cabeza y mirar a lo alto. *To raise my head and look up*, pero mis piernas seguían moviéndose y el cuello no me respondía, *but my legs kept moving and my head wouldn't turn.*

De pronto *suddenly*, el estruendo se convirtió en el aullido de unas sirenas, *the din became the wail of sirens*, y los dedos que apuntaban me empezaron a disparar *and the pointing fingers began shooting at me.*

Agarré a uno de esos dedos, *I grabbed at one of the fingers* y se desprendió en mi mano, *it came off in my hand.* Mis gritos *my screams* ahogaban *drowned out the sirens* a las sirenas, *and I woke up* y entonces me desperté *soaked* chorreando sudor *with sweat, wondering* preguntándome en dónde diablos *where the hell* yo *I was* estaba.

Coño, me dije. El exilio está acabando conmigo. La tristeza ha hecho trizas hasta mi lenguaje. Nunca más voy a manejar esta mierda de taxi Uber tan tarde. No vale la pena ganarse cuatro pesos más, y de pronto soñar esta especie de sueño de una pantera negra enjaulada en la Isla.

Porque esto es lo que fue, en definitiva, aunque no lo parezca. La pesadillita muy breve, pero atiborrante, de una lengua lejana como el inglés y que, sin embargo, yo sé que secretamente es un sueño irrealmente en español. Expañol.

Hace tanto que me he ido, cubanos. *Long time gone.*

105.

En una de esas callecitas-frontera donde el art decó del *downtown* de Saint Louis se torna un vertedero vil, se montaron los cinco. Los cinco, muy silenciosos. La palabra literaria sería muy «circunspectos».

En cualquier caso, no dijeron ni ji. Tampoco dijeron ni pío. Cinco americanazos típicos, súper arquetípicos, montándose al unísono en mi taxi de inmigrante naturalizado. Solo eso. Apretaditos, pero relajados. Como fantasmas hiperreales. Técnicamente, digitales. Una escena convencional de este siglo XXI ya sin Castro, pero todavía con Cuba a cuestas. Guiñol de títeres sin titiritero, a mitad del junio calcinado en Missouri y en medio del Midwest. Nada del otro mundo. Aquí no ha pasado nada.

Así que yo seguí simplemente en lo mío. Orlando Luis Pardo Lazo en su faena fatua de siempre. Al volante de mi vehículo, manejando un carrito de alquiler vía Uber App. Por esta vez, desde una escuelita primaria de niños negros hasta la logia blancónica de Lindell Boulevard, esa mole misteriosa que los norteamericanos erigieron en honor de sí mismos, en 1926. El Año Cero de Fidel.

Jacob Feldman, Abe Grodsky, Frank Hetlage, Louis Lehr, Sam Weitzman: términos sin etimología. Esto pueden comprobarlo por ustedes mismos en Google. Verán de inmediato que la búsqueda no rinde ninguna referencia. No se nos remite a ningún significado idéntico, ni parecido. Se rompe así la estructura simétrica del universo intertextual, donde el plagio ni se crea ni se destruye. Y este fallo de conectividad, por supuesto, nos deja más solos que la mierda en el cagadero incivil de los Estados Unidos. Se trata, en definitiva, de una búsqueda-buque fantasma, que zarpa y zozobra en las aguas infectas de internet.

Por si las dudas, pueden repetir la búsqueda después de verificar que todas las palabras estén bien deletreadas: J-a-c-o-b F-e-l-d-m-a-n, A-b-e G-r-o-d-s-k-y, F-r-a-n-k H-e-t-l-a-g-e, L-o-u-i-s L-e-h-r y S-a-m W-e-i-t-z-m-a-n. Con o sin comillas. O, llegado el caso, pueden intentarlo con otras palabras de píxeles más o menos generales o específicos, por más que esto no tenga el menor sentido. Pero así lo recomienda el propio motor de Google, en su frustración de no encontrar rastro alguno de estos cinco nombres que ahora viajaban, en solemne silencio, dentro de mi Uber taxi de exiliadito cubano.

A mitad del junio igual de calcinado de 1919, fue dedicada una tarja en honor a estos cinco héroes anónimos que, por puro milagro contramarxista, conservaban intactos en el mármol sus nombres y sus apellidos. No tuve que preguntarles mucho más. De todas maneras, ellos no me iban a contestar mucho más.

Era obvio aquel exceso de trincheras y obuses, que minaba todo el candor de inicios del siglo xx en sus respectivas miradas. Era tan evidente, como voltear un vaso de agua y ver al líquido caer sin explicación hacia la tierra, que a mis cinco pasajeros los habían reventado justo un siglo atrás, en una de esas escaramuzas de la mal llamada Primera Guerra Mundial. Porque ni fue la «primera», ni fue para nada «mundial».

Por ejemplo, en ese mismo año de 1919 nacía mi padre, en un hogar del ultrahabanero pueblo de Regla. Una aldea adorable donde, entre los corpachones de aquellos celtas asturianos, no cupo ni un granito más de felicidad. Por cierto, mis abuelos eran primos primeros, y ambos habían huido de su villorrio en la Península, para poder amarse lejos en libertad (y para siempre, hasta que la muerte los traicionó al yo nacer en otro año impar, 1971).

Jacob Feldman le dijo a Abe Grodsky:

—*Look upon our children, they are mutilated.*

Abe Grodsky le dijo a Frank Hetlage:

—*We do not sanctify the land with our wandering.*

Frank Hetlage le dijo a Louis Lehr:

—*Torn from your face, trees that turned around.*

Louis Lehr le dijo a Sam Weitzman:

—*The holed head bleeding across a heap of progressive magazines.*

Y Sam Weitzman le dijo a Jacob Feldman, para cerrar el ciclo de cuchicheos a mis espaldas:

—*I am among the leaves: the inevitable voices have nothing left to say.*

Hijos mutilados, errancia y santidad, árboles que giran sobre sí mismos, huecos en la cabeza y revisterío progresista, voces inevitables que se quedaron sin nada que decir. Probablemente, sin nada que callar también.

Pensé que, en 1919, el alma de cualquiera de estos cinco caídos en combate bien podría haber migrado hasta La Habana, para meterse en el bebé transatlántico que era mi padre, recién nacido el martes 8 de abril de ese año.

Pensé en el secreto significado de que el quinteto viajase ahora otra vez en grupo, como si fueran una banda de jazz y no un pelotón de cara al holocausto. Todos reunidos por Dios o por la ausencia de Dios: un diálogo de espectros, dentro del carro del hijo huérfano de aquel bebé habanero que, en 1919, fuera ocupado por uno de ellos al morir. O por todos. Porque, quién sabe nada de las leyes de la metempsicosis, ese vocablo que suena como una enfermedad del cuerpo, pero es apenas un pánico a la realidad.

Pensé en que, a estas alturas de la historieta patria, el siglo XXI ya está listo para otra transmigración de almas.

Por favor, no. Todavía no, por favor. Quiero seguir manejando por manejar, pero aquí.

106.

Manejando taxis Uber en el Día de Acción de Gracias, que en Cuba cae cada año alrededor del día en que los españoles fusilaron a ocho estudiantes de medicina. Total, que después de 1959, la Revolución comunista fusilaría (con aplausos internacionales) muchísimas veces esa cifra. A estudiantes y a ignorantes. Pero eso es lo de menos ahora. Ahora de lo que se trata es de pisar el acelerador y atravesar, en paz póstuma, sin que la tristeza nos reconcoma por dentro, otro Día de Acción de Gracias en los Estados Unidos de América.

Viva la Yuma entera agradecida. Un país que ha sido minado por su inmigración intelectual, por los extranjeros de élite que desembarcan aquí con la única intención de no hacer dinero. Ni dejar que los americanos lo hagan. El capitalismo se cae por culpa de la academia fundamentalista foránea, tan bien arraigada en el hemisferio occidental. Sobre todo, desde la hégira dialéctico-materialista de la Segunda Guerra Mundial.

No les voy a contar lo que me pasó este jueves 28 de noviembre. Voy a contar solamente lo que pensé, mientras soltaba a un pasajero y recogía al próximo.

Sentí una gratitud paquiderma, unas ganas plantígradas de arrodillarme y ponerme a rezar por estos seis años de soledad norteamericana, desde el martes 5 de marzo de 2013 (cuando salí de Cuba para nunca más regresar) hasta el santo *Thanksgiving* de hoy.

Pensé en cuánta gente querida he dejado olvidada atrás, y en cuántos he dejado languidecer a mi lado. Un genocidio emocional, un holocausto del corazón, hecho cuadritos de esperma y patria. Poema de glándulas en clave de la grosería, según nos poníamos viejos escribiendo boberías como generación. Obsoletos. Obtusos. Obcecados. Orlandos Luises Pardos Lazos.

Pensé en los paisajes perdidos para siempre en Cuba, incluidas esquinas sin ninguna importancia y paradas imponderables de guaguas, postes de la luz analógicos, y fachadas no a la intemperie sino casi de puertas adentro, de tan familiares en nuestra Habana. También, parques y alcantarillas chorreándose de madrugada, con un aguamaría purísima de bautismo albañal. Chimeneas, ríos pastranos, escalinatas, céspedes. Todo un vocabulario bucólico y vil, vo*cuba*lario. Belleza del siglo veinte, cuando el siglo veinte no tenía para cuándo acabar. Después, fue el acabose.

Pensé en la escritura. En especial, en lo excepcional de mi propia escritura. Ese milagro que no nos merecíamos como nación y que, sin embargo, helo aquí, encarnado en fonías a un tiempo fulminantes y fósiles. Imitación de imitaciones, inercia magistral. Con cierta nostalgia por el fascismo cubano. Porque, en tanto autor, me niego a vivir en un país que no sea fascista. Lo que equivale a decir que ya estoy puesto en remojo, listo para demolición. Nadie me lea, nadie me deslía. Mi *opus magnus* literario fue apenas un ruidito, un peo, una sinfonía amateur, un retintín desafinado a propósito. Y pensar que son ya 21 años de un siglo veintiuno quisquillosamente tecleado, de texto en texto, todos y cada uno sin la menor trascendencia. Ojalá sea un alivio la condición congénita de no ser recordado. Ese sería el único alivio contra el horror.

Pensé en el idioma inglés, que mi padre me lo regaló en una cajita de caramelos rompequijá, y sin decirme nada el muy cabroncito. Mi padre, que sabía que me estaba mandando al espacio exterior, con ese conocimiento en clave anticastrista (hoy el inglés es la lengua en que se escribió *Das Kapital*, que fue el panfleto previo a *Mein Kampf*). Era un inglés de pañoletas y cartabones, con *idioms* del tipo *those-who-defend-you-will-love-more* y *nobody-surrenders-here*, en el mismo argot de lemas y consignas que subsiste hasta hoy. Desde que salí de Cuba, no he aprendido ni una sola frase extra en inglés. Ni una sola palabra. Ni sílaba. Ni saliva. Esa es mi resistencia más radical: fingirme intraducible, fungirme ininteligible.

Por último, por supuesto, pensé en la paradoja de lo que implica ser un chofer de Uber exiliado. Desplazar desconocidos. Enrevesar las coordenadas de un mapa anónimo, de recóndito páramo a páramo recóndito, sin reconocer un solo gesto de la cara ni de las manos de mis clientes, pero igual deseándoles a todos los pasajeros un muy feliz Día de Acción de Gracias.

Como mismo te lo deseo ahora a ti, que no por ser cubano dejas de ser recóndito e irreconocible. Sentadito como Dios y el Estado te enseñaron, o se ensañaron. Tú, de polizón en el asiento de atrás de mi taxi hecho a retazos de ternura y tiranía. Recortería post-revolucionaria de las partículas de una reacción a chorro que, reacias, salimos propelidas a la velocidad de la luz, hasta copar los cuatro puntos cardinales, aquel Black Friday de noviembre en que el castrismo consuetudinario se convirtió, por un efecto cuasi-cuántico, en un castrismo cadáver.

Miren, mejor dejémoslo aquí.

107.

Este no es otro de mis Uber Cuba. O, de serlo, entonces no es literatura cubana. Esto me acaba de pasar. Como casi siempre, tarde en la noche. Cuando las avenidas de Saint Louis son un cementerio silente, siniestro, un conglomerado de negros y blancos recelándose mutuamente incluso después de la muerte. O sea, de matarse entre sí. Con mucho más odio, especialmente después de morir y hacerse morir. Tarde en la noche, como casi siempre. Me acaba de pasar esto. Al margen de la literatura cubana y de mis Uber Cuba.

Por detrás del Buzz Westfall Justice Center, en el multimillonario distrito de Clayton, que tanto me recuerda a mi adorado Washington D.C. (donde en otra vida fui triste y solo y amante y feliz), exactamente en la esquina de las avenidas Carondelet y Bemiston, paró mi taxi José Daniel Ferrer en persona. Quiero decir, lo paró con la mano, no con el App de Uber.

El guajiro de Palmarito de Cauto, en la siempre inhóspita provincia de Santiago de Cuba, cuna del castrismo heroico más criminal, se plantó frente a mi

Chevy Opala prestado y me apuntó al parabrisas con ambas manos, para obligarme a frenar. Portaba, José Daniel Ferrer, una metralleta semiautomática. Con el láser rojo del arma colimado entre mi ceja y mi ceja, según el flashazo efímero que vi refulgir en el espejo retrovisor. Si no reacciono y meto un frenazo de película de acción, de seguro lo mato. De hecho, lo hubiera partido en dos. Tal vez hubiera sido preferible, pienso ahora. No porque yo desee asesinar a nadie (aunque sí he deseado a asesinar a alguien), sino porque hay historias que es mejor abandonarlas antes de que rebasen cierto punto perverso, cuando entonces son ya imposibles de abandonar. Toda imaginación es irreversible.

Cuando mi taxi de alquiler se detuvo por fin, a medio centímetro de su cañón de asalto, José Daniel Ferrer disparó varias ráfagas contra los cristales del Buzz Westfall Justice Center, barriendo escandalosamente a esa hora con todos sus pisos más altos, donde reside la cárcel del condado o del Estado o ambas.

Cuando se le acabaron las balas o lo que fuera que disparaba aquella arma, el líder fundador de la UNPACU tiró la metralleta hacia atrás y comenzó a darle viandazos al capó de mi Chevy Opala. Viandazos con su cabeza, con los huesos frontales de su cráneo taíno. Es decir, el opositor insignia de la disidencia cubana le cayó a cabezazos a un carro que ni siquiera era mío, sino prestado, para resolver esa noche algún dinerito extra con los pasajeros de Uber. Lo abolló todo. Lo dejó hecho un etcétera. No supe qué pensar (nunca sé qué pensar: por eso vivo con la mente en blanco, blanqueada). Pero, en cualquier caso, llamar a la policía, al 911, me sabía a traición, me sonaba a falta de patriotismo, me resultaba un acto de lesa complicidad con los Castros cadáveres y con los actuales Ramfis Castros, esa mafia que mantenía a José Daniel Ferrer secuestrado en Cuba, torturándolo con un sadismo estrictamente hollywoodense. Todo totalitarismo es *Made in Tarantino.*

José Daniel Ferrer, más conocido por el alias #FreeFerrer, que devino etiqueta viral en Twitter, vino entonces hasta mi ventanilla y comenzó a tocar el vidrio de mi auto con sus falanges de insania siboneyista. Temí que fuera a romperlo también, como mismo había arruinado un minuto antes la carrocería.

Bajé el cristal. Lo miré. Me miró. Fijo, como los locos, sin pestañear. Sudaba a mares en medio del diciembre Missouri. Entonces me dijo:

—No lo publiques todavía en las redes —me dijo—, no quiero que mi familia se entere por nadie, sino por mí.

Entonces lo miré. También fijo, también como los locos, sin pestañear. Tiritando por los cero grados Celsius que me entraban a través de la ventanilla abierta, desde más allá del torso de toro desnudo de José Daniel Ferrer.

—¿Publicar el qué...? —le dije, y de verdad que yo no entendía nada de nada—. No entiendo nada de nada.

—Oye, cojone—se alteró, de ser posible alterarse por encima de su alteración—. Tú sabes bien lo que digo. Tú sabes de sobra lo que esta noche de Cuba me pasó.

Entonces, como descargada toda su energía ectoplasmática por la violencia de su verbo, el último de los mártires cubanos comenzó a diluirse, a difuminarse en el recuadro cinematográfico de mi ventanilla. Se desvanecía el disidente. Como un espectro de éter, un fantasma de gas, una neblina que no encuentra nada lo suficientemente sólido a su alrededor, para poder condensarse al estado líquido. Como un sólido que se sublima en silencio. Como quien machistamente no se puede permitir, al morir, la pajarería provinciana de rebajarse ni por un segundo a un mar de lágrimas.

Me restregué los ojos. Tal vez me había quedado dormido al volante. Tal vez la Seguridad del Estado había matado a otro cubano en sus ergástulas. ¿Cómo distinguir? Me conecté a su cuenta de Twitter @JDanielFerrer, que todavía no había sido censurada por Twitter, como los magnates marxistas acaban de hacerle a @RealDonaldTrump.

Al parecer, mi alucinación seguía presa. Desaparecido, sí. Pero todavía sin trazas de que lo hubieran llevado a su patíbulo.

Respiré en paz. Hay más tiempo que tiranía. Hay más retórica que Revolución.

108.

«Marianela», así, huerfanita sin apellidos. Que primero fue una novela de Benito Pérez Galdós, ese incontinente verbal del siglo XIX. Y que después fue una película cursi, por supuesto española, que vi en blanco y negro a mis siete años en el año setentisiete en Cuba, y que después ya nunca pude olvidar, sin saber todavía quién era la diva Rocío Dúrcal, ni mucho menos el galán galo Pierre Orcel.

Y ahora, de pronto, otra vez: «Marianela», así, pasajera sin apellidos, parpadeando en el App de Uber de mi iPhone X, a la espera de que yo fuera a recogerla al casino que está al otro lado del río Missouri, ya en el estado procannabis y proaborto y procrimen y, por supuesto, pro-Obama, de Illinois.

Traía una pucha de flores rojas, por Navidad, y me ofreció una al montarse en mi Chevy Opala: «Toma, chaval», me dijo, «ten una flor sin pena, mira que las flores son las estrellas de La Tierra».

Me reí ante su disparate poético, tan cheo como castizo, pero ella insistió: «Tal como las estrellas son las miradas de los que se han ido al cielo». Me pareció una metáfora algo mejor. O acaso sea un símil. Espero que no una onomatopeya. Ni otra figura por el estilo, sacada a la fuerza, como una muela podrida, del moribundo dialecto español. Ese argot amargo, devenido ahora expañol, hezpañol, etnañol, gracias a la diáspora discursiva que ha descentrado hasta la decencia.

Y entonces, siguiendo su propio hilo lógico, Marianela remató: «Por eso las flores son las miradas de los que se han muerto y no han ido todavía al cielo. Venga, toma no una, sino dos, que nunca se sabe cuándo estamos en vísperas del juicio final».

Me pareció una frase de mal agüero, sobre todo a esa hora pico, en que las carreteras interestatales de Missouri se llenan de ambulancias y patrulleros. Pero no se lo dije. Era demasiado bella, demasiado bobita, demasiado brutal. Demasiado mi primera novia, que es siempre la definitiva.

En una de esas, confundió mi apellido cuando se lo dije. Entendió «Pablo» en lugar de «Pardo», y entonces sus ojillos de mora traidora brillaron. Como estrellas en mi taxi. Es decir, incinerando el recuerdo de su amor muerto en mi asiento de atrás.

Poco importa que su nombre completo fuera María Manuela Téllez, y que esté muerta desde el 12 de octubre de mil ochocientos sesenta y tantos. Para mí, ella ha sido y será Marianela para siempre. Mi lazarilla aniñada que, a su vez, llamaba «niño mío» todo el tiempo al tal Pablo en cuestión, aquel joven ciego a quien María Manuela guiaba de una escena a otra del film, hasta que él recuperara por fin la vista tras una operación, y, entonces, el azar ingrato la separa a ella de la felicidad del nuevo vidente, obligándola a un suicidio súbito enloquecido, despechada de celos por otra chica más bruta pero más educada que ella. Marianela, no te tires de cabeza esta noche en la Trascava, esa palabra que desde niño ignoro, pero que igual aún me aterra a esta hora, cuando vienen los astros a beber en la luna.

Esta Marianela de mi taxi Uber, por suerte, no llegó a tirarse de mi carro en movimiento. Me pidió que la llevara desde el casino del río Mississippi hasta el casino del río Missouri. Al parecer, era un día de buena suerte para ella. En términos del azar monetario. Es sabido que, desafortunada en amores, afortunada en el juego...

Me gustaría ver aquella peliculita setentosa por segunda vez. Me gustaría ser por segunda vez el niño de siete años aquel, un fin de semana de 1977. O un 12 de octubre de mil ochocientos sesenta y galdós. En ambos casos, allí me sentía tan seguro, tan en casa, tan a salvo, tan inmortal. Por entonces yo sabía que nada podía salirme mal en la vida. Mucho menos el amor, tan pronto como creciera un poco y llegara hasta mí el amor, el que esperaba desde el viernes capicúa del 10 de diciembre de 1971.

No habría enfermedades, no habría vejez. No habría pérdidas, ni miedo de estar vivos en el descampado de esta realidad. Ni en medio de ninguna otra realidad. El tiempo, en aquella Cuba cársica de los Castros, todavía no se había convertido en el traidor interior que es hoy. El miedo aún no me había hecho miserable. Ni a nadie.

Todo bien. Nada que lamentar. Al menos, esta madrugada volví a coincidir en libertad con Marianela, medio siglo después del niño Orlando Luis Pardo Lazo enamorándose de su Marianela inicial. En la Cuba del neocastrismo, sé que ese filme de la paleohistoria nunca volverá a exhibirse en la televisión nacional. Y, en mi exilio estadounidense de mentiritas, porque ya no existen los Estados Unidos, sé también que ese filme es hoy un desaparecido. Como los dinosaurios. Una historia de amor extinta, tras el impacto de un meteorito materialista en clave no solo del mercado sino, sobre todo, en clave de Marx.

Puedes matarte por última vez con confianza, Marianela, niña mía. Es mucho mejor así. Salta al abismo, mi amor. Trascávanos. Estás ante un antiguo amante tuyo. Ante alguien que amó todas y cada una de tus minusvalías de muchacha o milagro.

Yo, tu Pardo y no tu Pablo, pero igual de ciego, aunque ya sin posibilidades de una operación para verte, te juro que nunca te voy a abandonar. A ninguna edad. Ni de niño, ni de anciano. Ni de cadáveres separados por el cambio de siglo y mileno, más que por el Océano Atlántico.

Marianélame, mi amor, Marianélanos.

109.

Se montó en mi taxi Uber con un arbolito de navidad encima. Parecía una bebé. Rectifico. Debería de haber escrito: se montó en mi taxi Uber con un arbolito de navidad encinta.

Ella era, obviamente, norteamericana. De manera que no dijo «arbolito de navidad» al saludarme, mientras se acomodaba a mi lado, sino que dijo «Christmas tree», que significa literalmente: «árbol de Navidad». Parece lo mismo, pero no lo es. Para nada. El español y el inglés son lenguas antípodas.

Mientras más tiempo vivo fuera de Cuba (es decir, mientras más tiempo vivo lejos de ese exilio que significó haber vivido en Cuba), el inglés y el español se me han ido convirtiendo en antónimos irreconciliables. Lenguas letales, enemigas de muerte. Y, a la vez, como dos gotas de agua envenenadas.

En cualquier caso, hay una descomunal diferencia en ese diminutivo botánico.

Árbol, arbolito.

Arbolito, árbol.

Sentí deseos de llorar. Sentí deseos de besarla y pedirle que me besara. Sentí ganas de haber sido el padre de su bebé. Sentí deseos de no morir nunca y, de no ser mucho pedir, deseos de haber muerto ya. Me pasa siempre con mi idioma natal, mi jerga de barrio, ese argot provinciano que es lo único puro que habita en mi corazón. Con el español es así, no hay nada que hacer al respecto. Lenguaje de infancia. Íntimo, innato, inimitable. Isla dentro de una isla que se ha quedado fuera de la Isla.

Entendí entonces, por inglésima vez, que el inglés para mí siempre había sido un animal extraño, incluso allá en Cuba, cuando yo soñaba cada noche con escapar a un país sajón, antihispano, anglodemocrático. Y entendí entonces que el español, ese laberinto de leyes lindas como vírgenes a punto de ser violadas por el minotauro, ese hablar por escrito tan amado a veces y a veces tan odiado, para mí siempre será la cosa más entrañable que ocupa mi cuerpo. Porque, espero que lo sepan, todo lenguaje es físico. Toda sintaxis es somática.

La norteamericana se quedó esperando por mi respuesta, tras su pregunta de «*Do you like my Christmas tree?*»

Y juro que no fue por descortesía o rudeza, o por ninguna de nuestras virtudes nacionales. Fue porque simplemente no supe cómo contestarle a aquella extranjera afable, cuya coquetería de «Christmas tree» no compensaba la mística en minúsculas de «arbolito de navidad».

Quise volver a mi país sin Navidades, pero con arbolitos de navidad.

—*Oh, yes, of course, it's so beautiful* —le dije en definitiva—. Como tú y yo, en este villancico en español.

No hay nada más hermoso que el encuentro causal entre dos desconocidos en tierra extraña que se desean de solo coincidir, ambos ya a punto de parir la buena nueva del próximo niño dios.

110.

Hacía 61 años ella había sido feliz, completamente feliz.

De hecho, por entonces casi había enloquecido de felicidad. Y, de tan felices, ambos se habían atrevido a hacer el amor por primera vez, amándose como animalitos en celo en una azotea con vista al cielo a punto de amanecer en La Habana, a lo largo y ancho de toda aquella madrugada del jueves primero de enero de 1959.

Entonces eran ella y su primer amor de 61 años atrás. Una cubana y un cubano que terminarían siendo el único amor por el resto de sus vidas cubanas, hasta la mismísima tarde de hoy, en enero de 2020, cuando ninguno de los dos se sentía tan mayor todavía: apenas septuagenarios a punto de cumplir 80 pero no en este, sino en los próximos años de sus respectivos exilios de 61 y 61 años.

La Revolución había durado seis décadas y un año, sí, eso lo aceptaban como si de un evento prehistórico se tratara. La extinción en masa de su propia raza.

Ignoraban en qué orden, pero los dos sabían que a los dos les llegaría muy pronto la muerte sin volver a Cuba por última vez. Sin volver a ver a Cuba por primera y única vez: la patria como felicidad fulminante, a ras de una azotea habanera que los enloqueció de amor, el primer jueves de la vida en 1959.

Mejor así. Morirían juntos y jóvenes. En el exilio: esa amable manera de estar en casa. Una cubana y un cubano por cuyo corazón en común nunca había ocurrido del todo la Revolución.

111.

Viajé a Los Angeles para presentar una ponencia en uno de esos congresos LatinXXX, que los blancos norteamericanos se inventan para parecer menos blancos. Este, en específico, se llamaba «Primer Simposio Revolucionario de Justicia Social y Dignidad Literaria». Así, en argot bolivariano.

Mientras estuve en la ciudad, prendí de nuevo el App de Uber y me puse a manejar por un rato. A la tercera o cuarta carrera, como era de esperar, se me montó Myriam Gurba en el carro.

La había visto esa tarde en el congreso. Con su peladito y sus tatuajes. Estaba exultante. Parecía una Fidel Castro a punto de entrar a La Habana, a inicios de enero de 1959, pero con minifaldas, al estilo de la miliciana irlandesa Bernadette Devlin.

Por suerte, ella no me reconoció. Ni como ponente de aquel evento, ni mucho menos ahora, como su casi clandestino chofer. La pasajera, también ponente especial del «Primer Simposio Revolucionario de Justicia Social y Dignidad Literaria», semanas atrás me había acusado en sus redes sociales de amenazarla de muerte y todo, como debe ser, gracias a una pobre parodia en inglés que publiqué en mi blog homónimo, Orlando-LuisPardoLazo.com, titulada casi con ternura «La balada de Myriam y Jeanine», creo que en inglés, que es el esperanto del Title IX y el MeToo.

No recuerdo lo que habré dicho o no dicho en aquel texto de ficción. Da igual. *Quod scripsi is crisis.* Pero sí recuerdo lo que Myriam Gurba hizo y dijo en mi taxi. No paraba de hablar por su móvil, cuyo *speaker* estaba activado no solo para sonar en voz alta, sino para chicana y chancleteramente gritar. A la vez, ella parecía subir o bajar fotos de internet, como una gurú *multitask*, probablemente del Twitter de algún futuro supremacista misógino, como debe ser.

Al principio, pensé que hablaba con su editora o traductora o algo así. Después, caí en la cuenta de que hablaba con una colega. Se divertían a gritos, como si fueran cómplices o coautoras. Tal vez estaban alguito borrachas, a ambos lados de la conexión satelital. Dos hembras jóvenes fuera de control, complotando para arrasar ellas solas con el mercado yanquiconfederado del libro, de una costa a la otra de los Estados Unidos.

En una de esas, se le fue el nombre de su interlocutora. En efecto, era Jeanine Cummins. La novelista de *American Dirt*, libro que Myriam Gurba había comparado casi con una especie de *Mein Kampf* —con campo de concentración y alambre de púas incluido—, pero firmado en el 2020 por una autora más tóxica que el propio demonio de Donald Trump.

Jeanine y Myriam. Myriam y Jeanine. Nadie las olvidará.

Además de muy sensual, el inglés inmigrante de Myriam Gurba sonaba nativísimo y a tope de velocidad, como puede verificarse al leer, por ejemplo, su libro de memorias malvadas titulado *Mean*. El anglosajón portorro de Jeanine Cummins en la bocinilla parecía, sin embargo, medio indocumentado, como si no fuera su lengua primaria.

En cualquier caso, al estar yo manejando, por fuerza se me escapaba la mitad de la conversación. Así que esta anécdota de amistades peligrosas lo mismo puede ser estrictamente cierta y confidencial, como también puede ser una falacia con pespuntes de plagio y, como debe ser, con cierto toque de difamación.

La cosa es que, entre ambas, habían diseñado primero un libro, escrito por Myriam y firmado por Jeanine, y después ambas habían lanzado contra ese mismo libro una campaña de lapidación intelectual, concebida por Jeanine y ejecutada por Myriam. *American Dirt* no era más que el hijo bastardo de estas dos autoras con pasaporte yanqui y corazones castristas.

El objetivo final era, por supuesto, potenciar hasta el disparate las polémicas sobre lo «problemático», en un país hoy al borde del analfabetismo (como es el caso de los Estados Unidos de América), para así disparar hasta el infinito y más allá sus respectivas ganancias, repartidas igualitariamente entre ambas. O sea, de un contrato de siete cifras, al parecer Myriam se quedaría con seis y media, y el medio millón restante sería para Jeanine. Se llamaba «reparación». O al menos eso creí yo entender, con mi inglés indigente de indio insular.

Cuando mi pasajera se bajó del carro, toda partida de la risa con su peladito y sus tatuajes, me quedé un buen rato paralizado. Tanta mierda con mitificar a México y a los mexicanos, aparentemente atacados en *American Dirt*, y desde el inicio todo no era más que un *bluff*, como debe ser.

Pensé entonces en mi patria, despingada detalle a detalle por una izquierda en el poder a perpetuidad. Pensé en la Cuba de Fidel Castro, esa islita utópica que tanto Myriam Gurba como Jeanine Cummins idolatraban. Y pensé que, para mí, hubiera sido mejor no haber salido nunca de allí: mi ceguera carcelaria era una bendición, comparada con el consenso comepingante global, donde todo capitalismo es caca y solo nos salva la Revolución.

Pero qué malas son las mujeres, con tantas Gurbas y Cummins, al capitalismo sin cubanos enterrándolo en la arena.

112.

Sentado tras el volante con el alma en el aire, muerto de tedio en mi taxi Uber, sin que caiga ningún pasajero apurado para llevarlo a ninguna parte, pienso en la tragedia en cámara lenta de que, poco a poco, con el paso de las águilas por los cielos silentes del exilio cubano, hasta el lenguaje se nos ha comenzado a agotar.

Primero, ocurre como por asar, y todo parece ser penas una errata. Después, también poc a poc, el dañ a nestro lengaje comiensa a acumlarce más y más, se ace cistermático, afta que de promto un dia lla no savemo ni lo q escribimoj, y po fin nos emo controvertido en crituras de unn legaje mu rarro, y no soms ni cubnos ni sms nad, hsata qu se no rmpe el corzón a mita de pehoc.

Entonce no ay mís romadio qu esperr sntado tra el tim´n, muerto de tadio en mi txi Uer, hasta que pase sta crisi de ilegiblidad, hasta que pr fin nos vuelva el sentido y caiga el primro de los pasaeros apurados y entonces lo trnsportemos, sano y salvo, hacia ese sitio que, por desgracia, los cubanos tan bien conocemos, y que se llama ir a ninguna parte. Con el habla ya recuperada y, por suerte, recobrada, pero con nuestras almas de isla igualitas que al inicio: en el aire.

113.

Fue a finales de marzo de 2020 cuando me enteré, gracias a un cubano *youtuber* de Kentucky, que el virus estaba haciendo estragos de muerte en La Habana. Y que, por supuesto, la prensa de la Isla lo estaba ocultando.

O, mucho peor, que estaban diagnosticándolo como si fuera otra cosa: disfrazándolo de catarro o gripe, mononucleosis, tuberculosis emergente o cualquier otra mocosidad. Incluso estaban distrayendo la atención del populacho en la Isla, transmitiendo por la TV una serie de catastrofismo cósmico, que el propio Ministerio del Interior infiltraba de contrabando en el paquete de audiovisuales que la Seguridad del Estado baja semanalmente de la internet insular.

La Revolución Cubana fue básicamente eso: un diagnóstico equivocado a propósito. Y su única herencia identificable no es la ideología de izquierda, sino la iatrogenia. Una imagen que ustedes, los cubanos sin imaginación, jamás creerían. Pero sí: Cuba aniquila a los cubanos tan pronto como levantan la cabeza, como si de un cáncer crónico se tratara. Y lo son.

Mi cubano *influencer* en cuestión se llamaba (o aún se llama, supongo) Ultrack. Y estaba (o, supongo, estuvo) casado con una gorda kentuckiana, una bayoya perteneciente a una famosa familia de millonarios industriales, considerados por unos pocos como una bendición para la economía continental. Y considerados por la mayoría, como corresponde, como una plaga para el planeta.

Así que Ultrack alteró su aburrido abolengo Pérez tan pronto como se naturalizó norteamericano en Louisville, y desde hace un par de años mi compatriota porta ahora un apellido que él mismo, siendo un guajiro malangón, no puede del todo pronunciar. Así son las vidas vividas en vilo, haciendo maromas sobre el guioncito que empata nuestros dos apellidos, con una rayita/hyphen híper-histórico.

Según Ultrack, el virus original había llegado de ultramar a la Isla, por supuesto, como todos nuestros males endémicos. No necesariamente del Lejano Oriente, ni en los pulmones de los peregrinos políticos y los turistas de la academia cómplice lxtxnxmxrxcxnx, sino importado de las boutiques más exclusivas de Europa, impregnado en la joyería y en los monederos de cuero caro de la casta cubana en el poder: los Castros después de Castro.

Es sabido que los cubanos carecemos de periódicos impresos o digitales, para divulgar nuestras noticias y rumores de interés, o al menos para legitimar los hechos (sabiendo que un «hecho» entre nosotros es todo aquello que no puede ser *fact-checked*). Sin embargo, parece que esta vez el gobierno de La Habana sí estaba bastante informado al respecto, y que llevaban varios meses preparándose para una viremia volátil, según las instrucciones del famoso Evento 201 (organizado en octubre de 2019 por el Centro Johns Hopkins para la Seguridad Clínica, el Foro Económico Mundial, y la Fundación de Bill y Melinda Gates), a donde Cuba había mandado a una desproporcionada delegación de graduados de la Universidad de Ciencias Informáticas (UCI).

Por cierto, solo uno de esos 82 ucinautas desertó durante el evento de Nueva York, si bien ese expedicionario en específico cayó abatido enseguida: fue, precisamente, una de las primeras víctimas mortales del virus rapaz de espículas rasgadas. En consecuencia, su cadáver nunca pudo ser repatriado, y ahora sus restos apátridas reposan en el camposanto de Valhalla, NY, junto a la comparsita de huesos del maestro Ernesto Lecuona.

Según Ultrack dijo en su podcast, antes de que YouTube lo bloqueara al estilo de Twitter con Donald Trump, los cíber-epidemiólogos de la UCI no fueron enviados al Evento 201 para evaluar cómo minimizar la expansión de esta enfermedad, sino, en la práctica, para maximizarla.

¿Cómo? ¡Comiendo!

Ese fue el rumor real que mi paisano me impuso en su taxi, mientras yo manejaba oyendo su último podcast kentubano, precisamente tratando de visitar una finca de caballos de carrera que se hizo famosa antes de 1959 por sus sementales y jockies cubanos, donde yo tenía que hacer un par de fotos para la revista de equitación *Equus*.

Ultrack, y no QAnon, si es que no son lo mismo, fue quien lanzó el runrún de que la plaga viral, entendida como el mayor experimento de control social de la historia, acaso desde los guerreros de terracota del primer emperador Qin, otro que bien podría ser el fundador de QAnon. La teoría conspiranoica ultrackista decía que todos los partidos políticos del mundo, incluyendo por supuesto al PCC en la Isla (que no es un partido político), se estaban aprovechando del patógeno molecular para entronizar su poder orwelliano a perpetuidad, eliminando a la población desafecta que sobrara: a la postre, Malthus fue mejor filósofo que Marx.

Cuando llegué al Stonehurst Riding Center, yo tenía la cabeza hecha un reguilete. Con una jaqueca literalmente de caballos. Hemicránea caníbal. El podcast de Ultrack en mi Uber me había inculcado toda su basura verosímil y, de pronto, yo ya no tenía ganas de hacer fotos de caballos para ninguna revista, ni siquiera para *Zunzún* o *Pionero* o *Somos Jóvenes* o *Alma Mater.* Los editores podían meterse su dinero pandémico por donde mejor les cupiese.

Maldije ser Orlando Luis Pardo Lazo y que todas las anécdotas endémicas tuvieran que pasar por mí. Incluso más, maldecí ser Orlando Luis Pardo Lazo y ser yo quien tuviera que darle voz al mutismo mediocre de los cubanos.

114.

Todo el mundo solo. Todo el mundo triste. Todo el mundo desesperado, al borde de la autodestrucción. O de la masacre del otro. De ahí fue de donde salieron las ráfagas semiautomáticas de Alexander Alazo, en contra de la embajada cubana en Washington D.C. De esa soledad, de esa tristeza, de esa desesperación.

Nada excitante, al contrario. Tedio de una muerte masificada. Paranoia sin contenido, esquizofrenia inercial. El legado de la Revolución Cubana es ese estado de locura que ya ni recuerda sus causas, por lo que es imposible de curar.

Mis últimas semanas en taxis Uber han sido de una grisura amarga. Como un vaho. Vacío al cuadrado, al cubo, a la quinta columna y la séptima potencia. Un silencio siniestro. Para colmo, medio desafinado. Como acorde de pájaro carroñero.

No sé, tal vez no valga la pena intentar más una definición de la cubanía sin Cuba. O, tal vez, ya la hemos logrado entre todos, de tanto no intentarlo. A golpe de insidia y desidia. Los cubanos somos una especie alienígena, los octavos pasajeros de un coche funerario con chofer, pero sin cadáver: un cenotafio. Manejamos dentro de un monumento a la muerte, pero sin muerto, mientras conducimos por calles poscubanas que nos desconocen y desconocemos, a lo largo y estrecho de estos años de daño.

Nada ocurre. Nada se nos ocurre. Coagulación intraverbal diseminada. Colapso clínico del capitalismo.

En las últimas semanas, por ejemplo, creo que no llego ni a los cien dólares de ganancia. Y eso que manejo el Uber durante casi todo el día. Y parte de la noche. A veces, incluso de madrugada, mientras escucho el podcast de poesía *Noches en que Cuba no existió*, en la voz *youtuber* de Orlando Luis Pardo Lazo.

Lo más probable es que Alexander Alazo sea familia mía. Porque una parte de mis Lazo exiliados al inicio de la Revolución, se encasquetó esa «A» mayúscula delante de nuestro apellido. Lo hicieron para dejar atrás un pasado insular de corruptelas y quién sabe si también de crímenes campesinos. Y, de hecho, al parecer lograron conservar todos sus fondos al salir, desfalcados al tesoro público de aquella republiqueta cubana, hoy tan idealizada. Tan idilio, antes de la ideología.

Los nuevos Alazo nunca más contactaron con los viejos Lazo que nos quedamos allá en la Isla de la Libertad. Los Alazo no querían saber nada de aquella libertad bella como la vida, por la que los Lazo lo estaban dando todo, codo a codo, coloquialmente, hasta la sombra cuando se hacía necesario, aunque bien sabían que nunca iba a ser suficiente. Y eso que no habían leído a Heberto Padilla (como casi nadie en Cuba lo lee).

Así y todo, a los Lazo de Cuba el Estado les pedía entregar las mismas manos de acariciar compañeras o de construir escuelas convertibles en cuarteles. La Revolución les pedía los ojos, que alguna vez tuvieron lágrimas, los labios resecos y cuarteados de tanto afirmar el sueño (el único gran sueño del que nunca íbamos a despertar), y hasta las piernas duras y nudosas de correr y correr delante de la muerte (la mayor parte del tiempo, hacia la muerte).

En fin, que los Alazo desaparecidos en el exilio se desentendieron de la Cuba de los fidelescastros, por los fidelescastros y para los fidelescastros. Al menos, esa fue su intención. O, al menos, eso nos imaginábamos de los Alazo de afuera, los Lazo todavía atrapados adentro, en el laberinto insular.

Ahora, de pronto, con karma ecuánime, se les sale este electrón libre de la ecuación: un tarado primo tardío o un sobrino por asociación, que vive en su Nissan Pathfinder de estado en estado de la Unión, con cocaína en el maletero y una AK-47, igualita a la que Fidel Castro le dio a Salvador Allende para que un agente cubano lo ultimara en el Palacio de La Moneda. Este pariente mío, no tan distante como pudiera pensarse, se despierta entonces justo a las 2:02 a.m. de Washington D.C., y le cae a tiros musicalmente a la embajada cubana de la calle 16 del North West.

Yo he estado allí, por cierto. Al contrario de Alazo, yo he sido solo un pobre Lazo desarmado (nadie me regaló una AK de ningún modelo). Para colmo, por entonces yo andaba sin carro y, en consecuencia, sin cocaína en el maletero. Tampoco soy Tania Bruguera en Colombia. Aunque yo sí haya tenido esa misma pesadilla que mi pariente Alazo ejecutó acaso como *performance*, dejando treinta casquillos en plena calle para consumo de la policía secreta federal.

En más de un sentido, yo soy mucho más Alazo que este Alexander Alazo, cuyos abogados clamarán ahora que padece de esquizofrenia y delirio de persecución. Yo podría hacer lo mismo, mañana. Pero sin la indecencia de declararme loco, ni un coño de nuestras mutuas madres.

Y, en corte, me defendería yo mismo. Facilito, facilito. Basta con declarar bajo juramento la verdad de las verdades. Todo el mundo está solo. Todo el mundo está triste. Todo el mundo está desesperado, al borde de la autodestrucción. O de la masacre del otro.

De ahí es que salen las ráfagas semiautomáticas de Orlando Luis Pardo Lazo, sentado al volante o como pasajero de los Uber taxis que todavía nos faltan en tanto nación. De esa soledad, de esa tristeza, de esa desesperación.

De esa barbarie bella, por verdadera.

115.

En el taxi se subió una mujer embarazada.

Joven. Treintañera, tal vez. Pero lucía mucho más joven, porque su piel tenía ese relumbre propio de los seres que van a dar a luz una nueva vida. O acaso fuera al revés. Porque lo cierto es que nunca he entendido bien esa frase (el español se me ha hecho una lengua arcana): dar a luz...

Quizá sea literal, porque las mujeres paren literalmente una cuota humana de luz.

En cualquier caso, mi embarazada tenía una expresión de prisa y dolor. Le dolía la barriga y el alma. Me pidió que la llevara a la carrera al portón de urgencias del hospital BJC. Y hacia allí me precipité, como un bólido. Pisando el acelerador de mi Chevy Opala.

Por cierto, no es la primera vez que vuelo hasta allí.

Una noche, fui presintiendo mi muerte. Tenía la presión sanguínea por los cielos (aunque Estados Unidos sea un país sin cielos), o al menos eso creía yo. A la vuelta de un par de horas, finalmente me atendieron. Me tomaron la presión. Ya me había bajado, por supuesto, del encabronamiento y el subsecuente anticlímax. Y entonces me dejaron ir, después de pagarles unos cientos de dólares al hospital privado. Las compañías de seguros médicos no tienen nada que ver con asegurarte la salud.

Otra noche, corrí hasta allí con una muchacha norteamericana, casi cadáver entre mis brazos. Se había suicidado tomando unas pastillas de Adderall con unos largos sorbos de vino barato. Le salió mal, por suerte, y sobrevivió. Al parecer, el Adderall hecho en USA es de pésima calidad. Para no mencionar al vino, acaso comprado en Schnucks. Si eres patriota, compra productos cubanos, que vienen importados de China, como las pandemias y los presidentes de USA.

—¿Estás de parto? —le pregunté, por preguntarle algo, a mi embarazada.

Ella me miró, contenta de contestarme, a pesar de las ráfagas fértiles de su dolor.

—No —me dijo—. Estamos de parto. ¿No me reconoces? Voy a darte una hija. Se llamará Luna Isabel. Será tu única hija y te va a adorar, como tú a ella. Y yo a ustedes dos.

Casi meto un frenazo. Casi me vuelco bajo el semáforo de Kingshighway y la 64 Interestatal. Mi única hija por poco nace a la cañona, dentro de mi Chevy Opala, saltando ensangrentada de entre las piernas de aquella embarazada anglófona.

My daughter, pensé en inglés, *my sweet little daughter.* ¡Por fin una niña, qué bendición! Y que haya venido a nacer de la manera menos imaginada. Justo ahora, en la primavera mórbida del 2020, cuando yo también estoy todo doblado de dolor (como tu madre en el asiento trasero), con los achaques de la misma edad con que mi padre tuvo a su único hijo, yo, que lo adoró tanto como él a mí.

No quise contradecirla. Yo no sé vivir, si no vivo en la mentira. Pero las mujeres, cuando se deciden a hablar, siempre hablan con la verdad saliéndosele por la boca. Y por entre las piernas.

—*Why that name, Luna Isabel?* —me dio curiosidad.

No era necesario que me contestara. No era necesario que me contestaras, Luna, tú que siempre estuviste a mi lado, isabelumbrándome en los momentos más terribles, y que desde mi infancia fuiste el misterio que velaste por mi terror, y el consuelo en mis noches más bellas y desesperadas, a ras de un desierto llamado La Habana.

De hecho, Luna, desde que yo era niño, tú has sido siempre hija a la vez que madre, bañándome en una humanidad que ninguna mujer, excepto tú, sabrá brindarme.

Luna, en medio de la barbarie benéfica y el verbo vil. Isabel, en los lugares más tiernos y tenebrosos del totalitarismo cubano sin Cuba. Por allá arriba estarás tú, Luna, acompañándome de nube en nube, Isabel. Mi consuelo y mi brújula, para que no se extravíe el niño papá tuyo que nunca creció.

Como una gran diosa, luna isabelizada, mi verdadera diosa, la que me protegió de tantas calamidades en clave comunitaria, y de tanta infamia en una islita sin trazas de individualidad. Por eso ahora y aquí, en mi taxi, como antes en tiranía, yo elevo mis ojos color tiempo o color tarde, y te vuelvo a mirar. Siempre la misma, tú. Siempre tú, otra. Una Luna de rostro sin expresión de dolor, sin amargura y sin ansiedad, sino un redondel recortado de compasión hacia mí: tu único padre y tu hijo único.

Por favor, Luna o Isabel, en ese orden de nombres o en cualquier otro, nunca me estalles súbitamente en pedazos en plena cara, como una ráfaga de cascabel,

cabel, abel, bel. *To the sobbing of the bells, bells, bells.* Llanto que baila *keeping time, time, time*, en este tictac del fin de los tiempos *to the rolling of the bells, bells, bells*, que es también *the tolling of the bells, bells, bells*, pero que nunca será *the moaning and the groaning of my Luna Isabel*, porque tu padre ya maneja sin miedo hacia el hospital, donde vas a nacer y nacerme y nacernos en estas palabras perdidas e imperdibles:

—Te amo, mi amor Luna Isabel.

116.

En la televisión cubana publicaron mi foto del carné de identidad, como parte de los archivos de la Policía Nacional Revolucionaria (PNR). Según el serial *Tras la huella* del Ministerio del Interior, me llamo Abel Ferreiro Luaces y todavía tengo 41 años, que es la edad con que ellos mismos me expulsaron de Cuba, el 5 de marzo de 2013, a las 4:44 de aquella tarde del martes.

No hay casualidad. El totalitarismo no es solo una maquinita de moler carne y cadáveres, sino que es también una trituradora de tiempo. En efecto, tenía razón aquel demonio deconstructivo, hijo pródigo de la democracia occidental: *il n'y a pas de hors-tyrannie...*

Léase: la tiranía no tiene afuera. El castrismo nos constituye por dentro. Los cubanos somos continuidad carnal con los Castros. En fin, para qué seguir con mi cantaleta.

Según el oficial PNR o DTI o G-2 del serial *Tras la huella*, el ciudadano cubano Orlando Luis Pardo Lazo ya no es escritor, ni mucho menos un contrarrevolucionario, sino un neurocirujano común más. Como si sobraran los neurocirujanos en nuestra islita tan desprofesionalizada. Archipiélago amateur.

A todos los efectos del ICRT y la TVC, ahora yo cuento con un sueldo miserable del Hospital Oncológico de La Habana. Para colmo, en esa realidad alternativa a la Revolución Cubana, ya tampoco vivo en el número 125 de la calle Fonts, en Lawton, ni acosado de renta en renta por el exilio izquierdoso de las universidades norteamericanas, sino que aún resido en la avenida General Lee de Santos Suárez, en el número 654 para más señas (siempre sospeché que yo debía de tener un pasado confederado en mi *curriculum vitae*).

Pienso en todo esto, mientras doblo y desdoblo en mi taxi Uber por las calles coronaviralizadas de Saint Louis, Missouri, en el corazón del corazón de la gran unión norteña. En realidad, les confieso que no sé qué pensar de todo esto, mientras doblo y desdoblo en mi taxi Uber por las calles coronaviralizadas de Saint Louis, Missouri, en el corazón del corazón de la gran unión norteña.

Estoy, literalmente, perdido. Botado en la carretera.

Entre cliente y cliente, recibo mensajes de solidaridad. Mis lectores me advierten que tenga cuidado, que puede ser una amenaza de muerte mandada desde la televisión cubana. Que los criminales de verde olivo no se tomarían el trabajo de mostrar mi foto del carné de identidad, si no tuvieran un siniestro motivo para hacerlo. Y todo motivo del Estado cubano es parte de su morbilidad *Made in Marx*.

Biopolítica. Necropolítica.

A mí, sin embargo, me interesan más las consecuencias estéticas de esta nueva agresión contra el mejor escritor cubano vivo. ¿Cómo debo reaccionar, sin que parezca que estoy reaccionando? ¿Cómo tomar la iniciativa y apropiarme de esta violentísima violación, sin que el Ministerio del Interior en la Isla pueda aprovecharse para añadir más información a mi perfil psicosocial?

Creo que alguien en el poder en Cuba ya sabe algo que yo siempre supe, pero que nunca le he confesado a nadie. Mucho menos a mí mismo. Y es que yo estoy llamado a cumplir un destino descomunal para Cuba. Y ningún poder podrá dispersar la energía entrañable de ese karma.

Un vidente así se lo pronosticó a mi madre apenas yo nací, en la hoy paleolítica era de 1971. Mejor no abundar en detalles, por el momento. Dejemos que mueran y resuciten los Abel Ferreiro Luaces en la TCV. Dejemos que esos neurocirujanos que nunca fui, hagan sus delicadas operaciones secretas hasta alcanzar el vórtice del lenguaje, de donde irradia el motor que mueve la luz y genera la acción.

Dejemos que Orlando Luis Pardo Lazo piense y no sepa qué pensar, repitiéndose hasta el ridículo, mientras dobla y desdobla su taxi Uber por las calles coronaviralizadas de Saint Louis, Missouri, en el corazón del corazón de la gran unión norteña.

Fidel Castro no nos mintió al respecto. Nada podrá detener la marcha de la historia. Como corresponde, esta frase es el título de un libro de Fidel Castro que fue escrito, como todos los suyos, por dos norteamericanos.

No somos nada, los cubanos. No hicimos nada con escaparnos. Aunque él no se despidió de nosotros, en el exilio cubano quien nos da la bienvenida es el propio Fidel Castro.

117.

El chofer me dijo, tan pronto como supo que yo era cubano:

—No nos hagamos ilusiones: la cultura solo existe en las sociedades totalitarias. Porque en una sociedad abierta, la cultura no necesita ni defensa ni definición. Es lo que es y punto, acaso es también lo que no es. Por eso en Cuba el Ministerio de Cultura es el único comparable en recursos con el Ministerio del Interior.

No creo que sea necesario añadir mucho más. Me he topado con miles de tipos así, filósofos al volante de un taxi Uber, boteando en un App del móvil de una punta a otra punta de la gran unión confederada.

Escribo esto con uno o dos dedos de una sola mano, la derecha. Mientras cargo y mimo a mi hija recién nacida con la otra, la izquierda: la del corazón y también la de los infartos. No sé si este sea un buen testamento político, pero por lo menos así me lo parece en este punto.

Le pregunto al totalitólogo de la cultura si él tiene hijos. Ya parece mayorcito, pero tal vez sea hasta más joven que yo.

Mi chofer de turno me mira muy serio. Estamos cruzando el río Hudson y yo me estoy yendo a Islandia por un año. De Newark a Reykjavík. Un sol de oro se pone sobre las aguas empalizadas y entonces él de pronto me dice, amarillento por los rayos del astro rey, o acaso por las iluminaciones iniciales de algún cáncer:

—El hijo de un pueblo esclavo no tiene derecho a la procreación. Eso tiene que ganárselo viviendo por él, callando, muriendo.

Yo tampoco tenía a mi hijita cuando esta sentencia fue pronunciada para la historia de los cubanos sin Cuba, casi que escrita entre las volutas del aire acondicionado de un *jeep* Cherokee. Y lo cierto es que, cuando la tuve, yo todavía era el hijo de ese pueblo esclavo. Y vivía por él. Y moría. Pero no había sabido callarme lo suficiente.

Al final de aquel viaje, que sería el último de mis taxis Uber antes de re-exiliarme, esta vez desde los Estados hasta Islandia, le dejé una propinaza digital del 100% a mi totalitólogo de la cultura.

Gracias, mi compatriota célibe. Hay que apoyar la locura, allí donde se manifieste. En la insania se incuba la esperanza. *Cubansummatum est.*

118.

El francotirador se montó en mi taxi Uber, sin disimular que era un francotirador. De hecho, llevaba su pequeño rifle en ristre y lo aupaba sobre su hombro izquierdo como si fuera un bebé, un Cristo de la Revolución Telescópica.

Es posible, también, que le hablara a su arma de altísima precisión. Pero esto último no lo puedo asegurar con certeza. Sacó la mirilla y la limpió con delicadeza, usando un *spray* que olía a AZT. La mirilla era, por supuesto, como los ojos de su bebé: a un tiempo la córnea criminal y la retina de la misericordia.

Una muerte francotiradora no debe doler. De lo contrario, usted no es francotirador, sino un vulgar matón de los barrios bajos del Tercer Mundo, en lugar de un profesional a sueldo de la diplomacia balística global.

El francotirador me miró con curiosidad, como calculándome. Entonces me hizo una confesión. En realidad, tres:

—Voy a matar a Ariel Ruiz Urquiola.

—No me lleves a la dirección que te puse en el App de Uber.

—Llévame a la sede de las Naciones Unidas.

Él no podía saber que yo sabía quién era Ariel Ruiz Urquiola. Aunque toda Cuba lo sabía, en realidad. Pero por los motivos equivocados.

Yo no recuerdo a Ariel preso, ni en huelga de hambre, ni inseminado asesinamente con el virus del SIDA por un colega del francotirador. Yo lo recuerdo dentro de la jaula de los monos en el Zoológico de calle 26, en la frontera biótica de El Cerro con El Vedado, en La Habana.

Allí lo trancó un burócrata berreado con él, a principios de los años noventa en Cuba, cuando Ariel no era más que un jovencito virgen, recién importado a La Habana desde la provincia de Pinar del Río.

Ariel estaba denunciando no tanto el maltrato animal en esa emblemática institución, sino el hecho de que habían dejado morir a varios de los grandes felinos para podérselos comer. Y era lógico. Hacía hambre en la Isla de la Libertad. Hacía hambre en el Primer Territorio Libre de América. Hacía hambre de Fin de la Historia e inicio del Período Especial.

Ariel, ciudadano sin salida. En una jaula que apestaba a mierda de mono. Toda la noche en el Archipiélago de los Simios. Mientras los cubanos se aprestaban a huir en masa del resto de nuestro zoológico nacional.

No murió entonces, ese pequeño Calibán ecológico llamado Ariel Ruiz Urquiola. Ni tampoco murió del HIV que el Estado cubano le propinó hace poco, de manera gratis y artera.

Ariel Ruiz Urquiola iba a morir ahora, de mi mano, porque en definitiva era yo quien iba al volante de este Uber funerario, y no su verdugo francotirador, cuyo éxito dependía ahora de mi disciplina.

Cuando el francotirador se bajó de mi carro, me sentí aliviado. No por mí, ni tampoco por él. Sentí alivio por el cubano que iba a morir en breve de manera indolora, casi eutanásica.

No siempre el Estado cubano se toma tanto trabajo a la hora de erradicar a sus enemigos. Por un instante, pensé si deberíamos incluso darle las gracias a algún jerarca del Ministerio del Interior, pero después pensé que esta última línea sería mejor no decirla.

En cualquier caso, no llamé al 911, ni le mandé un mensaje por el chat privado a Ariel Ruiz Urquiola en Facebook. Que pasara lo que tenía que pasar. Como él mismo dijo en una entrevista, tenía que jugársela en esta lotería sin límites entre la libertad y la liberación.

Buena suerte, cubano. Yo ya cumplí con mi parte, al traerte y dejarte ahí, a la mano, tu tan deseado dilema. Léase, diadema del destino.

119.

Una vez, manejando un taxi Uber Black SUV en Liberty City o tal vez en Little Haití, ya no recuerdo bien (aunque sí recuerdo que era en Miami), se subió al carro un tronco de negrón, bellísimo, portando con orgullo la cabeza de un confederado bajo el brazo. Quiero decir, la cabeza arrancada a la estatua de un confederado.

Reconocí que era de una estatua confederada por la gorrita típica, esas que uno ve en las películas de guerra donde el Sur siempre pierde hasta la memoria, pero conservando su señorial esplendor. Y también la reconocí por esa mirada nostálgica, esa tristeza del bronce ante el desastre de abolir la esclavitud mediante más violencia, sin contar con las consecuencias que le traería a negros y blancos por igual, libres o esclavos.

En fin, que en ese tema de liberar o no liberar, no me voy a meter ahora. Tampoco quiero convocar a la Inquisición Ideológica de la Izquierda.

Mi pasajero me preguntó, en inglés estricto del MIT:

—¿Sabes quién es?

Y yo le dije que sí, por decirle algo, en mi inglés de la antigua Sección de Intereses de Estados Unidos, donde yo lo había aprendido en La Habana:

—Es el gran General Lee —me atreví. A fin de cuentas, en La Habana hay una calle con ese nombre, creo. Tal vez, allí también ya la rebautizaron.

El negrón se carcajeó de buena gana. Cuando un negro come melocotón, es porque tiene los ojos azules. Y mi pasajero, en específico, los tenía azulísimos. Era un negrón ultramarino. Obviamente, presto a batirse de tú a tú en contra de mi ignorancia histórica. ¿En dónde encontrar sentido?

—No, amigo —cambió para el español con el giro súbito de un ciclón, ese ojo con alas—, ¿has leído el *Finnegans Wake*?

Y no esperó a mi negativa de cubano sin más cultura irlandesa que tararear a U2 en un Uber.

—Ningún Lee. Es el general de brigada Finegan. Y esta cabeza la vengo cargando desde el cementerio viejo de Jacksonville. Se la cortaron con un estilete y, después, por poco se la comen viva esos linchadores blancos de clase alta, con su aburrimiento pagado por los millones libres de impuestos de papá y mamá, a los que yo con gusto les propinaría una patada sureña por sus culos yanquis comunitarios.

Me quedé frío. Un comentario fuera de tono aquí, y ustedes mismos podrían acusarme de lo que, de todas formas, ya me han acusado.

—¿Y qué piensas hacer con ella? Quiero decir, ¿y qué piensas hacer con él? —le pregunté sobre el destino de aquel cacho de estatua de un confederado decapitado.

—Me lo llevo a un país donde haya libertad de expresión —dijo—. América es apartheid.

—¿Has pensado en Cuba? —intenté un chistecito profesional.

—Por supuesto —me interrumpió el atlas de ébano—, Cuba es mi primer candidato de país libre. Al menos los comunistas no se desgastan en tanta quitadera y ponedera de estatuas. Un amigo que viajó hace poco me dijo que, en La Habana, hay una avenida en honor al General Lee.

Hice un gesto de quizás, quizás, quizás.

Siempre que algún cliente me pregunta sobre Cuba, que cuándo, cómo, y dónde, yo siempre le respondo con este adverbio de tiempo, aunque quizás «quizás» no sea un adverbio de tiempo como tal. Y ni siquiera un adverbio en sí.

En cualquier caso, así se me pasan los días, encaramado tras el volante de este Uber Black SUV prestado. Desesperando, contestando, contando los quilos, para yo también fugarme de esta América amordazada hacia una Cuba libre, con o sin generales Lee en la avenida General Lee, con o sin la testa sobre su estatua.

El tronco de negrón bellísimo se bajó de mi taxi Uber en las afueras de Liberty City o tal vez de Little Haití, ya no recuerdo bien, precisamente por estar en Miami, esa ciudad que es más bien un aeropuerto donde la amnesia levanta en peso a los aviones.

No nos estrechamos la mano, por la cuestión del Covid-19. Pero nos deseamos mutuamente buena suerte en ese día y para el resto de nuestras vidas en general. Confraternizamos, como buenos ciudadanos de la Confederación en ciernes que nunca vendrá.

¿Qué tendrá que ver el melocotón con los ojos azules? No mucho, supongo. Lo mismo que tiene que ver soñar con conejos y que la nieve humee unas gotas de sangre. En un país sin nieve, el concepto de conejo es un significante vacío, a todo lo largo y estrecho de la geografía del año. Por eso la pregunta más pertinente para los cubanos sin Cuba sigue siendo esta: ¿en dónde no encontrar sinsentido?

120.

Yo iba manejando un taxi Uber interestatal. De Pittsburgh, Pennsylvania, al lago Erie, en el mismo estado. Pero que, por la distancia del viaje, bien podría ser un viaje internacional. O incluso intergaláctico.

Yo manejaba sin pasajero. Manejaba por manejar. Solo en alma. Como le corresponde a cualquier exiliado cubano en la gran desunión norteamericana, donde todos y cada uno de los nativos son también una manada muda de exiliados: «Búfalos camino al matadero», escribió hace poco un escritor cubano, hablando exactamente de otra cosa, que, sin embargo, provoca en nuestros compatriotas exactamente la misma sensación.

El paisaje pasaba y pasaba al otro lado de los cristales, como los autos mismos pasaban, modelos anónimos a tope de velocidad y en cámara lenta. Vehículos que van y vienen por la vida en total sintonía conmigo, que ahora hablaba conmigo mismo sobre mí mismo, mientras mantenía fijo el volante y la vista perdida en el horizonte. Hipnotizado, hechizado. Futuro sin historia. Únicamente es bella la Libertad. Solo somos reales en Libertad.

Yo iba conversando, de tú a tú, con los entrañables don nadies de mi memoria, mis muertos amados que estuvieron durante tantos y tantos años llamándome desconsoladamente a su lado. Y con razón. Me extrañaban, tal como yo los extraño. Pero no pudo ser. Lo siento por mí, de corazón. Yo hice lo que pude, en Cuba y en el extranjero. Casi lo consigo, es cierto. Pero, de pronto, casi también sin quererlo, sin darme cuenta, sobreviví. Lo siento por ustedes, de corazón. Su vivo tan amado ha sobrevivido. No se trata de olvidarme de ustedes, sino de que hay que esperar. Yo no los mandé a irse tan temprano hacia el otro lado.

Yo venía de Pittsburgh, la ciudad de las noches incógnitas. Donde, en una de mis primeras noches sin Cuba, me descubrí huérfano entre los puentes y el recuerdo de una muchacha metalúrgica en bicicleta. *Flashdance*.

Para entonces, por supuesto, ya no quedaban ni las ruinas de la industria metalúrgica en Pittsburgh. Ni las muchachas. Ni los bailes. Ni las bicicletas. Solo los puentes permanecían allí, como en aquella película de título intraducible. Espantapájaros patéticos en medio de su antiguo glamour capitalista, sordos a la musiquita mierdera del siglo XXI, con su lírica de drogas y *bitches* y *niggas* y suicidas y minorías y revoluciones.

Asco de América, la amargada.

Yo iba hacia el Lago Erie, en la frontera de todo con todo. Así se llamó durante décadas el cine de barrio de mi infancia. Erie. Así me lo presentó mi padre, cuando le pregunté de dónde había salido aquella palabra, tan mágica como los prodigios que se proyectaban en la sábana medio percudida de la pantalla.

—Erie es uno de los Grandes Lagos —me dijo, sobre mi cumpleaños de 1976, recién cumpliendo yo mis primeros cinco iluminados años.

Nunca fui tan sabio como entonces. Hasta hoy.

Aquellas palabras fueron una invitación irrenunciable, para que yo nunca parara de moverme, hasta visitar ahora aquella palabra tan paternal. Erie. Hasta allá arriba iba, hasta allá arriba voy, hasta allá arriba iré. No huérfano de Erie, sino con millones de padres que recuperar. Para colmo, siendo padre yo mismo. Enamorado de mí, enamorado del amor. Asomándome a la vida, como no lo hacía desde aquella sentencia geográfica, pronunciada por mi pobre progenitor en los sensacionales setenta.

Yo iba manejando un taxi Uber interestatal. Sin pasajero. Manejando por manejar. Pero nunca había estado menos solo en alma, que sobre aquella autopista resbaladiza. Un búfalo camino al matadero avanza siempre en manada.

121.

Era casi la medianoche, y tan tarde, que yo ya no quería manejar. Así que llamé a un Uber para que me llevara hasta el Walgreens, me esperase allí mientras yo compraba unas pastillas para relajarme y dormir, y me trajera de vuelta a casa.

«A casa», es un decir. Desde que vine a los Estados Unidos, no tengo casa. Vivo de alquiler en alquiler. Técnicamente, soy *homeless*: léase, sin hogar. Pero mucho mejor que en Cuba, cuando tenía casa y hogar, pero me sentía preso al aire libre de mi impropio país.

El taxi estaba en la otra cuadra. Llegó en apenas un par de minutos. El nombre de la chofer era simplemente «Tati», y usaba una bandera chilena en su perfil de Uber App.

Cuando me monté, me dio las buenas noches en inglés británico. Y yo se las devolví en español insular. Tati me miró sorprendida.

—¿Usted es dominicano? —me preguntó, casi esperanzada de haber adivinado mi nacionalidad.

—No, ¡cubano! —le respondí, confiando en que mi entusiasmo podría contagiar su muy solemne chilenidad.

Pero fue al revés. Se puso aún más seria conmigo. De pronto, Tati parecía muy tensa. Comenzó a sudar, supongo que frío. Era una mujer muy hermosa. De treinta y tantos, calculé. Con gusto le hubiera secado, con mis dos manos del trópico tibio, las gotas gélidas de su sudor.

—¿Te sientes bien? —le solté, aunque era obvio que no.

—No. Sí. No sé. Discúlpeme —la esdrújula se le diluyó como en un suspiro—. No era mi intención preocuparlo.

—Trátame de tú —intenté, y a ella se le desdibujó el rictus de una amarga sonrisa en aquellos labios lívidos del Cono Sur.

—Los cubanos todos te dicen lo mismo —dijo para sí—. «Trátame de tú, trátame de tú...». Todos te dan una confianza desproporcionada, cuando no te conocen. Y, después de conocerte, te tratan más distantes que a una extraña. No sirve ninguno, y disculpa mi sinceridad.

—Lo siento —admití. Tati tenía la razón, toda la razón, y nada más que la razón. No servimos ninguno.

—Ya no me gustan, pero hubo una época en la que sí. Hasta estuve casada con un cubano. Craso error criminal.

Me pareció que la chilena exageraba su dolor personal. A cualquiera la dejan por otra, sin tanto drama meridional. La imaginé enamorada de un negrón en Centro Habana. La chilenita y el cubanazo, sentados en el muro del Malecón, a la altura del hospital Hermanos Ameijeiras, dándose lengua en las dos acepciones del término: usando los labios y el lenguaje.

La virgencita ética y el salvajón étnico. No hay excitación erótica sin lucha a muerte entre polos irreconciliables. Habíamos llegado al Walgreens de Big Bend y Clayton Road. Le pedí que por favor me esperara medio minuto, y entré a la farmacia.

Por supuesto, sospeché que Tati se iba a largar, de vuelta a la noche del Midwest yanqui, o acaso a las cordilleras andinas que estrangulan a su Santiago. Dejándome allí tirado, por cubano, con mis pastillas para dormir en un bolsillo insomne de Orlando Luis Pardo Lazo. Y todo por culpa de mi nefasta nacionalidad. Nuestra cabrona condición de cubanos.

O todo por culpa de un marido que en la Isla la traicionó, a la par que la atrabancaba, como corresponde a todo amor adúltero en los tiempos del totalitarismo a la carta. Léase, a la Castro.

Me equivoqué. Cuando salí, Tati todavía estaba. Me gustan las mujeres fieles a su palabra. Mucho más si son mujeres fieles, a pesar de su palabra.

Tati tan luminosa bajo la luna coronavírica de Saint Louis, Missouri. Vulnerable, devastada. La mujerona chilena, ella. Y el blanquito cubano, yo. Dos fantasmas perdidos en el asiento delantero de su Chevy Opala, modelo de los años setenta. Como ella misma, Tati tan estilizada: Beatriz sin ningún Dante que la rescatase de su resabio o rabia.

Me monté de vuelta en el taxi. Cabizbajo. No quería que nuestro viaje de regreso acabara. De hecho, quería invitarla a venir conmigo a casa.

«A casa», es un decir. Desde que vine a los Estados Unidos, nadie tiene casa. Viven de alquiler en alquiler. Técnicamente, son *homeless*: léase, sin hogar. Pero mucho mejor que en Cuba, cuando teníamos casa y hogar, pero nos sentíamos presos al aire libre de nuestro impropio país.

Beatriz de la barbarie y yo. El sueño suicida de dos exiliados que coinciden por azar, gracias a las dictaduras latinoamericanas del siglo pasado, y a la Uber digitalización de la economía de mercado. Por algún motivo, yo iba pensando en Salvador Allende y en su primogénita chilena, atrapada en la Cuba de Castro. De hecho, templada sin contemplaciones por un torturador de Castro. Me hubiera gustado abrazar a esta o aquella Beatrices chilenas y decirle al oído, bajito:

—Tati, no te mates. Tati, no se maten.

—Tati, una noche, después de los Chevy Opala, si después de los Chevy Opala quedan noches, te tomaré en mis brazos y te haré el amor.

—Tati, puedes confiar en que Orlando Luis Pardo Lazo nunca te traicionará, nunca las traicionaré, como hacen todos los cubanos, después de decirte el primer «trátame de tú».

—Tati, hasta la derrota siempre, compañera.

122.

Cuando despertó, el taxi Uber todavía estaba allí.

123.

El negro se montó en mi Uber dando un portazo. Era obvio que traía encima un empingue de tres pares de cojones. Mejor no decirle nada: que tirara la puerta del taxi, que la arrancara y se la llevara para su casa, en el gueto o en el *downtown*, pero que, por favor, que no me tirara a mí fuera del taxi.

Tenía un biotipo de campeón. Y ya íbamos a *full-speed* en la medianoche muerta de Detroit, Michigan. Yo todavía era el mejor escritor vivo de Cuba y, como tal, quería seguir siéndolo y estándolo: mejor escritor, de Cuba, y vivo.

El tipo enseguida me dio pinta de ser un negro cubano. Y el blanquito que yo era al volante enseguida le dio a él pinta también de serlo, un cubano de Cuba, fuera de Cuba. Dos *cowboys* del castrismo a ras de la madrugada septentrional de las razas, atrapados dentro del metro cúbico de mi carro de alquiler, dando tumbos por el Estado de los Grandes Lagos, quién sabe si hasta el amanecer.

Nos presentamos mínimamente. En efecto, los dos lo éramos, por defecto: cubanos, o al menos eso dijimos. Cubaniches, vaya, sin que nadie se ofenda ahora por este término afectivo, para nada ofensivo.

Yo no tenía muchas ganas de hablar español con un compatriota. Además, mi pasajero tenía un acento cubano-americano del carajo. Parecía como de tercera o decimotercera generación. Al mejor estilo de Google Translate. Debía de ser uno de esos cubanos apócrifos no de la Pequeña Habana, sino del Little Haití.

Escribía, me dijo. Y hasta había publicado. Con premios y todo. Una novela medio biográfica que se llamaba *Loosing my Spanish*. Me pareció un tin interesante, pero un tilín de izquierdas también, como toda literatura lo es. Entonces me rectificó.

—Es-pa-nish, con E delante —dijo, saboreando las sílabas.

—¿Mmmm?

—El título de mi novela —explicó—. No es *Perdiendo mi español*, sino *Loosing my Espanish*, con E delante.

Ahora sí, pensé. Mucho mejor. Seguro que es un votante de Bernie, recién reconvertido por obra y gracias de Kamala y Biden, pero no debe ser de los más radicales.

—Me sirve, chama —le dije en serio, pero en tono de broma—. Me cuadra pila, burujón, puñao ese título. ¿Se puede leer *online*?

—Lo puedes comprar en Kindle —dijo como con resignación, supuse que tal vez los choferes le hacían siempre la misma pregunta.

—Esta misma noche lo bajo, tan pronto como termine de botear.

Él tenía cara de no entender la mitad de mis palabras. Yo tampoco entendía por qué yo se las estaba soltando así al por mayor, sacadas de un argot fantasma que yo ya creía olvidado: «sirve», «pila», «chama», «puñao», «cuadra», «burujón», «botear». Era como si quisiera probarle que yo no era un cubano inventado de esos que andan por ahí, sino alguien que había dado tenis Habana arriba y Habana abajo. El socialismo es cuestión de suelas.

Por algún motivo estético, los blancos cubanos en el exilio lucimos menos cubanos. Y menos blancos, por supuesto. Hiatos del hispanismo o taras de la latinidad: ¿cómo distinguir? Sin embargo, por alguna razón ética, los negros cubanos, aunque no sepan ni hablar en cubano, nunca dejan de lucir cubanos, así en la debacle insular como en la diáspora planetaria. La patria es piel, más que archipiélago.

Se estaba haciendo un viaje bastante larguito, un clásico *voyage au bout de la nuit*. Tampoco hablamos demasiado. Él me dijo que su nombre era Hermán G., sin apellidos, y que lo habían sacado de Cuba con siete años, el mismo día en que en Bolivia mataron al Che.

De pronto se me hizo más que sospechosa su inicial G., porque, si hubo un Picasso negro en Cuba, a estas alturas de la historieta no sería de extrañar que yo estuviera transportando en mi taxi a un Guevara negro. Pero preferí no pasarme de rosca, y esto nunca se lo pregunté. Tenía que conservar al menos este trabajito *part-time*.

Simplemente le dije mi nombre y que, gracias al castrobamato, yo me había sacado a mí mismo de Cuba, hacía unos siete años, un martes 5 de marzo, justo a la hora en que mataron a Hugo Chávez Frías en el hospital habanero CIMEQ.

Hermán G. se rascó la calva. Luego se mesó su barbita rala. Tal vez le sonaba conocida la tetrafonía de mis cuatro palabras: *first name* Orlando, *middle name* Luis, *family name* Pardo (y Lazo, porque tengo madre). Social Security Number: 537-69-8269, una cifra homónima con mi teléfono de La Habana.

Me pidió poner la radio un rato. No la puse. No estaba para oír otra tanda de la canción protesta norteamericana. Así que le di *play* a mi iTunes, y la voz de Celia Cruz inundó la cabina de nuestro carro: tu voz que es susurro de palmas, ternura de brisa, tu voz que es trinar de sinsontes en la enramada, tu voz que es tañer de campanas al morir la tarde, tu voz que es gemir de violines en las madrugadas.

A los dos se nos aguaron los ojos al instante. Esto es de pinga, queridos amiguitos. Para la comunión de la cubanía, basta con un par de octosílabos. Al tercer versito sencillo, los cubanos de corazón ya tenemos que secarnos los mocos. Qué malo es tener memoria. Y qué maravilla, en una nación amnésica como los Estados Unidos de América.

Dejé a mi cubano nocturno en el Emergency Entrance del hospital KCI. Un amigo del alma se le estaba muriendo allí, me dijo, en el más inhumano de los aislamientos antisociales, por culpa del Covid.

—Es un virus blanco, no chino, que se ensaña con los afroamericanos —me dijo al bajarse, sus ojos clavados en mis ojos, mientras me estrechaba la mano en plena pandemia—. Por suerte, yo no soy negro, sino cubano.

Entonces, nos dimos cuenta de que ninguno de los dos había usado su máscara durante el trayecto. *It's OK*. Que vivan con máscara los que van a sobrevivir. Pero, nojotroj, los cubanos descubanizados que nos queremos tanto y debemos separarnos, no íbamos a denunciarnos a estas alturas del cubanicidio, como con toda seguridad sí lo hubiéramos hecho de haber coincidido en Cuba.

124.

Yo vivía convencido de que el tipo era de Kazajistán, pero resulta que se trata de un simple inglés. Para colmo, londinense.

Estoy hablando, por supuesto, de Sacha Baron Cohen. Un nombre que, por lo demás, siempre creí que era el más falso de sus innumerables seudónimos, que acaso hayan sido solo tres a lo largo de su carrera como actor: Ali G, Borat Sagdiyev y Brüno Gehard.

Yo manejaba Broadway abajo en Nueva York, cuando él se montó en mi taxi.

Sacha Baron Cohen no venía solo, sino con un brazo pasado por encima de los hombros de Rudy Giuliani, el antiguo alcalde de la ciudad. Y, entre ambos, retozaba una rubita mitad rusa y mitad enana, que no parecía hablar ni pizca de inglés. La llamaban «María». Así, en español. Y lo cierto es que iban muertos de risa los tres. Ahítos de sus propias travesuras.

Se acercaban las fiestas de Halloween. Se acercaban las elecciones presidenciales del martes 3 de noviembre del 2020. Se acercaba mi primera década como exiliado, y yo todavía seguía fuera de Cuba. Como si fuera la cosa más natural del mundo.

Sacha Baron Cohen nació el mismo año que yo, en el otoño de 1971. El otro compinche, Rudy Giuliani, con su sonrisita de ratoncito Pérez desteñido, andaba ya por los 76. Y la rusita loca Мария no pude saber bien si dijeron que tenía 15, pero obviamente a todos les daba igual, incluida ella, que estaba muy borracha o era muy anormal. O ambas ricuras, bajo su vestidito corto a medio poner o medio quitar, casi acostada sobre sus amigos en el asiento trasero de mi Uber. Ya me veía envuelto en otro juicio de tipo Title IX (escribirlo, de hecho, es la garantía de que me citen a declarar: no como testigo, sino como acosador).

Al parecer, venían de una especie de orgía a trío, en alguno de los 59 pisos de la Torre Trump. Últimamente esa cifra me sale hasta en la sopa. 59, 59, 59. Para los cubanos y los tibetanos de la prehistoria, como yo, se trata de un año muy difícil de desdibujar. El 59. Y lo bonita que se ve esa cifra completa, 1959, con ese uno y ese cinco y ese par de nueves tan art decó.

En verdad, no entendí los detalles del engranaje erótico. Pero, al parecer, el septuagenario había sido el héroe de las acciones posesivas, repartiendo a diestra y siniestra su vigor vital a base de Viagra. Su sabiduría seminal de diablo, que más sabe por viejo que por diablo. Y que más saborea también, por estar ya en las últimas emanaciones.

En cualquier caso, alardeaban en un inglés con acento acérrimo sobre lo divertido que había sido filmar aquella sesión trumpista de sexo, deleitándose ante una vista aérea de Manhattan. Los dejé a cada uno en su dirección particular, como escolares disciplinados, y me quedé con una rara impresión del viaje.

Quiero decir, con una pésima premonición de todo lo que había oído mientras manejaba. Y todo lo que a ratos me había robado visualmente a través del espejo retrovisor, y que no me animo a repetir ahora: no por pudor, sino porque sería demasiado afrodifóbico.

Conociendo como desconocía a Sacha Baron Cohen, y sabiendo que a Rudy Giuliani la izquierda norteamericana lo está cazando hace rato, para hacerlo talco por su apoyo sin pena a Donald Trump, la bacanal me olía a podrido. Mucho más, con una inmigrante poscomunista metida en el medio. Y menor de edad.

Al rato, pensé que ninguno de ellos debía de ser en realidad alguno de ellos. Perfectamente los tres estaban disfrazados por Halloween. Por eso sobreactuaban tanto sus gestos y parlamentos. O tal vez así se divertían esperpénticamente en Nueva York, para esperar, en son de un aquelarre espermático, los resultados de las elecciones postales del martes 3 de noviembre.

Había sido un 2020 desolador. Nueve millones de corona-casos y un cuarto de millón de cadáveres, ya con la ciudadanía norteamericana concedida. Además, con una cuarentena castrista, de costa a costa de la Unión y de norte a sur de la Confederación.

Mejor, ni respirar.

Y así, como echado sobre el timón y con ideas tristísimas, enfilé mi Honda rumbo a la casa donde me estaba quedando, al otro lado del Hudson undoso. Como un Martí al volante de mi inverosímil verbo y volátil imaginación. Era tarde hasta para arrepentirse de todo. La madrugada era magnífica y no dejaba dormir. Según el GPS, llegaría antes del amanecer.

Crucé el puente sobre el hondón del Hudson. Luego, las lomitas de Nueva Jersey, con sus colinas súbitas de asfalto batistiano. Y yo, pensando y pensando en voz alta, hasta tratar de adivinar el autor de estas palabras que no se me salían de la cabeza:

—Lola, yaya, jolongo, balcón, cupey, majagua.

Nos embarcamos.

125.

Y pasó lo que tenía que pasar. Tarde o temprano, los hombres libres caen abatidos por el odio a la libertad. Tarde o temprano, todos caemos bajo el paso imponderable de ese pánico histérico del colectivo.

Lo recogí en la esquina de la 1600 Pennsylvania Avenue y el parquecito de Lafayette, en Washington D.C. Junto a la estatua de Andrew Jackson, el séptimo presidente de los Estados Unidos. Otro grande. Otro icono que, más temprano que tarde, la chusma ilustrada va a venir a tumbar, con camisetas carísimas del Che Guevara y recitando las aleyas marxistas de Mao Akbar.

Había llovido bastante desde Andrew Jackson hasta hoy, viernes 20 de noviembre de 2020. La cuenta de los presidentes norteamericanos iba ya por el número 46. Pero quien se montó en mi taxi no fue el número 46 (quien por cierto estaba de cumpleaños ese día, según la babosería de izquierda con que amanece Twitter, en cada uno de nuestros días demócratas).

No. Este era republicano, a juzgar por la elegancia del sobretodo y los guantes de piel que portaba. Este era el número 45, el penúltimo de los presidentes del mundo libre. Un rubio blanco de gafas negras, que todavía ejercía sus funciones ejecutivas cuando abrió la puerta trasera del Uber y se sentó de un tirón, sin usar la mascarilla reglamentaria, según las leyes de la compañía californiana y las conveniencias de las corporaciones farmacéuticas.

Era, por fin, el presidente incumbente Donald John Trump. Se demoró bastante para subirse a mi Uber, pero se subió. Silente. Parecía un niño abatido, al que le hubieran quitado su juguete favorito. Se parecía a mí, desde que se acabó la Revolución Cubana. Se parecía a Orlando Luis Pardo Lazo, desde que salió de La Habana el martes 5 de marzo de 2013, para nunca volver a ver a su ciudad imperial.

Trump y La Habana: mis amores perdidos, mis pesadillas de exiliado sin nada más a lo que asirse ahora.

Querido lector: esta película hace rato que está a punto de terminarse.

126.

«Beth Harmon». Cuando vi su nombre en la Uber App de mi móvil, el corazón se me fue a salir por la boca con un triple salto mortal. ¡Beth Harmon para mí solo en mi Chevy Opala!

Pero un segundo después ya estaba calmado. Como si nada. Es mejor así. Pretender indolencia. Respirar hondo. Tragar en seco o, mejor, en mojado. Eso es lo de menos. Lo de más eran sus labios tintos en rojo revolución, en la miniserie de Netflix de la que todo el mundo me hablaba en el taxi: *The Queen's Gambit*.

Pronuncié tres veces en voz baja mi mantra preferido, causa más que suficiente para ratificarme como el mejor escritor vivo de Cuba:

—Soy Orlando Luis Pardo Lazo y todo tendré que contarlo yo... Soy Orlando Luis Pardo Lazo y todo tengo que contarlo yo... Soy Orlando Luis Pardo Lazo y todo tuve que contarlo yo...

La recogí en la esquina de Maryland y Euclid, junto al Chess Club de Saint Louis, el club de ajedrez más grande de América y también del mundo, gracias al dinero republisáurico de la vieja guardia roja del Midwest.

Estaba igualita que en la TV. Delgada, nerviosa, como una bailarina silenciosa que flotara sobre los trebejos y los escaques.

Por supuesto, a esa hora no había tablero por ninguna parte. Pero igual yo la imaginé viniendo hacia el taxi sobre una alfombra ajedrezada, en blanco y negro de alto contraste, huyendo del acoso de piezas perversas que ya estaban a punto de levantarle su vestidito retro, justo en el instante en que lograba refugiarse en mi carro, redundantemente conducido por mí: el héroe de los hímenes inminentes.

Traté la treta de aparentar que yo no la conocía de Netflix. Pero no funcionó. Porque ella sí me conocía de sobra y, como tal, podía reconocer incluso mi manera de desconocerla.

Así que preferí decírselo todo antes de llegar a su hotel en Clayton, una carrerita relativamente corta desde el Central West End:

—La serie es pésima. La vi completa porque no podía quitarte los ojos de encima.

Para mi sorpresa, Beth Harmon hablaba perfectamente el español, con acento bonaerense, pero sin el abuso obtuso del «vos» y de los verbos agudos puntualmente con tilde. Entre ella y Maradona había una distancia lingüística inconmensurable. De hecho, inconsolable.

La 64 Interestatal estaba lentísima, por el tráfico. La gente con dinero ya comenzaba otra vez a escapar de la nueva plaga. Ese día, el *Saint Louis Post-Dispatch* había comentado sobre la fuga financiera en su primera plana. La bautizaron como *The Corona Flight*.

Entonces me atreví a decirle un poquito más:

—Se nota a la legua que tú de ajedrez no sabes nada. Es imposible saber jugar ajedrez y sentarse de esa manera tan *sexy*.

A Beth todo le daba risa. No cogía lucha con nada. Se sabía inmortal. Y, en consecuencia, la diosa asumía que estaba hablando con un insecto terrestre, de ciclo vital efímero.

Ah, pero cuando le recordé de qué Isla era endémico ese insecto, todo cambió. Se interesó enseguida por Capablanca. Y, sin avisarme, me pidió perdón. Estaba apenada conmigo, porque el cubano universal había perdido su corona de campeón mundial en la capital argentina.

Ese gesto suyo me conmovió. Acepté sus disculpas de corazón, en nombre del pobre José Raúl, acosado por esposas eternas que lo desfalcaron, desde Moscú hasta Nueva York, con un rebote en La Habana, donde se construyó hasta una torre en Marianao, a ver si lograba envejecer en paz en toda su gloria y, total, ni siquiera pudo disfrutarla.

Nadie sabe para quién uno juega como un Gran Maestro.

Me dieron ganas de ser su amigo, ser *beth friends*. Y dejar de mirarle misóginamente las rodillas, y la manera maliciosa con que se empinaba sobre el asiento a mi lado, arqueando armónicamente sus nalguitas, como en cada uno de los planos de la miniserie *Gambito de Dama*.

Me preguntó si quería jugar con ella.

—¿Ajedrez?

—Sí, claro: ajedrez.

—¡Entonces sí sabes! —me dio alegría haber estado equivocado.

—En realidad, no —me desmintió al instante—. Pero me han hecho una aplicación que juega por mí. Mira.

Y me lo enseñó. Predeciblemente, la aplicación de pago se llamaba *Play Beth Harmon*.

—Puedes seleccionar mi edad.

—¿Cómo?

—Que en la aplicación, puedes seleccionar la edad de la Beth Harmon contra la que quieres jugar.

Palabras mayores. Por suerte, no fui yo quien las pronunció. Yo me limité a cumplir con su pedido. Y a transcribirlo ahora aquí.

—Con la mínima edad posible —le dije.

—La mínima es ocho años, cuando Mr. Shaibel me enseñó a jugar en el orfanato.

—Así sea —le dije—. Quiero ver qué se siente al ganarle a una niña que está aprendiendo a jugar. Quiero saber cómo es darle jaque mate a Beth Harmon con ocho años.

Parqueamos a un costado de su hotel en Clayton Road. Me prestó su móvil. Me abrió su aplicación. Entré como el usuario OLPL de Chess.com, que es mi perfil real. Comencé a mover los dedos sobre su teclado. Estaba tibio.

Ella llevaba las blancas. Yo, las ganas.

1. d4 d5; 2. b4 e6; 3. f4 Axb4+; 4. c3 Aa5; 5. a3 Cf6

Un desastre. Se lo dije. *Play Beth Harmon* ignoraba incluso lo que era un gambito de dama. Perdí el morbo por ella. Es posible que no valiera la pena hacernos amigos: Caïssa interruptus.

6. Dd3 Ce4; 7. Ta2 Dh4+; 8. g3 De7; 9. De3 b6; 10. a4 Aa6; 11. Ta3 Cd7; 12. Ah3 Cdf6; 13. Ag2 Cxc3; 14. Txc3 Axc3+; 15. Ad2 Axd2+; 16. Dxd2 Ce4

No es que jugara mal la virtuosa niña virtual. Es que, tal como yo me lo temía, se le notaba a la legua que, a su más tierna edad, la Beth Harmon digital no sabía nada de ajedrez. Y no hay manera de que una mujer bruta me resulte *sexy*. Ni sexual.

> 17. Af3 Cxd2; 18. Cxd2 Db4; 19. Ae4 f5; 20. Ag2 c5; 21. Cgf3 c4; 22. Cg1 c3; 23. h3 cxd2+; 24. Rf2 d1=C+

Por lo menos me di el gusto de coronarle un Caballo, en lugar de una Dama. Por lo menos, en mi historial quedaría grabado lo facilito que fue acaballarla:

> 25. Rf3 Dc3+ y 26. e3 Dxe3#

Adiós para siempre, preciosidad. Le di un beso de caballero Capablanca en sus manos de virgen blanquísima y me fui. *The Cuban Flight.*

Todavía no anochecía. Bajé hasta el Forest Park y me senté junto al estanque. Ese espejo de agua me estaba viendo ponerme viejo y solitario en mi ciudad homónima: Saint Orlando Louis.

Sunlight filtered through the trees on my memories of her. Brutally beautiful Beth. The people on the benches and boats seemed to be the same people as half an hour before. It did not matter to them whether they knew who she was or not. I walked past them along the path.

Pero a mí sí me importaba. Decepcionado o no de su nivel de juego, tenerla de pasajero por un tin de la tarde me dejó un sabor a jugada imposible, irreparable. Como corresponde a todo movimiento de peón: para atrás, ni para coger impulso, Orlando Luis Pardo Lazo.

Farewell, my lovely. Te voy a extrañar toda la vida. Hasta que Netflix nos separe.

127.

El pasado miércoles 6 de enero fue un día muerto en Washington, D.C., la capital del antiguo imperio norteamericano, devenido hoy la Latinoamérica del Norte y la cuna de la justicia global. Porque ya los Estados Unidos no le tiran una escupida a nadie. Habría que repartir el Premio Nobel de la Paz de Barack Obama entre, digamos, unos ochenta millones de votantes postales. El Correo, y no el Pentágono, es el nuevo garante de los demócratas y la democracia.

Ese día, estuve desde muy temprano con el App de Uber prendido en mi carro, pero no caía ninguna carrera. Ni en Maryland, ni en Virginia, ni en el Distrito de Columbia. Un aburrimiento total. Tedio terminal. Casi a la altura del mediodía, bajé hasta la Casa Blanca y fue mucho peor. Vacía, por dentro y por fuera. Blanco sobre blanco sobre blanco. Un Kandinsky encandilante.

A media tarde, bajé hasta el Capitolio. Y bien que hubiera podido meter mi carro escaleras arriba, hasta el salón principal, donde está la luz que mueve el motor de un materialismo ya sin mercados, porque no había nadie por los alrededores. Ni un agente CIA ni una vulgar CVP. No se sentía ni un alma en la magna casa. Rodeándola, no vi policías ni pordioseros. Que son la fauna que normalmente habita en ese nicho washingtoniano.

Al anochecer, decidí regresar al apartamento que una ONG con fines de lucro me alquila en la capital, cada vez que recalo por allí, en alguna de mis misiones secretas en contra de mi propio país. Desestabilizar es un placer. Toda vez que eres mercenario, ya para siempre lo eres. Es una merced ser mercenario. Mientras tanto, me dedicaba en horario de almuerzo a mi tareíta infaltable e infatigable de ganarme algunos dólares de dios manejando mi taxi Uber en D.C.

Comí someramente con Uber Eats. Pedí comida china, del recién inaugurado Wuhanshington Fast Food. Y me asomé a mirar la gran ciudad que yo tanto ignoraba en Cuba, pues no tenía ni idea de cómo lucía. Desde 2013, es la única ciudad que he amado, en la que he amado. Mucho más que Nueva York, que ya no es ni norteamericana.

Ah, inconcebible Washington D.C. de la derrota, donde mi corazón resucitó al tercer año sin Cuba. Por cierto, toda el área de gobierno es igualita a la zona de edificios de los años cincuenta en Cuba, esos granitos y cristales que escoltan a la Plaza de la Revolución. Mármol y luz. Leyes y piedras. Batistato del siglo xxi.

Dejé abierto el balcón de mi apartamento, en el famoso edificio de Prospect House, donde el superpresentador de TV Larry King, ya viejísimo, una vez trató de besarme en la boca. En su defensa, debo decir que yo lo provoqué sin querer con algo que le dije, sin siquiera conocerlo.

En fin, que Google Temperature bajó esa noche del 6 de enero a casi cero grados Fahrenheit, congelando el proceso de decadencia de la nación. Así como a los nativo-americanos ahora se les llama *First Nation*, así habrá que llamar pronto al resto de los 50 estados: *Last Nation*. O *Lost Nation*.

Igual dejé abierto el balcón de mi apartamento.

—Ojalá se me enfríen mis pesadillas con Cuba —pensé, antes de quedarme rendido.

Pero qué va. Por error, había sintonizado el televisor en la esquina castrista de la CNN. Nada nuevo, nada del otro mundo. Sin noticias de impacto. Sin noticias del impacto del meteorito que había extinguido a la democracia. Y, por supuesto, soñé que yo era un insurreccionista en la Isla.

Me vi entrando al Capitolio de La Habana, y se sintió riquísimo. Liberador. Trump y QAnon nos habían autorizado a este ritual en plena Revolución Cubana. En *CubaEncuentro*, el agente de influencia Alejandro Armengol nos tildaba enseguida de «lumpen-proletariado». Es decir, de proletarios que se declaran en contra de la vanguardia del proletariado.

La ocupación pacífica, con muertos incluidos, fue 1917 veces más linda que la meadera obrera en los jarrones del Palacio de Invierno de Petrogrado, antes llamada San Petersburgo y después Leningrado. Y también fue 1959 veces más bella que la guajirada de verde olivo, asalariados del Ministerio de Recuperación de Bienes Malversados, robándose cuatro cucharas que ellos no sabían ni usar (por algún motivo, los revolucionarios siempre empujan la comida con el dedo pulgar).

Entonces, en el Capitolio cubano me rodeaban Nancy Pelosi y Bernie Sanders, pálidos como el papel sanitario, y los dos me amenazaron al unísono, en franca violación de la ley federal:

—En Cuba, tú estarías ya fusilado.

Como si no estuviéramos ya en Cuba, en mi sueño. Y, por cierto, ya no lo estábamos. Porque la frase me había acabado de despertar con el Capitolio de D.C. asomado a mis ventanales de Prospect House.

Nada podrá detener la contramarcha de la historia, pensé para espabilarme. Y, en plena madrugada, salí a manejar Ubers muertos por la orilla del Potomac, parónimo del río Pastrana de mi infancia en Lawton, La Habana.

128.

Una noche se montó en mi taxi una mamá, con su bebé en brazos. Era muy joven. Y muy bella. La piel le brillaba con ese brillo propio de la maternidad. Lo había acabado de parir, supongo. Y ahora volvía a casa desde el hospital.

Era una muchacha negra. No parecía norteamericana. Tenía las facciones ennoblecidas del África profunda, yo diría que selvática, sin ese cansancio urbano que parecen tener hoy muchos afroamericanos. Un rostro lleno de paz y autoconfianza, sin trazas de esa rabia resentida de quienes han vivido al margen de la América blanca.

Le pregunté su nombre. Me dijo:

—Mahzah.

Le pregunté de dónde era ese nombre. Me dijo:

—De donde mismo yo soy.

Le pregunté entonces de dónde era ella. Y me dijo:

—A donde mismo voy de regreso ahora.

Y, por supuesto, no pude evitar preguntarle, tratando de no ser rudo en mi interrogatorio, a dónde iba ella de regreso ahora.

Me gustan los trabalenguas. Y me gustaba su acento feromonafricano. Pero, al fin y al cabo, era yo quien la llevaba en mi taxi hacia su destino. Manejando hacia una dirección que yo desconocía, en lo que parecía ser una zona abandonada en las afueras de la ciudad. Uno de esos eriales que bordean las áreas llamadas del Grand Saint Louis, que de grande no tiene nada. Zona de guerra incivil, donde cada noche los cazadores de una y otra raza salen a matar a los del color contrario, en un ajedrez atroz. Armagedón de la NRA y de una bien regulada milicia.

Esta es, por cierto, la realidad real de los Estados Unidos que mis amigos en Miami ni se imaginan. Ellos nunca emigraron de nuestra Isla. Salieron de la Cuba cársica, pero se quedaron en la Cuba con croqueta y Coca-Cola de la Florida. Animales insulares que, por suerte para ellos y sus familias, no han presenciado el horror histórico del hondón norteamericano.

Y no se trata de políticos, sino de política. Así que, votes por quien votes, ni mil Trumps ni un millón de Obamas van a mover un dedo para impedir que se reproduzca esa América medieval. Gótica, grotesca. Como de otro planeta que estuvo habitado, pero un meteorito automático de asalto lo extinguió.

Mahzah me miró con piedad. La dulzura de su sonrisa hembraica me llegó hasta la médula del más miserable de mis huesos.

—A donde ella va de regreso ahora —me respondió, señalando a su bebé con un gesto afilado de sus labios finísimos.

Tanto como su nariz puntiaguda, de brujita color del cosmos. Deleitosa deshollinadora. Y tanto como sus pestañas, que eran una cordillera de medialunas en sus párpados de papel carbón. Los ojos de pantera mansa, porque ya había conquistado su libertad. Una mujer metáfora de la muerte.

Y todo esto, dicho con el mismo tono mínimo de mujer sin presiones de género que Mahzah había usado en sus otras respuestas, desde que abrió la puerta de mi Chevy Malibu y se sentó a mi lado. No me dio tiempo a preguntarle que a dónde iba su bebé de regreso ahora. Ella misma me lo dijo:

—Ife nació muerta, me dijeron los médicos. Pero los médicos no pueden saber lo que entre nosotras pasó, mientras yo esperaba a Ife. Ella vino a buscar a su mamá: es mucho más sabia que yo. Ife y yo no queremos vivir en un país sin amor.

Llevo bastantes años sobre la faz del planeta Tierra. Puedo reconocer la verdad cuando se manifiesta ante mí. Paré el taxi a la entrada de Pelican Island, un parque natural del estado que, paradójicamente, está escoltado por los basureros de medio Missouri.

Me bajé y ayudé a bajarse a mi pasajera. Me arrodillé ante Mahzah y le pedí su bebé. Me la dio, obediente. Ife también, precisamente por ser neonata o neoccisa, llevaba suficiente tiempo sobre esta Tierra como para reconocer la verdad tan pronto como se manifiesta.

Besé a la bebé en su frente de hielo oscuro. Tenía razón su Mahzah. Ife no estaba muerta, como le dijeron los médicos occidentales. Y acaso orientales, pues los hospitales de Saint Louis están saturados de asiáticos y árabes. Ife venía a invitar a Mahzah a un viaje. Le devolví el bebé a su mamá transoceánica.

Entonces abracé a Mahzah a la altura del vientre. Puse mi cabeza de hombre cubano en su placenta vaciada de vida. Sentí la forma de sus nalgas de combate en mis manos. Dos sierras leonas. Me excitó.

Mahzah se empinó hacia mí. Clavó sus uñas, quién sabe si etíopes, en mi nuca. Hundió mi cráneo en su ombligo aún hinchado. Entonces volvió a hablarme. Para entonces, ya habíamos hecho el amor, sin necesidad de mover un dedo. Su inglés tenía la perfección de toda lengua universal y su acento era humano, eróticamente humano.

—Es posible que Ife haya venido a buscarte también a ti, si tampoco quieres vivir en un país sin amor.

No me dio miedo su invitación. Esperé en paz el golpe de una piqueta en mi occipital. O la caricia de una daga, que emancipase todo el odio coagulado en mi garganta.

No había luna esa noche. Una extraña brisa nos arremolinaba. Tipo tornado mágico de Oz. El olor de los basureros, que normalmente flota como una nube pútrida sobre todo el norte de Saint Louis, de pronto olía a flores exóticas, de aroma trasplantado, eterno.

Estábamos al inicio de otra civilización. Éramos los iniciadores de otra civilización.

Una mujer invisible bajo la noche de asfalto, de azabache aromático. Una bebé inmortal, apretada al pecho ya no más exiliado de su mamá. Y la patria manifestándose en todo su esplendor a ras de la Isla de los Pelícanos, al margen de los desechos de nuestra fallida civilización anterior.

No le respondí. Lo dejé a su decisión. La vida de Orlando Luis Pardo Lazo dependía ahora del instinto criminal o de conservación de la más humana de sus personajes.

129.

Íbamos en un Uber Pool. Dos pasajeros en el asiento de atrás de un taxi. Atravesábamos el Soweto cubano de Miami. Los dos usábamos máscaras. Había toque de queda, después del cañonazo de las nueve. A los jóvenes no les importaba esa medida represiva: bailaban semidesnudos sobre los carros, haciéndose etnoselfies, drogados. Pero él y yo sabíamos, sin necesidad de la primera palabra, que la ciudad nunca volvería a ser lo que en definitiva nunca había llegado a ser.

Se llamaba Hipólito, me dijo. Pero en familia le decían «Poly». Y, como yo era cubano, ya me consideraba parte de su familia. Así que, en confianza, podía llamar Poly a Hipólito. Más allá del exilio y su intemperie de siglos, podíamos sentirnos ambos como si estuviéramos en casa dentro de aquel carro.

A cambio de su exceso de confianza, yo le dije que mi nombre era Orlando Luis Pardo Lazo. Y que él, a su vez, podía llamarme «Landy», como si él fuera el hermano que yo nunca tuve. Un hermano, en este caso, veinte años mayor. Había nacido en 1953, el año del Cuartel Moncada. Yo llegué en 1971, el año del Caso Padilla.

Poly, el de los años cincuenta. Landy, el de la década del setenta. Dos dinosaurios caídos de un planeta perdido llamado País.

El viaje era largo, como su historia. De punta a punta de Miami. Con un tráfico trancado, lentísimo. De punta a punta de nuestra mutua imaginación de isla.

—A mí no fue Cuba la que me descojonó en cuerpo y alma —me dijo—. Fue la familia cubana, tú sabes.

Pero, no. Yo no sabía ni entendía nada. Poly acababa de hacerme parte de su familia. Y ahora, con sus esdrújulas súbitas, Hipólito sonaba un tin amenazador, con aquel vozarrón a tope de volumen, y con aquel tonito pasado de peso con resonancias de rabia y resentimiento.

Él entendió enseguida mi desconcierto.

—No tú, compadre, sino mi familia anterior. La que yo no elegí en vida. La que ya no tengo, ni tampoco quisiera tener.

Resulta que su padre había sido un represor del Ministerio del Interior cubano. Durante años, lo obligó a quedarse en Cuba, en contra de su voluntad. Como si el niño y el adolescente y el joven Hipólito estuvieran castigados. Y, a todos los efectos, cada uno de los tres Poly lo estaba. Lo estuvieron durante casi veinte años. En muchos sentidos, Poly había sido el primero de los presos plantados cubanos.

Desde la primavera de 1963, hasta la primavera de 1980. Un Mandela blanco.

Resulta que su madre se había largado de la Isla, en 1963. Y entonces, como venganza de clase, su padre lo había retenido a él en la Isla de la Libertad, al estilo de un rehén de la Revolución. Lo hizo para limpiar su honor, para no marcarse ante sus uniformados superiores. En definitiva, para conservar su salario de mierda en pesos cubanos, y no terminar preso o degradado por ser un policía pendejo.

Muchas veces, según el hombrón obeso a mi lado me contó, el flacucho Hipólito soñaba con reivindicar ese abuso paterno. De haberle podido quitar la pistola mientras su progenitor de uniforme verde olivo dormía, Poly le hubiera metido el cañón en la boca y hubiera disparado el gatillo sin pestañear. Pum.

O en el culo. Pum, pum.

Clavársela bien hondo, tal como a él lo habían dejado clavado en Cuba, por culpa del muy cabrón. De la almohada al ataúd, sin darle más vuelta al caso. Poesía prosaica del pum, pum, pum.

Hubiera sido un acto de misericordia, me dijo. Tanto para su padre déspota tendido sobre el pimpampum, como para el resto de la familia partida por la mitad. Incluida su pobre madre, que lo dejó abandonado a su suerte en Cuba. Para colmo, sin siquiera avisarle, mientras Poly jugaba un pitén en la esquina de su barrio habanero, a las seis y seis de la tarde del descojonante domingo 28 de abril de 1963.

¿Cómo olvidar la fecha?

Hipólito tenía nueve años entonces y, tan pronto como se enteró de la traición materna, se hizo atrozmente adulto hasta el día de hoy.

A su hermanita, sí se la llevó la madre ese día. Así que el abandono había sido por partida doble. La niña tenía apenas diez meses de nacida, pero igual el dolor doblegó a su hermanito grande varón. Le partió el espinazo, lo desvertebró. Lo emasculó. Si Poly no se hizo mariquita en Cuba, fue de puro milagro. Porque Dios es macho, vaya. Pero, todas las tardes, puntualmente sobre las seis, él se prendía a llorar dentro de los vestidos dejados en el escaparate por su mamá. Lo habían cambiado por una bebé y un avión.

Todo ocurrió tal y como él me lo estaba contando. De cubano a cubano, de corazón. A camisa quitada, mientras los carros se acumulaban a nuestro alrededor en un *expressway* anónimo de Miami, la capital del castrismo continental.

Luego vino el Mariel en 1980, por supuesto. Pero ya era demasiado tarde para todos. Su madre vino a rescatarlo heroicamente en un barco, otra tarde plomiza de abril. Pero en Cuba ya no quedaba nadie, pues Hipólito se había ido de contrabando en un barco anterior. Madre e hijo tal vez hasta se cruzaron en el Estrecho de la Florida, para deleite de los tiburones y la prensa de la época.

A él le daba igual, al hijo huérfano que iba ahora sentado a mi lado en el Uber taxi. Con o sin máscaras, hijo y madre ya no se reconocían. Y ya no se reconocerían nunca más. La máscara de la mentira les había borrado el rostro a los dos. Quizás, de paso, también a mí, no solo dentro de aquel Uber Pool, sino en los 50 estados que estaban alrededor del carro.

Hay una ley no escrita sobre los abandonos humanos. Y esa ley aparece escrita a continuación:

—Mirar atrás es peor —me dijo—. Si ya abandonaste a alguien, lo mejor es dejarlo abandonado hasta el final.

—Créeme, cubanito: mirar atrás es peor —y si no lo repitió por lo menos diez veces, entonces no lo repitió ninguna.

—¿Y después? ¿Se encontraron en los Estados Unidos, tú y tu familia?

La vista se le fue por la ventanilla. Tenía la máscara mojada. Mocos, sudor, lágrimas, saliva. Síntomas inequívocos del coronavirus. Poly seguramente se estaba muriendo. Y detrás de Hipólito, me tendría que ir muriendo yo. El exilio es así de banal: un holocausto por imitación.

—Sí, nos encontramos el día de la muerte de mi mamá —me contestó al final—. Nuestra mamá, que fue una buena mujer y murió como una valiente, todavía pensando en mí, apenada y preocupada por mí y, por supuesto, culpable por mí.

—¿La perdonaste antes de que muriera? —la pregunta se me salió sola.

Entonces añadí:

—Disculpa, es una pregunta demasiado personal y no debí hacerla: se me salió sola.

Pero Hipólito me cortó:

—Compadre, para algo somos familia, ¿no? —y una sonrisa se le marcó en su quijada, por encima de la mascarilla—. No fue necesario perdonar a nadie. Ahora estamos aquí, juntos, y nos amamos para siempre, sin un sí, ni un no —y con un guiño señaló a la señora que viajaba en el asiento delantero, junto al chofer.

La música de la reproductora delante mantenía a su madre al margen de nuestra conversación enmascarada detrás.

—Bendiciones —le dije.

—Compadre —me soltó—, no dejes que se te vaya la vida así, todo descojonao, como se me fue a mí. Ni Cuba, ni tu familia, ni tu madre, ni nadie. No esperes hasta morirte para vivir en el amor, como esperé yo.

Un consejo raro, pero se lo prometí. Le iba a preguntar por el destino de la hermanita, a quien su madre había sacado de Cuba siendo una bebé. Pero me contuve. Capaz que se hubiera muerto de poliomielitis o algo así. O que fuera la espigada mujer que manejaba el Uber, sin quitar la vista del *expressway*, como inocente del dolor de su hermano.

En verdad, sentí que aquella bien pudiera ser la verdadera familia de todos los cubanos. Hecha leña, hechos leña. Sabe Dios cuánto se habrían gritado los unos a las otras, a lo ancho y ajeno del exilio, desde el éxodo bíblico de 1980, hasta el año 2020 de la pandemia y un fraude postal *fake* que culminó con una insurrección en el Capitolio y en la CNN, la Cartoon News Network.

Cubanos, cojones, cubanos. Al menos ellos vivieron una vida violenta, mientras que yo seguía condenado a ser solo un testigo de este maratón de tragedias. Supongo que fue la forma que encontré para sobrevivir a Fidel: contar el castrismo a cuentagotas, de carro en carro y de carretera en carretera. Sin involucrarme, sin protagonizar una sola palabra.

130.

Cuando la nieve cae, el exilio no es verdad.

Cuando la nieve cae, las avenidas quedan mudas. Incluso si hay tráfico, ese tráfico no suena. La ciudad entera es como una alfombra. Paisaje de puertas adentro. Memoria imaginada de mi infancia. Habana nórdica de mis anhelos. Familia nueva. Lenguaje de estreno. Hogar.

Cuando la nieve cae, la noche es tan bella que no deja dormir. Prendo el carro y salgo a manejar sin saber a dónde. No importa que el App de Uber casi nunca se active durante las nevadas. No estoy afuera para ganar dinero. De hecho, es preferible la ausencia de pasajeros. Estoy afuera para que la nieve no caiga sin mí, para no dejarla sola en una caída que, sospecho, podría ser la última en todo el planeta. La última en toda la historia. La última, también, en mi biografía que ya comienza a hacérseme demasiado larga.

Cuando la nieve cae, hay amor generalizado en mis ojos de cubano sin Cuba. Las lágrimas me nublan la vista con sus copos tibios. No estoy triste, sino exultante. Todo es ternura y eternidad. El carro patina un poco, sí, pero tampoco es cuestión de caer en pánico. En la práctica, me da risa verme timoneando dentro de mi taxi-esquí. Perfectamente seguro, resbalando en cámara lenta de contén a contén. Como los carritos locos del Coney Island de La Habana. Feliz, efímero. Pensando en mí y en ti y en todos ustedes, en si alguna vez seremos *todos nosotros*.

Cuando la nieve cae, quiero gritar. Pararme en el techo del carro, sin dejar de manejarlo. Ser un oso oteando dónde hibernar. O un lobo ávido de montar a su hembra, después de matar a un montón de presas para alimentarla. A nuestra hembra y a la carne nacida de nuestra mutua carne machihembrada.

Cuando la nieve cae, la ropa sobra. La excitación misma me la quita. Tal como la locura me mantiene a salvo de mí. Manejar desnudo es volver a la infancia, es volver a ser un humano.

Cuando la nieve cae, cubanos sin Cuba, es el gran momento de la reconciliación nacional. Todo lo escrito y todo lo pensado por otros viene ahora a mí en ráfagas, envuelto en un halo azul de cine de barrio, oloroso a aire acondicionado prístino, republicano, siglos antes de la Revolución cubana. Entonces, lo recuerdo todo de Cuba. Y Cuba lo recuerda todo de mí. Nosotros, que normalmente ya no recordábamos nada. Y arropo cada escrito y cada pensamiento con un manto de compasión cósmica. La misma que sentí inmediatamente después del primer orgasmo, que es el momento en que se define si un hombre será o no será un criminal.

Cuando la nieve cae, la música de los portales y los pasillos que van pasando se hace inevitable. Todo resuena, todo se sintoniza en una especie de sinfonía silente. Vi tantas veces esta escena de niño. Y me asusté tanto. El futuro no es fácil cuando uno acaba de nacer, y se sabe frágil e inmortal. Tuve tantas oportunidades para no llegar hasta este instante. Y todas las desaproveché por azar, por no estar del todo presente para ejecutarlas. La vida fue también como este resbalar entre las aceras heladas, iluminadas por un rayo de blanco nube, blanco lucero, blanco Orlando Luis Pardo Lazo.

Cuando la nieve cae, suelto el timón y extiendo mis brazos hacia alguna parte, para ver si esta vez no me sueltas y no te suelto yo de la mano. Te extraño. Por eso sé que ya es demasiado tarde para intentarlo. No siempre fue así, lo sabemos. Pero, a partir de cierto punto de simulación en nuestras existencias, también lo sabemos, no tuvimos otra opción que no fuera traicionarnos en masa.

Dejamos de ser contemporáneos. Nos desaparecimos, nos desaparecieron, nos dejamos desaparecer.

Cuando la nieve cae, compañeros. Cuando la nieve compañera cae.

131.

Miré mis manos. Tan cansadas de manejar y manejar en la nada.

Miré el timón de mi taxi Uber, que en realidad habían sido decenas de timones en decenas de carros, a lo largo y estrecho de mis falsos años de exilio. El timón estaba gastado, raído por el uso. Lucía sucio, a pesar de no estarlo. Desencantado de la carretera y su ristra de pasajeros virtuales. Un timón avergonzado de mí, el chofer incapaz de llevar a nadie a ningún puerto seguro. Mucho menos a un hogar.

Extranjeros, extraños. Manchas anónimas en el paisaje del capitalismo global, esa falacia de los intelectuales de izquierda. Sombras de sombras, entre sombras, con sombras de fondo. Reflejos reiterativos, que ya apenas pueden ni reflejarse a sí mismos. Espejismos. Desesperanza.

Dejé de mirar mis manos, tan contentas de manejar y manejar en la nada.

Dejé de mirar el timón de mi taxi Uber, el palimpsesto de los incontables timones y carros y carreteras y pasajeros, a lo corto y ancho de esa biografía sin vida que los cubanos llamamos exilio, a falta de otra palabra peor. Y todas lo son: cada palabra es peor que la palabra anterior. Todas son boronilla virtual, sin volutas de un significado verdadero. O, al menos, verosímil.

Estoy avergonzado de ustedes, perdónenme mi vocabulario incapaz de llevarme a algún puerto seguro. O por lo menos a mi hogar. Vo*cuba*lario, vocabulárido. Entonces lo decidí. No sigo. Basta de teclear tonterías intensas.

Me desloguié de mi cuenta *gold plus* de Uber. Desinstalé el Uber App de mi iPhone X. Apagué el motor de mi Ford Falcon rentado. Ahí mismo lo hubiera dejado, en el *drive-through* de un Starbucks cualquiera. En este caso, el de Clayton Road, cerca del cine-teatro Hi-Pointe.

Después, pagaría la multa. Total. Después, pediría perdón en la corte del estado. Total. Por el momento, a la pinga con todo y todos.

Comencé a caminar. Con suerte, caminaría horas y horas. Caminar por el resto de la historia, por los restos de mi historia. Camina, Forrest, camina. De una punta a otra punta de la ciudad, cualquiera fuera la Uber urbe donde yo me encontrara ahora. Total. Si todas las ciudades de los cubanos van a ser siempre La Habana.

Caminar como en Cuba. Rápido, muy rápido. Demasiado rápido, sin cansarme. Sin hacer la menor pausa. Sin darme cuenta de que ya estoy cansado, muy cansado. Demasiado cansado hasta para hacer la mayor de las pausas.

Caminar como un cadáver, para que no me alcance nunca mi propio cadáver.

Adiós, extráñenme. Yo también ya me estoy extrañando. Y escríbanme a mi OrlandoLuisPardoLazo@gmail.com, si es que quieren que Uber Cuba cuente con un volumen 2.

132.

Hay un cuento muy lindo de un niño que estaba enamorado de la luna. Y no lo podían sacar al jardín cuando había luna en el cielo, porque le tendía los bracitos como si la quisiera coger. Y se desmayaba de la desesperación, porque la luna no venía. Hasta que un día, de tanto llorar, el niño se murió, en una noche de luna llena.

Uber Cuba no se quiere morir, porque nadie debe morirse mientras pueda servir para una segunda parte. Y la vida es como todas las cosas, que no debe deshacerlas sino el que puede volverlas a hacer. Es como robar, deshacer lo que no se puede volver a hacer. El que se mata, es un ladrón. El que hace silencio, asesina a alguien.

Pero Uber Cuba se parece al niñito del cuento, porque siempre quiere escribir para sus enemigos, los cubanos, mucho más de lo que cabe sobre el papel, que es como querer coger la luna. Violentarla, violarla.

¿No les ofreció la historia insurreccionista del Capitolio, la del tirano tierno en su vejez inverosímil, la del cardenal de analidades avaras, la de la anciana analfabeta de 1961 y la chilena suicidada por el Estado en la Isla, la de cimarrones y mayorales a ras de la centrífuga amarga de mi impropio ingenio, entre otros etcéteras fantasmagóricos de la Revolución Cubana?

¿No fui yo quien comparó el delicado derribo de las Torres Gemelas con la caída cruel de las estatuas esclavistas, antes de pedir que los orines de los marines recolonizaran el mármol claustrofóbico de José Martí? ¿Y quién si no este chofer de taxis Uber, tuvo que declararse nazi ante la socialistada de Radio y Televisión Martí?

Da igual. Otras muchas cosas así les tengo escritas, y muchas otras más les tendré que escribir. Uber Cuba es siempre todavía. Pero ahora desde la independencia radical de una página en blanco, que es la más elocuente. Sin editores, ni horarios, ni precios de *shopping* + *shipping* en Amazon Prime. Ni la comemierdad de los comentaristas, ni tampoco mi responsabilidad cívica en tanto autor. A la bartola, al abordaje, a la burdajá.

No lo olvides. O, mejor, olvídalo pronto. El hombre de los Uber Cuba no fue tu amigo.

Abro mi carro, usando el control remoto. Prendo el motor por simple contacto, sin necesidad de meter la llave. Y ya acelero, ya vamos de nuevo.

Uber Cuba desaparece, por suerte, para por fin empezar a empezar.

133.

En realidad, desde que salí al exilio no he cogido mil novecientos cincuenta y nueve Ubers, sino apenas, digamos, ciento treinta y tres.

«Uber», ya sabemos, es una palabra que ni siquiera existía en Cuba. Ni existe. No cupo en el diccionario de nuestra mercadotécnica modernidad. Al parecer, el castrismo sigue y seguirá siendo radicalmente incompatible con el híper-civil concepto de Uber.

Nuestro entrañable totalitarismo insular no tolera ni siquiera una ciudadanía-taxi. Por eso Cuba es un fenómeno tan paleológico, una tachadura tectónica que no pertenece del todo a la actualidad. Geodesia jodida. De ahí que el sujeto castrista no tuvo, no tiene, ni nunca podrá tener contemporáneos. Nos han dejado muy solos, atrozmente solos, los cubanos a los cubanos. Crónicamente anacrónicos, como la cubanía misma es un concepto a la desbandada.

Uber Cuba ha sido una sección escrita a la carrera: minutos antes, minutos durante, o minutos después de una de las apenas ciento treinta y tres carreras que he dado o cogido en los taxis Uber del exilio cubano.

El exilio cubano es, por supuesto, una manera de decir. Ya no existe tal oasis. Los cubanos somos aparecidos, espectros, fantasmas de la fidelidad. Distorsiones de un desierto diaspórico. Desilusiones de un diario diastólico.

Esta fue, pues, una historia de la Revolución Cubana contada capítulo a capítulo por los taxistas y pasajeros de Uber, desde un siglo XXI que en Cuba aún no llegó, con nadie y para el bien de nadie.

Bendiciones literáridas de la barbarie: dije lo que me vino en ganas decir. Para algo perdimos la guerra contra los totalitarios, para algo no pudimos evitar que nos destimbalaran antes de tiempo. Para contar por fin la historia como nos salga de los timbales. Para hacernos intolerables, intolerantes. Atravesados, como un miércoles de mierda, en la garganta del progresismo planetario.

Vade retro, Revolución. Esperemos el próximo Uber para soñarla.

ÍNDICE

Orlando Luis Pardo Lazo ha escrito el libro más políticamente incorrecto de la literatura cubana y tal vez de la norteamericana. No conozco a ningún escritor que, en estos tiempos de corrección obligada, tenga los cojones (o los ovarios) de escribir con la libertad que lo hace OLPL: el más irónico, el más corrosivo, el más oscuro y a la vez el más claro. El más lúcido de muchos.

JUAN MANUEL CAO
Miami, viernes 13 de agosto de 2021.

Made in United States
Orlando, FL
29 December 2021